轉法輪

李洪志

（日本語版）

大法

李洪志
正法十八年春

旋法至極

法輪常轉

佛法無邊

この法輪《ファルン》図形は宇宙の縮図であり、他の各空間においても、その存在形式と演化の過程が存在しています。ですから、わたしはそれを一つの世界だと言います。

李　洪　志

論語

大法は創世主の智慧です。大法は天地を開闢し、宇宙を造化する根本であり、中に含まれるものは極めて洪大かつ細微で、異なる天体の次元にそれぞれの現れがあります。天体の最もミクロなところから最もミクロな粒子が生じるところまで、一層一層の粒子は計り知れないほどあり、小さいものから大きいものまで、そして表層の、人類が知っている原子、分子、星、星系、さらに大きいものまで至り、大きさの異なる粒子は大きさの異なる生命と、宇宙天体に遍く広がる大きさの異なる世界を構成しました。異なる次元の粒子の本体にいる生命にとって、この次元の粒子より大きい粒子は彼らの空にある星であり、どの次元も同じです。宇宙の各次元の生命にとって、それは尽きることはないのです。大法はほかにも時間、空間、多くの生命の種類と万事万物を造りあげ、含まれないものはなく、漏れるものはありません。これは大法の真、善、忍という特性の異なる次元での具体的な現れなのです。

人類の宇宙、生命を探求する手段がいくら発達しても、次元の低い宇宙で人類が存在している空間の一部を洞察しているに過ぎません。先史の人類に幾度となく現れた文明の中で、いずれもほかの星を探求したことがありますが、いくら高く遠くまで到達しても、人類が存在する空間から離れていません。人類は、永遠に真に宇宙の真実の現れを認識することができません。人類は、宇宙、時空、人体の謎を解き明かしたければ正法の中で修煉し、正覚を得て、生命の次元を高めるしかありません。修煉によって道徳性も高められ、真の善悪、良し悪しをわきまえ、人類の次元から抜け出すと同時に、やっと真実の宇宙及び異なる次元、異なる空間の生命を見たり接触したりすることができるのです。

人類の探求は技術競争のためであり、生存条件を変えることを口実にしていますが、多くは神に対する排除、人類の道徳をもって自らを律することの放縦が根底にあるため、今まで人類に現れた文明は幾度となく壊滅させられました。探求も物質世界の中に限られており、一つの物事が認識されてからそれを研究するという方法を採っています。しかし、人類の空間で触れることも見ることもできなくても、客観的に存在し、確実に人類の現実の中に反映されてきた現象に対して、精神、信仰、神の言葉、神の奇跡を含めて、神を排除しているがゆえに従来から触れる勇気はありません。

もし、人類が道徳に基づき人間の品行、観念を高めることができれば、人類社会の文明は末長く続きます。神の奇跡も人類社会で再び現れるのです。今までの人類社会にも幾度となく、神と人間の文化が共存した文化が現れ、人類の生命と宇宙に対する本当の認識を高めました。人類は、大法のこの世での現れに対して、然るべき敬虔と尊重を示すことができれば、人々、民族または国に幸福や栄光をもたらすことができます。天体、宇宙、生命、万事万物が宇宙大法によって切り開かれたため、生命が大法から背離すれば、それは本当の堕落です。世の人は、大法と一致することができれば本当の良い人であり、同時に善報、福寿を得ることができます。修煉者として、大法と同化することができれば、あなたは得道した者、即ち神となるのです。

李　洪　志

二〇一五年五月二十四日

目次

第一講

本当に高い次元へ人を導く

わたしは、法を伝え、功を伝えるにあたって、常に社会と学習者に対して責任をもつことを念頭においてきました。ですから得られた結果も良く、社会に与えた影響もかなり良いものでした。数年前、大勢の気功師が気功を教えていましたが、彼らが教えたのはいずれも病気治療と健康保持という次元のものでした。もちろん、彼らの功法が良くないと言うのではありません。わたしが言いたいのは、彼らは高い次元のものを教えていなかったということです。わたしは中国の気功の現状も知っていますが、今、国内にも国外にも、本当に高い次元への功を伝える者は、わたし一人しかいません。高い次元への功を伝える人がなぜいないのでしょうか？　それはこのことが非常に大きな問題と絡《から》んでいるからです。歴史的な問題と深く絡んでいるばかりでなく、幅広い分野に及び、非常に微妙な問題にかかわりを持っているのです。そのうえ、多くの気功流派のものを揺るがしかねないという問題も絡んでくるので、普通の人では伝えられるはずがありません。特に多くの練功者は、今日はこの功を習い、明日はあの功を習うなどしたあげく、自分の身体《からだ》をすっかり乱してしまったので、上の次元をめざす修煉はもう間違いなくできなくなっています。一本の大道《だいどう》に沿って上をめざして修煉すべきなのに対し、その人たちは脇道ばかり歩くので、これを修煉しようとすればあちらから妨害が入り、あれを修煉しようとすればこちらから妨害が入り、あちらこちらから妨害されるというしまつで、もう修煉することができなくなってしまったのです。

これらの問題は、われわれがすべて片付けてあげなければならないものです。良い部分を残し、悪い部分を除き、今後修煉できるようにしなければなりません。しかしそれは、本当に大法《ダーファ》を学びに来る人だけにしかしてあげられません。もし、あなたがさまざまな執着心を持っていて、功能を追求するとか、病気の治療を求めるとか、理論を聞いてみたいとか、あるいは、何かの良くない目的を抱《いだ》いているとすれば、やってあげるわけにはいきません。今、お話ししたように、このことをやっているのはわたし一人しかいません。今回のような機会はめったにありませんし、わたしもこれから先ずっとこのように教えていくことはありません。直接わたしの説法を聞き、功法伝授を受けられる人は、本当に……今のこの時間が最も喜ばしい時だったと、将来きっと分かることでしょう。もちろんわれわれは縁を重んじます。皆さんがここに坐っていることは、すべて縁によるものです。

高い次元への功を伝えるとはどんなことでしょうか？　よく考えてみてください。それは人を済度《さいど》することではないでしょうか？　人を済度するというからには、あなたはもはや普通の病気治療と健康保持のみにとどまらず、本当の修煉をしなければなりません。本当に修煉する以上、学習者の心性への要求も高くなります。ここに坐っている皆さんは大法《ダーファ》を学ぶために来ているのですから、真の煉功者としての自覚を持ち、執着心を捨てなければなりません。いろいろな目的を追求しながら功を学び、大法《ダーファ》を学ぼうとしても、何も身につけることはできません。あなたに一つの真理をお教えしましょう。絶えず執着心を取り除くことこそ人間の修煉の過程のすべてです。常人《じょうじん》の社会において、人々は奪い合ったり、騙《だま》し合ったり、個人のわずかな利益のために人を傷つけたりしますが、こういった心は全部捨てなければなりません。特に、今ここで功を学んでいる人は、これらの心をなおさら捨てなければなりません。

わたしはここで病気治療の話をしませんし、病気治療などもしません。しかし、本当に修煉をしようとする人の身体に、病気があっては修煉できるわけがありません。ですからわたしは身体を浄化してあげなければなりません。しかし身体の浄化をしてあげるのは本当に功を学びに来た人、本当に法を学びに来た人だけに限ります。もしあなたが病気のことばかり考えるその心を捨てられないのなら、われわれは何もしてあげられないし、どうすることもできないということを強調しておきます。なぜでしょうか？　この宇宙には次のような理《り》があるからです。佛家によれば、常人の中のことは、すべて因縁関係があり、生老病死《しょうろうびょうし》は常人にとって当然のことです。人は、以前に悪事を働いたために生じた業力《ごうりき》のせいで病気になったり、魔難に遭ったりしています。苦しみを味わうことはほかでもない「業」を返すことなので、いかなる人といえども勝手にそれを変えるわけにはいきません。変えてしまうと借金を踏み倒してもよいということにもなります。しかも勝手にこのようなことをしてはなりません。さもなければ、悪事を働くことに等しいのです。

人の病気を治したり、健康のために何かしてあげたりするのは、良いことだと思う人がいます。しかしわたしの見るところでは、誰も本当に病気を治せたわけではなく、ただ病気を先送りさせ、あるいは転化させただけで、病気を取り除いてはいません。本当にその難を取り除こうとすれば、業力を消去しなければなりません。もし本当に病気を治すことができて、業力をきれいに取り除くことができるなら、本当にそこまでできれば、この人の次元はもはや低くはありません。つまり彼にはすでに、常人の中の理を勝手に壊してはならない、という理が分かっているのです。修煉途中の修煉者が慈悲心から、良いことをし、人の病気を治してあげるのは許されることです。しかし、完全に治すことはできません。もし本当に常人の病気を根治してあげることができるとして、修煉しない常人がここから出て、何の病気もなくなったとしましょう。でもその人が相変わらず常人のままで、私利私欲のために人と争ったりするようでしたら、彼の業力をどうして勝手に取り除いてあげられるのですか？　そのようなことは絶対に許されません。

ではなぜ、修煉者のためならしてあげてもいいのでしょうか？　修煉する人こそ最も貴重なのであり、その人が修煉しようと思うこと、そこで生じた一念こそ、なによりも貴重なのです。佛教では佛性《ぶっしょう》を重んじており、佛性がいったん現われると、覚者《かくしゃ》たちはその人を助けることができます。それはどういう意味なのでしょうか？　わたしは高い次元にあって功を伝えていますから、高い次元の理に関わっており、非常に大きな問題に及ぶのです。この宇宙で、人間の生命は常人社会の中で生じたものではない、とわれわれは見ています。人間の本当の生命は宇宙空間で生じたものです。この宇宙には生命を造るさまざまな物質がたくさん存在しており、これらの物質が互いに働き合うことによって、生命が誕生します。つまり、人間の最初の生命は宇宙に起源を持つということです。真・善・忍という特性を持った宇宙空間は本源的に善良なものであり、人間も生まれた時は、宇宙と同じ特性を持っています。しかし、生命体が多くなると、その集団に社会的な関係ができてきます。その中の一部の者が、利己的になっていったために、次第に自分の次元を下げ、ついに自分のいる次元にいられなくなり、それより低い次元へ堕ちていきました。

ところが、つぎの次元においても、まだだんだん悪くなり、そこにもいられなくなって、下へ下へと堕ち、最後には人類という次元にまで堕ちて来たわけです。

人類社会全体は、同じ次元にあります。ここまで堕ちてしまったら、功能の角度から見ても、あるいは大覚者《だいかくしゃ》の立場から見ても、これらの生命体は本来消滅されるべきものでした。しかし、大覚者たちがその慈悲心により、彼らにもう一度機会を与えたので、このような特殊な環境、特殊な空間ができあがったわけです。ところが、この空間の生命体は、このような他の空間の生命体とは違います。この空間の生命体には、他の空間の生命体が見えず、宇宙の真相も見えないので、これらの人々は迷いの中に堕ちたも同然です。病気の快復、難の回避、業の消去を願う人々は必ず修煉を通じて、返本帰真《へんぽんきしん》しなければなりません。修煉の各派も、このことについては同じように考えています。返本帰真することこそ、人間としての本当の目的です。したがって、ある人が修煉しようと思うと、佛性が現われて来たと認められます。この一念こそ最も貴重なものです。なぜならその人が返本帰真を願い、常人という次元から抜け出そうとしているからです。

皆さんもお聞きになったことがあるだろうと思いますが、佛教には、「佛性がひとたび現われると、十方《じっぽう》世界を震わす」という言葉があります。覚者がそのような人を見ればひとしく救いの手を差し伸べ、無条件に助けてあげようとします。佛家では、人を済度するにあたって、条件を言わず、代償を求めず、無条件に助けるということなので、われわれも学習者の皆さんに多くのことをしてあげることができるのです。しかし、一人のただ常人のままでよいと思っている人が病気を治してもらおうと思っても無理です。病気が治ったら修煉しようと思う人がいるようですが、修煉にはいかなる条件も付けてはいけません。修煉しようと思い立ったら、修煉を始めるべきです。

しかし、病気の身体をもっている人や、あるいは体内の信息《しんそく》がかなり乱れている人、まったく練功した経験がない人もいれば、何十年も練功していながら、まだ気のレベルを抜け出せず、修練が向上していない人もいます。

どうしてあげたらよいのでしょうか？　われわれは、高い次元をめざす修煉ができるように、その身体を浄化してあげなければなりません。最も低い次元で修煉する際には、身体を完全に浄化する過程があります。つまり、頭の中の良くない考えや、身体のまわりの業力によってできた場、身体に不健康をきたす要素などを、全部きれいに取り除くということです。それを取り除かなければ、このような真っ黒な身体と、汚《け》れた考えを持っていたのでは、どうやって高い次元をめざして修煉ができるでしょうか？　ここでは「気」を練ることなどはしません。あなたはもう低い次元のものを練る必要はないのです。われわれは皆さんの身体を無病状態にまで押し上げていきます。そして同時に、低い次元の段階で基礎として備えなければならないものも、一式できあがったものを植えつけてあげましょう。こうすれば、われわれは初めから高い次元で煉功することになります。

修煉界の言い方によれば、気には、数えるとすれば、三つの次元があります。しかし、本当の修煉（気を練るものは含めない）は、大きく二つの次元に分けられます。一つは世間法《せけんほう》修煉で、もう一つは出世間法《しゅっせけんほう》修煉です。この世間法と出世間法は、お寺で言うところの出世間《しゅっせけん》と入世間《にゅうせけん》とは違います。それは理論的なものですが、われわれは、真の人体修煉における二つの次元で起こる変化を意味しています。世間法修煉の過程において、身体は絶えず浄化されていき、世間法の最高形式に達しますと、身体は完全に高エネルギー物質に取って代わられます。その先の出世間法の修煉は本質的に佛体の修煉になります。身体はすでに高エネルギー物質で構成されたものとなり、あらゆる功能が新たに現われます。これがわれわれの言う二つの大きな次元です。

われわれは縁を重んじています。皆さんが今ここに坐っておられるから、わたしは皆さんにこのことをしてあげてもよいのです。今ここにいる人は、せいぜい二千人あまりですが、何千人、もっと多くの人、一万人でも、わたしは楽々としてあげることができます。つまり、皆さんは低次元ではもう練らなくてもよいということです。あなたの身体を浄化してから、高い次元へ押し上げ、完璧な修煉システムを一式植えつけてあげますので、あなたは最初から高い次元で修煉することになります。しかし、それは真に修煉する学習者にしかしてあげられません。ここに坐っているからといって、あなたが修煉者だというわけではありません。植えつけてあげることができるのはあなたの考え方が根本的に変わった時です。しかもこれくらいにとどまりません。いったいわたしがどれくらいのものを皆さんに与えたのか、いずれ皆さんもお分かりになると思います。われわれはここでは、病気治療などはしませんが、煉功できるようにするために、学習者の身体を全面的に調整します。病気の身体では、功など出てくるはずがありません。というわけですから、病気を治してほしいとかわたしに言わないでください。わたしもそれをしません。わたしが出山《しゅつざん》した主な目的は、高い次元へ人を導くこと、本当に高い次元へ人を導くことなのです。

異なる次元に異なる法あり

これまで、大勢の気功師が、気功には初級、中級、上級があるなどと言っていました。それらはすべて気や気を練る次元のものに過ぎないのに、初級、中級、上級などに分けています。本当に高い次元のものは、多くの気功修煉者の頭の中ではまったくの空白で、何も知られていません。わたしがこれから述べようとするものはいずれも高い次元の法です。そのほか、わたしは修煉の本来の姿を伝えたいとも思います。講義の中では、修煉界に見られる良くない現象にも触れる予定です。それらのものにどのように対処すればよいか、どうとらえたらよいかについても、すべてお話ししたいと思います。それから、高い次元において功を伝え、法を説くとなれば、かかわりを持つ問題が幅広く、大きいばかりでなく、非常に微妙な問題も絡んできますので、これらについても明らかにしたいと思います。また他の空間からの、われわれ常人社会への妨害、特に修煉界に対する妨害についても明らかにしますが、同時に、われわれの学習者のためにこれらの問題を片付けてあげなければなりません。これらの問題を解決しないと、あなたは煉功できません。これらの問題を徹底的に解決するには、皆さんのことを本当の修煉者として扱わなければなりません。それでこそはじめてこのようなことをしてあげられるのです。もちろん、いっぺんにあなたの考え方を変えるのは容易なことではありませんが、これからの受講で、あなたは少しずつ自分の考え方を変えていかれると思いますので、講義は真剣に聞いてください。わたしの功の伝え方は他の人のやり方と違います。他の人は功を伝える時、ただ、簡単に功法の理を説明し、それの功法を教えるだけで終わってしまいます。人々はすでにこのような功の伝え方に慣れています。

本当に功を伝えるには、法を説き、道《どう》を説かなければなりません。十回にわたる講義の中で、わたしは高い次元の理をすべて明らかにしなければなりません。こうすればはじめてあなたは修煉できるようになります。さもなければ修煉などできるものではありません。他の人が教えているのは、すべて病気治療と健康保持という次元のものですが、高い次元へ修煉しようとするには、高い次元の法による指導がなければ、修煉することはできません。学校のことを喩えにして言いますと、小学校の教科書を持って大学に入っても、やはり小学生にしか過ぎないのです。たくさんの気功を習ったつもりで、あれやこれやの気功の修了証書だけは山ほどあるのに、一向に功が伸びていない人がいます。彼はそれらが気功の真諦《しんたい》であり、すべてだと思い込んでいますが、実はそうではなく、それらは気功のいろはに過ぎず、いちばん低い次元のものです。気功はそれだけにとどまらず、気功は修煉であり、博大で奥深いものであり、しかも、異なる次元に異なる法がありますので、今日知られているような、いくら多く習っても同じである気を練るものとは違います。例えば、イギリスの小学校の教科書を勉強し、次にアメリカの小学校の教科書も勉強し、さらに日本の小学校の教科書も勉強し、そして中国の小学校の教科書をも勉強したとしても、あなたはやはり小学生です。気功の低次元のものをたくさん習って、いっぱい身につけたとしても、かえって害になります。なぜかというと、あなたの身体がすでに乱されてしまっているからです。

ここでもう一つの問題を強調しておきたいと思います。われわれが修煉するには、功を伝え、説法を説く必要があります。一部の寺院の和尚、特に禅宗では、異議があるかも知れません。説法と聞いただけで耳を塞《ふさ》いでしまいます。なぜでしょうか？ 禅宗では、法というものは話してはいけないもので、言葉に出したら法ではなくなるので、説ける法はなく、ただ心で悟るのみだ、と考えているからです。そのため、禅宗は今日に至っても、何の法も説くことができません。禅宗の達磨《だるま》が伝えたものは、釈迦牟尼《しゃかむに》の言った「法には定法《じょうほう》無し」という一言に基づいています。彼は釈迦牟尼のこの言葉に基づいて禅宗法門を創立しました。この法門はわれわれから見れば、ほかならぬ牛の角先《つのさき》に向かって潜り込むようなことをやっているのです。なぜ牛の角先に潜るというのでしょうか？ 達磨が入った時はまだけっこう余裕がありましたが、二祖が入った時はあまり余裕がなくなり、三祖はなんとか入れる程度で、四祖の時はもうかなりせせこましく、五祖はほとんど入れなくなり、六祖の慧能《えのう》になると、もう行き詰まってしまったのです。今、禅宗へ法を学びに行ったら、何も問わないほうがよいのです。もし何か質問があって尋ねると、すぐに棒で頭を叩かれますが、それを棒喝《ぼうかつ》というのです。何も聞くな、自分で悟れという意味です。「何も知らないから学びに来たのに、悟れって、何を?! 棒で頭を叩くなんて」と、あなたはきっとそう思います。それこそ行き詰まってしまって、教えられるものがもう何もないことを示しています。達磨自身でさえ、六祖までは伝えられるが、その後はもう無理だと言っていました。数百年も過ぎ去ったのに、まだ禅宗の理を固守している人がいます。釈迦牟尼の言う「法には定法無し」の本当の意味は何でしょうか？ 釈迦牟尼のいた次元は如来でしたが、その後の多くの僧侶たちはいずれも、釈迦牟尼がいた次元や、彼の思想境地における心の状態、彼の説いた法の本当の意味、言った言葉の本当の意味などを、悟ることができませんでした。そのために、こう解釈したり、ああ解釈したりして、非常に混乱しています。「法には定法無し」というのは何も言うことは許されず、言い出したら法ではなくなることだと思われています。実はそういう意味ではありません。釈迦牟尼は菩提樹《ぼだいじゅ》の下で、功を開き悟りを開いた後、直ちに如来の次元に達したわけではありません。彼け四十九年間にわたる説法の間も、絶えず自分を高めていました。次元を一つ上がる度《たび》に振り返って見ると、説いたばかりの法はみな違っていました。さらに上がれば、先に説いた法もまた違ってきました。四十九年の間に、彼はこのように絶えず昇華していきながら、次元が上がる度に、自分の以前に説いた法は認識が低かったことに気づいたのでした。さらに、それぞれの次元の法はみなその次元における法の現われで、どの次元にも法がありますが、どれも宇宙の絶対的真理ではないということにも気づきました。しかも高い次元の法ほど宇宙の特性に近いのです。そこで彼は「法には定法無し」と言ったわけです。

釈迦牟尼は最後に、「わたしは生涯、何の法も説いていない」とも言いました。禅宗ではまたしても説くべき法がないと理解してしまいました。釈迦牟尼は、晩年すでに如来の次元に到達しましたが、なぜ何の法も説いていないと言ったのでしょうか？　本当はどういうことを言っているのでしょうか？　自分は如来の次元に到達していても、宇宙の最終の理、最終の法が何なのかまだ見えていない、と釈迦牟尼はこういうことを言っているのです。したがって彼は、自分の話した言葉を絶対の真理、不変の真理と見なさないようにと言っており、そういうことをすれば後世の人は如来あるいは如来以下の次元に限られ、もっと高い次元へ突破できなくなるのだ、と後世の人に教えているのです。後世の人はこの話の真意が分からず、法は語られると法ではなくなると思い込み、そのように理解しています。実は釈迦牟尼は、異なる次元には異なる法があり、どの次元の法も宇宙の絶対的真理ではないが、その次元においては指導作用がある、ということを説いています。彼は本当のところ、そのような理を語っています。

昔、多くの人は、特に禅宗では、ずっとこのような偏見と極端に誤った認識を持っていました。佛教えなければ何に基づいてどのように修行し、どのように修煉すればよいのでしょうか？　佛教には佛教にまつわる多くの物語があり、読んだことのある人がいるかも知れませんが、天国へ行った話があります。天国へ行ったら、そこで見た『金剛経』と下界の『金剛経』とは、同じ文字が一つもなく、意味もまったく違うのに気づいたというのです。どうしてこの『金剛経』と人間世界の『金剛経』は違うのでしょうか？　また、極楽世界の経典《きょうてん》が下界のそれとまったく異なっており、ほとんど同じものとは言えず、文字だけではなく、指し示すところや意味まで違い、変化している、と言う人もいます。それはほかでもない、同じ法が異なる次元において異なる変化や現われ方をもち、異なった次元において、修煉者に対して異なった指導作用をなすことができる、ということです。

皆さんもご存知のように、佛教には『西方《さいほう》極楽世界遊記』という小冊子があります。一人の僧侶が座禅している間に、その元神《げんしん》が極楽世界に行ってそこの景色を見ました。一日ぶらぶらして、現世に戻ってきたら、すでに六年が過ぎていたという話です。彼には本当に見えたのでしょうか？　確かに見えました。しかし見たのは真相ではありません。なぜでしょうか？　彼の次元が低いので、その次元において彼の見るべき佛法の現われだけしか、彼に見せることができないからです。というのは、そのような世界はまさに法が構成するものの現われなので、彼に真相が見えるはずもありません。わたしの言う「法には定法無し」はそういう意味です。

真・善・忍は良い人か悪い人かを判断する唯一の基準

佛教において人々は、「佛法とは何か」をずっと探求しています。佛教の中で述べられている法が佛法の全部だと言う人もいますが、実際はそうではありません。釈迦牟尼の法は、二千五百年前に、次元のきわめて低い常人、つまり原始社会から脱皮したばかりの、考え方も比較的単一な人々に説いた法であるに過ぎません。釈迦牟尼の言う末法《まっぽう》時期は、今日のことで、今の人はその法に基づいてはすでに修煉できなくなっています。末法時期には、寺の和尚が自己を済度することさえもできないのに、ましてや他人を済度することなどなおさらです。釈迦牟尼が当時伝えた法は当時の実状に合わせて伝えたもので、しかも彼も自らの到達した次元における佛法を全部説いたわけではないので、その法をいつまでも変わらずに維持し続けようとしても不可能です。

社会は発展し、人類の思想もますます複雑になりましたので、以前と同じように修煉し続けることが難しくなりました。佛教の法は佛法の全部ではなく、佛法の中のほんのわずかな一部分に過ぎません。他にも多くの佛家大法《ぶっけたいほう》が代々一人にしか伝えない形で民間に伝わっています。異なる次元に異なる法があり、異なる空間に異なる法がありますが、いずれも佛法の各空間、各次元においての違った現われです。釈迦牟尼も佛道を修めるには八万四千の法門があると言っていましたが、佛教には禅宗、浄土、天台、華厳《けごん》、密教など十数の法門しかないので、佛法の全部を代表することはできません。釈迦牟尼も自分の法を残らず伝えたわけではなく、ただその時代の人間の受け入れ能力に合わせてその一部しか伝えていません。

それでは佛法とは何でしょうか？　この宇宙の最も根本的な特性は真・善・忍で、これこそが佛法の最高の体現であり、最も根本的な佛法なのです。佛法は異なる次元では異なる現われ方があり、異なった次元においては異なった指導作用を持っていますが、次元が低くなればなるほど、現われ方が厖大で複雑になります。空気の微粒子や石、木材、土、鉄鋼、人体など、あらゆる物質の中に、真・善・忍という特性が存在しています。古代では五行が宇宙の万事万物《ばんじばんぶつ》を構成すると考えていましたが、それにも真・善・忍という特性が存在しています。修煉者は自分の修煉して到達した次元の佛法の具体的な現われしか認識できず、これが修煉によって得た果位《かい》であり、次元です。裾野《すその》を広げて考えれば、法はとてつもなく大きいのですが、頂点に立って説明すれば、法はピラミッドのような形をしているので、非常に簡単なものになります。最高の次元では三文字で概括できます。それが真・善・忍にほかなりません。しかし、各次元に現われてくると、きわめて複雑になります。人間を例にして言えば、道家は人体を小宇宙と見なしています。人間は物質的な身体を持っていますが、物質的な身体だけでは完全な人間を構成することができません。人間としての気質や性格、特性、元神を持って、はじめて完全な、独立した、自我の個性を持った人間になれます。われわれの宇宙も同じで、銀河系があり、他の恒星系があり、生命や水もありますが、この宇宙にある万事万物は、物質的存在の一面です。それと同時に、真・善・忍の特性も存在しています。あらゆる物質の微粒子の中に、このような特性が含まれており、きわめて小さい微粒子の中にさえ、このような特性が含まれています。

真・善・忍という特性は、宇宙の中の善悪を判断する基準です。善し悪しはそれによって量られます。昔から言われてきた徳というものも同じです。言うまでもなく、今日の人類社会の道徳水準にはすでに変化が起こり、道徳基準までが歪んでしまっています。今、誰かが雷鋒《らいほう》を手本にしていれば、頭がおかしいと言われるかも知れません。しかし、五、六十年代には、頭がおかしいと言う人がいたでしょうか？　人類の道徳水準は甚《はなは》だしく低下しており、世の中の風紀は日増しに乱れ、人々は利益に目がくらみ、ちょっとした利益のために人を傷つけたり、奪い合ったりして、手段を選ばずにやっています。よく考えてみてください。このような状態を続けていくことが許されてよいでしょうか？　悪事を働いている人に、それは悪事だよと注意してあげても、信じない人がいます。彼は本当に自分が悪いことをしているとは信じません。また低下した道徳水準自分の行動を判断し、他人よりましだと思っている人もいます。判断の基準まで変わったからです。しかし、人類の道徳基準がどんなに変わろうとも、この宇宙の特性は変わることはなく、それが良い人と悪い人を量る唯一の基準です。ですから、修煉者としてはこの宇宙の特性に照らして、自分を律しなければならず、常人の基準で自分を律してはいけません。返本帰真を願い、上の次元へ修煉しようとするには、この基準に従って行動しなければなりません。一人の人間として、宇宙の真・善・忍の特性に順応できる人だけが本当に良い人で、この特性に背《そむ》く人が、本当に悪い人です。職場で、あるいは社会で評判が悪くても本当に悪い人とは限らず、逆に評判が良くても、必ずしも本当に良い人とは限りません。一人の修煉者として、あなたがこの特性に同化すれば、得道《とくどう》した者となるのです。理はこんなにも簡単です。

道家は真・善・忍を修煉する際に、主に真を修煉します。ですから、道家は真を修め、心性を養うことを重んじ、真実のことを話し、嘘偽りのないことをし、正直な人間になって返本帰真し、最後には修煉が成就して真人《しんじん》になることを目指します。もちろん、それには忍もあり、善もありますが、真を重点的に修煉します。佛家は主に真・善・忍の善を修煉します。善を修煉すれば、大いなる慈悲心が生まれます。慈悲心が生まれると、すべての衆生《しゆじよう》が苦しんでいるのを見て、衆生を済度しようとする願望を持つようになります。真もあり、忍もありますが、善を重点的に修煉するのです。われわれの法輪大法《ファルンダーファ》という法門は、宇宙の最高の基準——真・善・忍に基づいて同時に修煉するので、われわれの修煉する功はとても大きいのです。

気功は先史文化

気功とは何か？　多くの気功師がみなそれぞれ説明していますが、わたしの説明は彼らとは違います。多くの気功師がそれぞれの次元で話していますが、わたしはより高い次元において、気功に対する認識を話しているので、彼らの認識とはまったく違います。気功は我が国において、二千年の歴史があると言う気功師がいます。三千年の歴史があると言う人もいれば、五千年、つまり中華民族の文明の歴史とほぼ近い歴史があると言う人もいます。さらに、遺跡から出土したものを見ると、中華民族の文明の歴史を遥かに上回る七千年の歴史があると言う人もいます。しかし、どんなに解釈しても、人類の文明の歴史をあまり大きく超えていません。ダーウィンの進化論によれば、人類は水生植物から水生動物になり、そして陸地に上陸し、樹の上に登り、また地上に降りて猿人になり、最後に文化と思想を持つ現代人類に進化したと言いますが、それによって推計すれば、人類の文明が真に現われてから一万年にもなっていません。さらに遡《さかのぼ》れば、縄を結《むす》んで事を記録することもなく、木の葉を衣にし、生の肉を食べていました。さらに遡れば、火を使うことも知らない、まったくの野蛮人、原始人になります。

　しかし、われわれは一つの問題に気づいています。つまり、世界中の多くの地域に、われわれ人類の文明の歴史を遥かに超えたたくさんの文明遺跡が残っているのです。これらの遺跡は、工芸の面から見ると、レベルがかなり高く、芸術の面から見ても、かなり優れており、現代人はまるで古人の芸術を模倣していると思うほど、高い鑑賞価値があります。ところが、それは十数万年前、数十万年前、数百万年前、さらには一億年も前から残されたものです。皆さん考えてみてください。それは今日の歴史をあざ笑っているのではありませんか？　いや、あざ笑うなどということはありません。なぜなら、人類も絶えず自らを向上させ、絶えず自らを再認識しており、社会もこのように発展してきたもので、初めの認識が必ずしも正しいとは言えないからです。

　「先史文化」、あるいは「先史文明」という言葉を聞いたことがおありの方も多いかも知れませんが、この先史文明についてお話ししましょう。地球上にはアジア、ヨーロッパ、南アメリカ、北アメリカ、オセアニア、アフリカ、そして南極があります。地質学者はそれらを一括して「大陸プレート」と称しています。大陸プレートができてから今日まで、すでに数千万年の歴史があります。言い換えれば、多くの陸地は海底から上がってきたもので、逆に海底に沈んだ陸地もたくさんありましたが、安定して今日の状態に落ち着くようになってから、すでに数千万年が経っているということです。ところが、多くの海底で、巨大な古代建築物が発見されました。これらの建築の彫刻は非常に精巧で美しいものですが、われわれの今の人類の文化遺産ではありません。うだとすると、海底に沈む前に建てられたものに違いありません。では、数千万年前に誰がこのような文明を創造したのでしょうか？　その時、われわれ人類はまだ猿にもなっていなかったのに、どうしてこのような高い知恵に富むものを作れたのでしょうか？　世界の考古学者は「三葉虫」という生物を発見しました。それは六億年から二億六千万年前までのもので、二億六千万年前以降はこの種の生物は姿を消しました。アメリカの科学者が見つけた「三葉虫」の化石に人の足跡があり、靴を履《は》いた足跡がはっきりと残っています。これは歴史学者をからかっているのではありませんか？　ダーウィンの進化論に従えば、二億六千万年前に人類がいるはずがないのではありませんか？

ペルー国立大学博物館に一つの石があり、その石に人間の姿が彫刻されています。鑑定によれば、この人間の姿は三万年前に彫刻されたものです。しかし、その人間は服を着て、帽子をかぶり、靴を履いていて、おまけに望遠鏡まで手に持って空を観察しているのです。三万年前の人がどうして布を織り、服を着ることができるのでしょうか？　もっと不思議なのは、その人はある程度の天文知識をもっているらしく、望遠鏡を持って天体を観察していることです。望遠鏡は、ヨーロッパ人のガリレオが発明したとわれわれはずっと思っており、現在までせいぜい三百年の歴史があるに過ぎません。なのに、三万年前に誰がこの望遠鏡を発明したのでしょうか？　他にも不可解な謎はたくさんあります。例えば、フランス、南アフリカ、アルプス山脈では多くの洞窟に壁画があり、非常に真に迫り、生き生きと表現されています。彫刻された人間の姿は非常に精巧で美しく、鉱物質の顔料で着色されてもいます。しかも、これらの人間はみな現代人の身なりをして背広みたいな服を着て、細いズボンを穿《は》いています。パイプのようなものを手にする者もいれば、ステッキを持って帽子をかぶっている者もいます。数十万年前の猿に、こんな高い芸術レベルがありえたのでしょうか？

もっと遠いお話をしましょう。アフリカのガボン共和国ではウランという鉱石が発見されましたが、国が立ち後《おく》れていて、自国ではウランの精錬ができないため、先進国へ輸出していました。一九七二年にフランスのある会社がそれを輸入し、科学実験をしたところ、そのウラン鉱石はすでに精錬されて使用されたものだと判明しました。不思議に思った会社側は現地に技術者を派遣して調査し、多くの国々の科学者も調査に行きました。最後に、そのウラン鉱石採掘場は大型の原子炉だったこと、構造が非常に合理的で、われわれ現代の人類も造れないものだということが実証されました。では、いつ建てられたのでしょうか？　二十億年前で、五十万年も運転されていたというのです。まるで天文学的な数字で、ダーウィンの進化論では解釈のしようもありません。このような例が非常に多いのです。現在、科学界が発見したことは今日の教科書を十分書き換えられるのです。人類は固有の古い観念により、ある種のやり方、考え方を形作ってしまうと、新たな認識を受け入れることが難しくなります。真理が現われても、それを受け入れる勇気がなく、本能的に排斥したりします。伝統的観念の影響により、これらのものを系統的に整理する人がいないので、人類の認識はいつも発展に追いつきません。このようなことは、まだ広く知られていないことではありますが、すでに発見されています。にもかかわらずそれを言い出すと、迷信だと言って認めようとしない人がいるものです。

勇気ある外国の多くの科学者は、すでにこれは先史文化で、われわれ人類の今回の文明より前の文明であることを公《おおやけ》に認めています。すなわち、今回の文明の前にさらに文明時期が存在しており、しかも一回だけではありませんでした。出土したものから見ても、同じ文明時期のものではないことが分かります。人類の文明は、度重なる壊滅的な打撃を受けては、少数の人だけが生き残り、原始生活を過ごしながら、また次第に新しい人類を生み出し、新たな文明に入りますが、それからまた壊滅に向かって、再び新たな人類が生まれる、というように、幾度も異なった周期的な変化をたどってきたものと考えられています。物質の運動には規律があると物理学者が言いますが、われわれのこの宇宙全体の変化にも規律があります。

われわれの地球は、この果てしない宇宙の銀河系の中で運行するにあたって、順風満帆《じゅんぷうまんぱん》というわけにはいかず、どこかの星と衝突したり、あるいは何か他のことが起こったりして、大きな災難に見舞われることがあります。われわれの功能の視点から見れば、そういうふうに定められているにほかならないのです。ある日、わたしが詳しく調べてみたところ、人類は八十一回も完全に壊滅された状態に陥《おちい》り、ただわずかの人だけが生き残り、わずかの先史文明が残され、次の時期に入って、原始生活を送り始めたのです。人類がだんだん増えていって、最後に再び文明が現われました。八十一回もこのような周期的な変化をたどってきましたが、わたしはそれでもまだ調べ尽くしたわけではありません。中国人は天の時、地の利、人の和というのを重んじますが、天象の変化が違い、天の時も違えば、常人社会は違った社会状態になります。物理学の言葉を借りれば、物質の運動に規律があるということですが、宇宙の運動も同じです。

今、先史文化のことをお話ししたのは、気功もわれわれ今日の人類が発明したものではなく、悠久の年月を経て伝わってきたもので、先史文化の一つであることを、皆さんに知ってもらいたかったからです。経典の中にもそれについて書いているところがあります。釈迦牟尼は自分は数億劫《こう》より前にすでに得道して成就したと言っていましたが、一劫《いっこう》というのは何年でしょうか?

一劫は数億年なので、これだけ厖大な数字は、とても不思議に聞こえます。もし本当なら、これは人類の歴史および地球の変化に符合するのではありませんか？　しかも釈迦牟尼は、彼の前にさらに原始六佛がいて、彼にも師がおり、みな数億劫以前に修煉して得道したものだと言っていま す。それらのことが本当ならば、今日、世間で伝わっている本当の正統功法や直伝《じきでん》功法には、そのような修煉法が含まれているのでしょうか？　わたしの答えは、もちろん「はい」です。しかし、あまり多く見られません。現在、インチキな気功や偽物の気功、憑《つ》き物に取り付かれた人が、でたらめなものをでっち上げて人々を騙しています。そういうものは、本物の気功より何倍も多く、真偽を判別するのが難しくなっています。本当の気功はそう簡単に見分けることができるものではなく、探し当てることも大変です。

実は、大昔から伝わってきたものは気功だけではなく、太極《たいきょく》、河図《かと》、洛書《らくしょ》、周易《しゅうえき》、八卦《はっけ》などもみな先史から残されたものです。したがって、今日われわれは常人の立場に立って、それをどんなに研究し理解しようと思っても、究明できません。常人という次元、立場、思想境地からでは、本当のことを理解できるはずがありません。

気功は修煉にほかならない

気功はこのような長い歴史をもっていますが、いったい何のためのものでしょうか？　わたしが皆さんに言いたいのは、われわれのやっているのは佛家修煉大法《ダーファ》ですので、言うまでもなく佛《ほとけ》を修めるものです。道家はもちろん、道《どう》を修煉し、得道するものです。言っておきますが、この「佛」は迷信ではありません。この「佛」は、梵語《ぼんご》であり、古代インドの言語です。中国に伝わって来た当時は、二文字、「佛陀《フォートウォ》」、あるいは「浮図《フートゥ》」と音訳されていました。あちこちに伝わっているうちに、中国人は一字を省いて、それを「佛《フォー》」と呼ぶようにしました。それを中国語に訳せば、どういう意味になるでしょうか？　それは覚者で、修煉を通じて悟りを開いた人のことです。この中のどこに迷信の意味があると言うのですか？

　皆さん考えてみてください。修煉を重ねると超能力が生じてくるものです。今、世界で六種類の超能力が認められていますが、それだけにとどまらず、わたしに言わせれば、本当の功能は一万種類以上あります。人はそこに坐ったまま、手も足も動かさないで、他の人が手足を使っても出来ないことをやり遂げてしまいます。宇宙の各空間の本当の理が見え、宇宙の真相が見え、常人の見えないものが見えます。そういう人は、修煉によって得道した人ではないでしょうか？　大覚者ではないでしょうか？　常人と同じだと言えるでしょうか？　修煉によって悟りを開いた人ではないでしょうか？　覚者と呼んでどこが正しくないのでしょうか？　古代インドの言葉に翻訳すれば、佛となります。実際そういうことになるのです。気功はそのためのものにほかなりません。

　気功と言えば、「病気がなければ誰が気功なんかやるものか？」と言う人がいます。まるで気功が病気治療のためだけのような言い方ですが、その認識は実に浅はかです。これは別に皆さんのせいではありません。多くの気功師がみな病気治療と健康保持のことばかりやっており、病気治療と健康保持のことだけを教えて、誰も高い次元のものを伝えていないからです。この人たちの功法が良くないと言っているわけではありません。彼らの使命はほかでもなく病気治療と健康保持という次元のものを伝え、気功を普及させることです。高い次元をめざして修煉したいという考えや願望を持っている人が大勢いるのに、正しい修煉の方法が分からないために、結果的に大きな困難をきたし、いろいろな問題も起こっています。もちろん、本当に高い次元への功を伝えようとすると、非常に高度な問題にかかわりを持ってきます。そこで、われわれは常に社会に責任をもち、人に責任をもつことを念頭に置いています。ですからわれわれの伝える功は全般的に良い効果を収めているのです。一部の内容は確かに非常に高度なので、迷信のように聞こえますが、しかし、われわれはできるだけ現代科学でそれを解き明かしていきたいと思います。

一部の内容は、われわれが言うと、すぐに迷信だと言う人がいます。なぜでしょうか？　彼らにとっては、科学がまだ認識していないこと、あるいは自分自身が接触していないこと、存在不可能だと思っていることは、すべて迷信で、唯心的だということになります。彼らはそういうふうにしか物事が考えられません。このような見方は正しいでしょうか？　科学がまだ認識していないもの、あるいはまだ到達していないものを、迷信だ、唯心的だと言えるのでしょうか？　そんなことを言っている人こそ自分が迷信や唯心的なことをやっているのではないでしょうか？　そのような考え方に従えば、科学の発展、進歩がありうるでしょうか？　人類社会も前へ進めなくなります。科学技術界の発明したものはすべてそれ以前にはなかったものばかりであり、みな迷信だと見なされると、当然発展などはしなくてよいことになります。気功はなにも唯心的なものではありませんが、多くの人は気功のことが分からないので、いつも唯心的だと思い込んでいます。最近、測定機器を使って気功師の身体から低音波、超音波、電磁波、赤外線、紫外線、ガンマ線、中性子、原子、微量金属元素などの成分を測定できました。これらはみな物質として存在しているものではないでしょうか？　それらも物質です。あらゆるものはみな物質で構成されているのではありませんか？　他の時空も同じく物質によって構成されているのではありませんか？　どうして迷信だと言えるのですか？　気功が佛道を修めるためのものである以上、必然的に多くの奥深い問題にかかわりを持ちます。ですからわれわれはそういったことをすべてお話ししなければなりません。

気功は佛道を修めるためのものであるのに、なぜわれわれはそれを気功と呼ぶのでしょうか？　本当はその名は気功ではありません。何と呼ぶのでしょうか？　それを「修煉」と呼びます。ほかでもない修煉そのものです。もちろん、他にも具体的な呼び名がありますが、全体としては修煉と呼んでいます。それでは、なぜ気功と呼ぶのでしょうか？　皆さんもご存じのように、気功は社会で普及してからすでに二十数年経っていますが、「文化大革命」の半《なか》ば頃から始まり、その後期にブームとなったのです。皆さん考えてみてください。あの頃は極左思想がかなり横行していました。先史文化の時に気功が何と呼ばれていたかを別にしても、今期の人類文明の発展過程において、気功は封建社会を経たので、その名前はとかく封建的色合いが濃くなりがちです。宗教と関係があるものはたいてい宗教色の濃い名前をもっています。例えば、「修道大法《しゅうどうたいほう》」、「金剛禅《こんごうぜん》」、「羅漢法《らかんほう》」、「修佛大法《しゅうぶつたいほう》」、「九転金丹術《きゅうてんきんたんじゅつ》」などなど、こんな感じのものばかりです。もし「文化大革命」の時期にそう呼んでいたら、つるし上げられ批判されたにきまっているのではありませんか？　気功を普及させようとする気功師の願望がいくら良くても、大衆の病気を取り除き健康を増進させ、人々の身体の素質を向上させることがいくら良いことにきまっているとはいえ、人々はやはりそういう名前で呼ぶ勇気がありませんでした。そこで、多くの気功師は気功を普及させるため、『丹経《たんけい》』、『道蔵《どうぞう》』の中から、適当に二つの文字を取り出し、気功と名づけたのです。今、気功という言葉の研究に首を突っ込んでいる人もいますが、それはとりたてて研究する価値のないもので、昔はまさにそれを修煉と呼んでいました。気功はただ現代人の考え方に合わせるために、新しく作られた呼び名です。

煉功してもなぜ功が伸びないのか

煉功してもなぜ功が伸びないのでしょうか？　多くの人々は、自分が直伝《じきでん》を得ていないから、もしどこかの先生が素晴らしい技、高度な手法を教えてくれれば、自分も功が伸びるのにと思っています。現在、九十五パーセントの人がこのような考えを持っていますが、わたしは非常におかしいと思います。なぜだと思いますか？　それは気功が常人の中の技能ではなく、まったく超常的なものなので、高い次元の理でそれを量らなければならないからです。功が伸びない根本的な原因は、「修・煉」の二文字の中で、人々がその煉しか重視せず、修をおろそかにしていることにあります。あなたは外に向かって求めても、何も得られません。常人の身体、常人の手、常人の考え方だけで、高エネルギー物質を功に演化《えんか》させようとでも思っているのですか？　功が伸びるとでも思うのですか？　そんな簡単にできるはずはありません！　わたしから見れば、まったく馬鹿げた話です。これでは外に向かって求め、外に向かって探すのに等しいので、永遠に探し当てることができません。

常人の中のいかなる技能とも違い、お金を払って、何かコツを習えば身に付くようなものではありません。そんなことではなく、それは常人の次元を超えるものなので、あなたを超常の理で律しなければなりません。どのように律するのでしょうか？　それはつまりあなたは内に向かって修めなければならないということで、外に向かって探してはなりません。大勢の人は今日はこれを、明日はあれをと外に求め、しかも執着心を抱いて功能を求めるなど、さまざまな目的を持っています。気功師になって、病気治療で大金持ちになりたいという人さえいます！　本当の修煉は自分の心を修煉しなければならず、それは「心性を修める」ということです。例えば、人間関係でトラブルが生じた時、個人の七情六欲《しちじょうろくよく》や諸々《もろもろ》の欲望を抑えなければなりません。私利私欲のために争っていながら、功を伸ばそうとするなど、とんでもありません！　それでは常人と変わりないではありませんか？　どうして功を伸ばせるはずがありましょうか？　ですから、心性の修煉を大切にしてこそはじめて功が伸びるし、次元を高めることができるのです。

心性とは何でしょうか？　心性は、徳（徳は一種の物質）をはじめとして、忍耐すること、悟ること、捨てること、常人の中のさまざまな欲望や執着心を捨てること、さらに苦しみに耐えることなどなど、多くのものを含んでいます。人の心性の各方面を全面的に向上させて、はじめて本当に上昇することができます。これが功力《こうりき》を伸ばす肝心な要素の一つです。

心性のことを言うと、それはイデオロギーに関するものであり、人間の思想問題なので、われわれの煉功とはかかわりのない問題だと思う人がいます。どうしてかかわりのない問題だと言えますか？　思想の世界では、従来から物質が第一か、それとも精神が第一かという問題があり、常に議論され論争されていますが、実は物質と精神は同一のものです。人体科学の研究において、現在の科学者は人間の脳から発せられた思惟が物質であると認識するに至っています。思惟は精神的なものではなかったのでしょうか？　それが物質的存在であるならば、精神と物質は同一のものではありませんか？　宇宙についてお話ししたように、宇宙は物質的な存在であるとともに真・善・忍という特性も持っています。宇宙におけるそういった特性の存在は常人には感知できません。常人はすべて同じ次元にいるからです。常人の次元を超えれば、感得することができます。どうすれば感得することができるのでしょうか？　宇宙におけるいかなる物質も、宇宙に立ち込めるあらゆる物質も含めて、みな霊的なものであり、みな思想を持っており、みな宇宙の法の異なる次元における存在の形態です。それがあなたの昇華を許さないかぎり、いくら自分の次元を向上させようと思っても、向上できません。それが許さないのです。なぜあなたの向上を許さないのでしょうか？　あなたの心性が上がっていないからです。どの次元にも異なる基準があり、上の次元へ上がろうとすれば、持っていた良くない考えや汚いものを捨てて、その次元の基準に同化しなければなりません。そうしてはじめて上がって来られるのです。

心性が高まってくると、身体にも大きな変化が起こります。心性が高まってくると、身体を構成している物質も間違いなく変化が起こります。どんな変化でしょうか？　あなたは、今まで追求し執着していた良くないものを、捨てることになります。例えて言えば、瓶《びん》の中に汚い物を一杯入れて、蓋《ふた》をしっかり閉めてから、水に投げ入れると、底まで沈んでしまいます。中の汚い物を出せば出した分だけ瓶が浮き上がってきます。全部出せば、完全に浮き上がってきます。修煉の過程において、ほかでもなく人間の身体にもっているさまざまな良くないものを取り除かなければなりません。そうしてはじめてあなたは昇華して上がって来られるのです。この宇宙の特性はそういう働きをするのです。あなたが心性を修煉せず、道徳水準を高めようとしないで、悪い思想や悪い物質を捨て去らなければ、宇宙の特性はあなたを昇華させてはくれません。ならば精神と物質が同一のものではないとどうして言えるのでしょうか？　冗談ですが、七情六欲をすべて抱《かか》えた常人をそのまま上へ昇らせ、成佛させることは、皆さん考えてください、可能でしょうか？　その人が大菩薩《だいぼさつ》を見て、なんと綺麗《きれい》だと邪念が生じるかも知れませんし、嫉妬心《しっとしん》が取り除かれていないために、佛とトラブルを起こすかも知れませんが、このようなことが許されるものでしょうか？　ではどうすればよいのでしょうか？　あなたは常人の中で、さまざまな良くない思想をすべて取り除かなければなりません。そうしてはじめて上がって来られるのです。

要するに、あなたは心性の修煉を重視し、宇宙の真・善・忍の特性に照らして修煉し、常人の持つ欲望や、良くない心、悪いことをする考えなどを取り除かなければなりません。思想の境地がわずかでも高くなったらその分だけ、自分自身の悪いものも取り除かれたことになります。同時に、あなたは少しでも苦しみに耐え、難儀を忍ぶことによって、自分自身の業力を少しでも滅しなければなりません。こうすればあなたは少し昇華して上がって来られるのです。言い換えれば、あなたに対する宇宙の特性の制約力が弱くなるということです。「修は己にありて、功は師にあり」なのです。師があなたに功を伸ばすための功を与えますと、その功が働いて、体外であなたの徳という物質を功に演化させてくれます。あなたが絶えず向上して、絶えず上へ修煉していけば、あなたの功柱《こうちゅう》もどんどん上へ突破していきます。一人の修煉者として、ほかでもない常人の環境の中で修煉し、自分を錬磨し、徐々に執着心とさまざまな欲望を無くしていかなければなりません。

往々にして人類が良いと思うものは、高い次元において見れば悪いものになります。したがって人々が良いと思うもの、例えば、常人の中で個人の利益を多く得れば得るほど、楽に暮らせば暮らすほど、大覚者たちから見れば、この人は悪い人になります。どこが悪いのでしょうか？　たくさん得れば得るほど、その分だけ人を傷つけることになり、得るべきではないものまで得てしまいます。名利《みょうり》を追い求めることによって、徳を失ってしまいかねないのです。功を伸ばそうと思っても、心性の修煉を重んじなければ、もとより功は伸びるはずがありません。

われわれの修煉界では、人間の元神は不滅であると言います。今まで人間の元神などと言うと、迷信だと言われかねませんでした。皆さんもご存じのように、物理学の研究によれば、われわれ人間の身体には分子、陽子、電子があり、さらに追究してクォーク、中性微子まで至っています。そこまで行ったら顕微鏡でも見えなくなります。しかしそれは生命の本源、物質の本源からはまだまだかけ離れています。皆さんがご存じのように、原子核分裂においては、核融合や核分裂を起こすためにかなり強いエネルギーの衝突とかなり大きな熱量を必要とします。人間が死ぬ時、身体の中の原子核がそんなに簡単に死んでしまうのでしょうか？　ですからわれわれの見るところでは、死ぬということは、ただこの空間での最大の分子成分が脱落するだけで、他の空間に存在する身体は別に壊滅してはいません。よく考えてみてください。顕微鏡で見た人体はどのような状態でしょうか？　身体全体が動いているもので、そこに坐って動かないでいても、身体全体が動いており、分子細胞が動いており、身体全体は砂からできているようにばらばらで、固まっていないように見えます。顕微鏡で人体を見るとこのようになり、目で見るのとはまったく違ってきます。それは人間の目がこういうものが見えないように、虚像を造るからです。天目《てんもく》が開くと、ものを拡大して見ることができます。それは本来人間の本能ですが、今は超能力と呼ばれています。超能力を出したいと思えば、返本帰真して、元へ戻るように修煉しなければなりません。

徳についてお話ししましょう。徳とそれにまつわる他のものとの具体的な関連は何でしょうか？それを分析しながら説明しましょう。われわれ人間は数多くの空間に自分の身体をもっています。今われわれが人体の構成を見ると、最大の成分は細胞で、それが人間の肉体です。もしあなたが細胞と分子の間に、あるいは分子と分子の間に入ることができれば、別の空間に入ったことを体験できます。その身体はどのような存在形式をしているのでしょうか？　もちろん、今のこの空間の概念で理解してはいけません。あなたの身体はその空間の存在形式の要求に同化しなければなりません。他の空間にある身体は本来、大きくも小さくもなれるので、その時あなたは、これもとてつもなく広い世界であることに気づくに違いありません。これは他の空間存在の簡単な形式を指しており、同じ時に同じ所に他の空間が存在しているということです。人間は他の多くの空間に、みな特定の身体をもっていますが、ある特定の空間において、人体のまわりに一つの場が存在しています。どんな場なのでしょうか？　それはほかでもないわれわれが言う徳です。徳は一種の白い物質で、今まで思われていたように人間の精神的なものとか、イデオロギー的なものではなく、それはまったく物質的な存在です。昔、お年寄りが徳を積むとか、徳を失うとか良く言っていましたが、まったくその通りです。この徳が身体のまわりに一つの場を作っています。昔、道家では、弟子が師を探すのではなく、師が弟子を探す、と言っていました。どういう意味でしょうか？　師は弟子が身体に持っている徳の成分が大きいかどうかを見るということです。大きければ、修煉しやすいのですが、大きくなければ、修煉しにくく、なかなか高い功は得られないのです。

同時に存在するものに、一種の黒い物質もあり、われわれはここで業力と呼びますが、佛教ではそれを悪業《あくごう》と呼んでいます。白い物質と黒い物質が同時に存在しています。二つの物質の間はどういう関係でしょうか？　徳という物質は、われわれが苦しみに耐えたり、打撃を受けたり、良くないことをしたりして得るものです。これに対して、業力という黒い物質は悪事を働いたり、良いことをしたり、人をいじめたりして得るものです。今の人は利益に目がくらむばかりでなく、一部の人は悪事のかぎりを尽くし、お金のためならどんな悪事でもやりかねません。人を殺すとか、金で命を買うとか、同性愛、麻薬など何でもやります。人は良くないことをする時、徳を失っていきます。どういうふうに失うのでしょうか？　ある人が人を罵《のの》ったとします。うっぷんを晴らしたので、得をしたと思うかも知れません。ところがこの宇宙には、「失わないものは得られず、得るためには失わねばならぬ」という理がありますから、失いたくなくても強制的に失わせられるのです。誰がこの役割を果たすのでしょうか？　ほかでもない宇宙の特性がこの役割を果たしますす。ですから得ることばかり考えてはいけません。どういうことでしょうか？　つまり人を罵ったり、いじめたりすると、その人は自分の徳を相手に投げ与えることになります。一方、相手はいじめられ、苦しめられ、失った側なので、償《つぐな》いとしてそれをもらえるのです。ここで相手を罵ったとすると、罵った途端に、自分の空間場の範囲から一塊《ひとかたまり》の徳が飛んでいって、相手の身体に落ちます。ひどく罵るほど、相手に与える徳も多くなります。人を殴るとか、いじめるとかも同じです。殴ったり、蹴ったりすると、その分だけ徳が相手のところへ飛んでいきます。常人にはこの理が分からないので、いじめられたら、我慢できません。殴られたら殴り返さなければ、とつい手を出してしまいます。すると、この徳を相手に押し戻してしまいますので、両者とも損も得もないことになります。もしかするとその人は、一発殴られたら二発殴り返さないと気がすまないかも知れません。そこで彼がもう一発殴り返すと、今度は自分の方から徳が飛んで行き、相手のものになります。

なぜ徳をこんなに重く見ているのでしょうか？　この徳の転化は他とどのような関係にあるのでしょうか？　宗教では、この徳をもっていれば、今生《こんじょう》で得なくても来世で得る、と言います。何を得るのでしょうか？　徳が大きければ、高官になる、大金持ちになるなど、欲しいものがあればなんでも手に入りますが、それはほかでもないこの徳で交換しているのです。宗教ではさらに、この人に徳がなければ、形神全滅《けいしんぜんめつ》とも言います。この人は元神まで壊滅してしまい、死後何もかもなくなり、何も残らないということです。それに対して、われわれ修煉界では、徳が直接功に演化できると言っています。

徳はどうやって功に演化するのかについてお話しします。修煉界には、「修は己にありて、功は師にあり」という言葉があります。一方、「鼎《かなえ》を立て竈《かまど》を設け、薬《くすり》を採集し、丹を煉る」ことや、意念活動のことを何よりも大事に思う人がいます。言っておきますが、ちっとも大事ではありません。それればかりに気を取られると、執着心になります。大事に思いすぎると、執着して追い求めたくなるのではありませんか？「修は己にありて、功は師にあり」なのですから、あなたにそういう願望があれば充分です。本当にこのことをやってくれるのは師で、あなたにはとてもそういう力はありません。あなたのような常人の身体で、このような高エネルギー物質で構成された高い次元の生命体を演化できるとでも思いますか？　まったく不可能なことで、言うだけで笑われてしまいます。他の空間における人体の演化の過程はすこぶる玄妙で、すこぶる複雑なものなので、それをやり遂げることは、あなたにはとても不可能です。

師は何を与えてくれるでしょうか？　功を伸ばすための功を与えてくれます。なぜなら徳は身体の外にあり、本当の功は徳によって生成されるものだからです。一人の人間の次元の高さも功力の大きさもみな徳が生成したものです。それはあなたの徳を功に演化し、螺旋《らせん》状に上へ伸ばしてくれます。本当に人の次元の高さを決定する功は身体の外で伸びるもので、最終的に螺旋状に頭のてっぺんまで伸びた後、一つの功柱を形作ります。その人の功の高さは、その功柱の高さを見ればすぐに分かり、それが彼のいる次元であり、佛教で言う果位です。座禅する時、元神が身体から離れることができる人がいます。一気にかなり高いところまで上《のぼ》れますが、それ以上は上れなくなり、上る勇気もないのです。その人は自分の功柱に乗って上るので、そこまでしか上れません。功柱の高さがそこまでしかないので、それより高くは上れなくなります。これが佛教で言う果位のことです。

心性の高さを測るのに、もう一つ尺度というのがあります。尺度は功柱とは同じ空間に存在してはいませんが、同時に存在しています。心性が修煉して上がって来たら、例えば、常人の中で人に罵られても、黙って平然としています。殴られても何も言わず、一笑《いっしょう》に付《ふ》するだけで済ませてしまいます。そうなれば、その人の心性はもうかなり高くなったと言えます。それでは煉功者としてあなたの得るべきものは何でしょうか？　あなたは功を得るのではありませんか？　心性が向上すれば、あなたの功も伸びてきます。心性の高さは功の高さ、これは絶対の真理です。これまで、公園や、自宅で練功するにあたって、けっこう真剣に練功し、かなり敬虔《けいけん》で、真面目に励んでいる人がいます。しかし、その場を離れると、元の木阿弥《もくあみ》で、常人の中での名誉や利益のために人と争ったりします。そういう人の功は伸びるでしょうか？　絶対に伸びるはずがありませんし、またその人の病気も同じ原因で治りません。長年練功をしていても、病気が治らない人がいるのはなぜでしょうか？　気功は修煉であり、超常のものなので、常人の中の体操とは違い、心性を重んじないかぎり病気も治らなければ、功も伸びないのです。

「鼎《かなえ》を立て竈《かまど》を設け、薬《くすり》を採集し、丹を煉る」の丹こそ功だと思う人がいますが、違います。この丹はただ一部のエネルギーを蓄えているだけで、エネルギーのすべてではありません。丹とは何でしょうか？　皆さんもご存じのように、われわれの法門にはほかにも、命《めい》を修める部分がありますので、身体に功能も現われてきますし、さらに数多くの術類もあります。これらのもののほとんどは、あなたには使えないように鍵がかかっています。功能はたくさんあり、一万種以上にも上《のぼ》りますが、できあがる度に一つずつ鍵がかけられます。なぜ出させないのでしょうか？　常人社会で勝手にそれを何かに使わないようにさせるためです。常人社会を勝手に撹乱《かくらん》してはいけません。自分の力を勝手に常人社会で見せびらかしてもいけません。常人社会の状態を破壊する恐れがあるからです。多くの人々は悟りながら修煉しています。何もかも顕現させると、本物だと分かってしまうので、みな修煉にやってきて、極悪非道の者まで修煉しようとすることになりかねませんが、それはいけないことです。そういうふうに見せびらかすのは許されないのです。それにあなたも悪いことをしかねません。なぜならあなたはその因縁関係や本質を見抜くことができないからです。あなたが良いことをしているつもりでも、実は悪いことかも知れません。そこであなたに使わせないのです。悪いことをすると、次元が下がり、修煉が無駄になってしまうのので、多くの功能は鍵をかけられています。どうすればよいでしょうか？　功を開き悟りを開く時がくれば、その丹が爆弾となり、あらゆる功能や、身体のすべての鍵および百竅《ひゃくきょう》をいっぺんに爆破し、パーンという震動ですべてを開いてしまいます。丹の役割はこれです。和尚が亡くなって火葬する時に舎利《しゃり》が出てくることがあります。それを骨とか、歯とか言う人もいますが、常人にはなぜないのでしょうか？　それは丹が爆発して、エネルギーが放出され、その中に大量の他の空間の物質が含まれているからです。それも物質的存在ではありますが、あまり役に立つことはありません。今の人はそれをなかなか貴重なものと見ていますが、ただエネルギーがあり、光沢があり、非常に硬いだけのものです。

功が伸びないことにはもう一つ原因があります。つまり高次元の法を知らないため、修煉しても向上することができないのです。どういう意味なのでしょうか？　先程もお話ししたように、さまざまな功法を習っている人がいます。忠告しておきますが、いくら数多く学んでも役に立たず、相変わらず小学生のままで、修煉における小学生に過ぎないのですから、低い次元の理しか分からないのです。高い次元へ修煉しようとしても、低い次元の理には指導作用はありません。大学へ行っても小学校の教科書を勉強しているのなら、相変わらず小学生で、いくら勉強しても役に立たず、かえってますます駄目になります。次元が違えば法も違います。法は異なった次元では異なった指導作用を果していますので、低い次元の理でもって高い次元への修煉を指導することはできません。われわれがこれから述べようとするのは、みな高次元で修煉するための理であり、わたしは異なる次元のものを結び合わせて話しているので、皆さんの今後の修煉にとってずっと指導作用があります。わたしは数冊の本を出しており、ほかに録音テープやビデオテープもあります。一回読んだり、聞いたりしたあと、しばらく経ってからまた読み直し、聞き直してみれば、その中に依然として指導作用があることにあなたは間違いなく気づくでしょう。あなたが絶えず、自分を向上させていっても、ずっとあなたを指導していくことができます。これが法です。ここまで、煉功しても功が伸びない二つの原因についてお話ししました。高次元の法が分からないために修煉ができないことと、内へ向かって修めず、心性を修煉しないので、功が伸びないのです。この二つが原因です。

法輪大法《ファルンダーファ》の特色

われわれの法輪大法《ファルンダーファ》は、佛家八万四千法門の中の一法門で、今回の人類文明の歴史時期においては、一度も公に伝えられたことはありませんが、先史のある時期には広範囲に人を済度したことがあります。わたしが末劫《まつごう》の最後の時期に再びそれを広く世に伝えましたが、この意味で、それはきわめて貴重なものです。徳が直接功に転化する形式についてお話ししました。実は功というものは煉によって得るものではなく、修によって得るものです。多くの人は功の伸びを追求して、練功のやり方にばかり気を使い、いかに修煉するかを重視していませんが、実は功はまったく心性の修煉によって得るものなのです。では、なぜわれわれも煉功を教えているのでしょうか？まず、和尚がなぜ煉功しないのか？ということからお話ししましょう。彼らは主として座禅を組み、経文《きょうもん》を読み、心性を修めているだけで、それなりに功が伸びますが、彼らは自己の次元の高さに見合う功を伸ばしているのです。なぜなら、釈迦牟尼は本体を含めて、世間のすべてを捨てるようにと言っていましたので、身体の動作は必要としないからです。道家は衆生済度を唱《とな》えませんから、相手とするのは、私心の大きい人、小さい人なども含めた、さまざまな心理状態をもち、さまざまな次元に属する人たちではありませんでした。彼は弟子を選びますが、三人の弟子を取っても、その中の一人しか直伝を受けられません。その弟子は間違いなく徳が高く、人が良くて、問題を起こさない人でなければなりません。したがって彼らは重点的に手法を伝え、命《めい》を修めることを教えています。そして神通力やさまざまな術類のものを煉るためには、ある程度の動作が必要です。

法輪大法《ファルンダーファ》も性命双修《せいめいそうしゅう》の功法なので、煉功するのに動作が必要です。動作は、一つは功能を加持《かじ》する働きをもちます。加持とは何でしょうか？　それは強い功力で功能を強化して、ますます強くさせることです。もう一つは、身体の中にたくさんの生命体を演化させなければならないことです。高い次元の修煉になりますと、道家では元嬰出世《げんえいしゅっせ》を重んじ、佛家では「金剛不壊《こんごうふえ》の体《からだ》」を重んじますが、このほかに、さまざまな術類のものも演化させなければなりません。これらのものはすべて手法を通じて煉りますが、動作はそれらを煉るためのものです。完全な性命双修の功法には、修も必要とし、煉も必要とします。皆さんは、功がいかにしてできあがるのかについてお分かりになったと思いますが、真に次元の高低を決定づける功は、煉功によって得るものではまったくなく、修煉によって得るものです。修煉する過程で、常人の中で自分の心性を高め、宇宙の特性に同化すれば、宇宙の特性があなたを制約しなくなるのですから、あなたが昇華して向上できるのです。そこで徳が功に演化しはじめますが、心性の基準が高くなるにつれて功も伸びてきます。それらはこのような関係にあります。

われわれのこの功法は、真に性命双修の功法であり、修煉によって得た功は、身体の一つ一つの細胞の中に蓄えられ、きわめて微視的状態で存在している物質の本源である微粒子成分にまで、その高エネルギー物質の功が蓄えられることになります。功力が高まるにつれて、その密度が高くなり、威力もますます大きくなります。この高エネルギー物質は霊的なもので、身体の一つ一つの細胞や生命の本源にまで蓄えられるので、時間が経つにつれて、だんだん身体の細胞と同じ形態となり、分子の配列順序とも同じになり、さらにすべての原子核の形態とも同じになります。しかし、本質はすっかり変わり、もはや元の肉体細胞で構成されたあの身体ではなくなります。それならあなたは五行の中にいないのではないでしょうか？　もちろん、修煉はまだ終わったわけではなく、あなたは依然として常人の中で修煉していますので、見た目には常人と同じように見えます。唯一の区別は同じ年齢の人と比べてあなたがかなり若く見えることです。言うまでもなく、まずは、病気を含めて、皆さんの身体のあらゆる良くないものを取り除いてあげなければなりません。しかし、ここでは病気治療はしません。われわれは身体を浄めてあげるので、言葉も病気治療と言わず、身体《しんたい》浄化と言います。真の修煉者のために身体を浄化してあげるのです。

病気治療が目的で来ている人もいますが、われわれは重病患者を講習会に入れないことにしています。なぜかというと、そういう人は病気治療の心を捨てることは難しく、自分に病気があるという考えを捨てられないからです。重病を患《わずら》ってとても苦しい時に、そういうものを捨てられますか？　そういう人は修煉できそうもありません。たびたび強調しているように、われわれは重病患者を受け入れません。ここでやっているのは修煉で、彼らの考えていることとずいぶんかけ離れています。病気治療なら他の気功師に頼めばいいわけです。もちろん、多くの学習者にも病気があるでしょうが、しかし皆さんは真に修煉する人なので、われわれはこのことをしてあげられるのです。

法輪大法《ファルンダーファ》の学習者は、一定期間の修煉を経ると、表に現われる大きな変化として、肌のきめが細かくなり、色も白くなり赤みがさしてきます。年配者は、皺《しわ》が減り、ほとんど消えてしまう人もいます。これはよく見られる現象です。わたしはここで摩訶不思議なことを言っているわけではなく、ここに集まっている古い学習者はこのことをよく知っているはずです。また、年配の女性には再び生理が来る人もいます。性命双修の功法には、経血《けいけつ》の気で命《めい》を修める必要があるからです。生理が来ても、量はあまり多くなく、今の段階では間に合う程度で結構です。これもよく見られる現象の一つです。さもなければ、それを欠いていては、どうやって命《めい》を修めることができますか？　男性も同じく、年寄りも、若者も身体が軽くなることを覚えるに違いありません。真に修煉する人はこういった変化を感じることができるはずです。

われわれのこの功法は、動物の真似などをしている多くの功法とは違って、ずいぶん大きなものを修煉しています。この功法によって修煉するものはあまりにも大きいのです。釈迦牟尼や老子が当時説いた理は、すべてこの銀河系の範囲内の理でした。われわれ法輪大法《ファルンダーファ》は何を修煉しているのでしょうか？　われわれは、宇宙の演化の原理に従って修煉し、宇宙の最高特性——真・善・忍という基準に基づいて自らの修煉を指導しているのです。われわれはこれほど大きなものを修煉しているのであり、宇宙を修煉していることに等しいのです。

法輪大法《ファルンダーファ》には、もう一つきわめて特殊で、どの功法とも異なる、最大の特徴があります。今、社会で流行している気功のほとんどが丹の道を歩み、丹を煉るものです。丹を煉る気功によって常人の中で功を開き、悟りを開こうとするのは、とても難しいことです。法輪大法《ファルンダーファ》は丹の道を歩まず、下腹部のところで一つの法輪《ファルン》を修煉しますが、講習会でわたしが自ら皆さんにそれを植えつけてあげます。法輪大法《ファルンダーファ》を説きながら、皆さんに次々と法輪《ファルン》を植えつけますが、感じる人もいれば、感じない人もおり、大多数の人は実感できるでしょう。人それぞれ身体の素質が違うからです。われわれは法輪《ファルン》を煉るのであって、丹を煉るものではありません。法輪《ファルン》は宇宙の縮図で、宇宙のすべての功能を備えており、自動的に運行し、回転することができます。あなたの下腹部のところでいつまでも回転し続けていくもので、いったん植えつけてあげると、もう止まらずに、どこまでも回転していきます。法輪《ファルン》は時計回りに回転する間、自動的に宇宙からエネルギーを吸収し、しかも自らエネルギーを演化して、身体のあらゆる部分に演化に必要なエネルギーを送ります。法輪《ファルン》は逆時計回りに回転する時は、エネルギーを放出することになり、廃棄物質を体外に出して、身体の周囲で散逸《さんいつ》させます。法輪《ファルン》がエネルギーを放出する時は、非常に遠いところまで届きますが、同時に再び新しいエネルギーを取り入れます。放出されたエネルギーによって、まわりにいる人々も恩恵を受けることがあります。佛家は、己を済度するとともに人を済度し、衆生を済度することを重んじ、自分が修煉するだけでなく、衆生も済度しなければなりません。そこで他の人にも恩恵を与え、知らないうちに、他人の身体を調整し、病気を治してしまうことがあります。もちろん、エネルギーが失われることはありません。常に止まることなく回転していますから、法輪《ファルン》が時計回りに回転すると、おのずとエネルギーを回収します。

なぜこの法輪《ファルン》がいつでも止まることなく回転できるのか、と思う人がいます。また、「それがなぜ回転できるのか、その原理は何か？」とわたしに質問した人もいます。エネルギーがたくさん集まると丹を形成するということは理解できても、法輪《ファルン》の回転は不思議に思うようです。例を挙げて説明しましょう。宇宙は運動しており、宇宙にあるすべての銀河系、恒星系も運動し、九個の惑星が太陽のまわりを回転し、地球も自転しています。皆さんよく考えてみてください。誰がそれらを回るようにしているのでしょうか？　誰がそれらに力を与えたのでしょうか？　常人の概念でそれを考えてはいけません。それはそのような旋機《せんき》になっているからです。法輪《ファルン》も同じで、回転するようにできているのです。それは、常人が普通の生活状態を保ったまま煉功する問題を解決し、煉功の時間を増やしてくれました。どうやって増やしたのでしょうか？　法輪《ファルン》が止まることなく回転し、絶えず宇宙からエネルギーを吸収し、エネルギーを演化しているからです。出勤している間でも、法輪《ファルン》はあなたを煉っています。当然、法輪《ファルン》だけではなく、ほかにもあなたの身体に数多くの機能、機制を植えつけてあげますが、それらは、すべて法輪《ファルン》と連動して自動的に回転し、自動的に演化しています。したがって、この功は完全に人を自動的に演化しますので、「功が人を煉る」あるいは「法が人を煉る」ということになります。つまり、あなたが煉功していない間も、功があなたを煉っています。あなたが煉功している時も功があなたを煉っています。食事している時、寝ている時、出勤している時、功は常にあなたの身体を演化しています。それなら、何のために煉功するのでしょうか？　それは法輪《ファルン》を加持し、植えつけてあげたあらゆる機能や気機を加持するためです。高い次元で修煉する時は、すべて無為で、動作も気機に導かれるがままに動き、意念による導引は一切なく、呼吸法なども問題にしません。

われわれは煉功の時間や場所にもこだわりません。「いつ煉功するのがいいのか？　子《ね》の刻《こく》か、辰《たつ》の刻か、それとも午《うま》の刻か？」と尋ねる人がいます。われわれは時間のことも言いません。子の刻に煉功しなかったとしても功があなたを煉っており、辰の刻に煉功しなかったとしても、功はやはりあなたを煉っています。あなたが寝ている間も、功があなたを煉っており、歩いている時も功があなたを煉っています。仕事をしている間も、功はやはりあなたを煉っています。こうなれば煉功の時間は大幅に短縮されるのではありませんか？　われわれの多くは、本当に得道したいという心をもっています。それはもちろん修煉の目的で、修煉の最終目的はほかでもなく、得道して圓満成就することです。しかし、一部の人は残りの人生が短く、時間が足りないかも知れないという問題があります。法輪大法《ファルンダーファ》ならば、この問題を解決し、煉功の期間を短縮することができます。性命双修の功法でもありますので、絶えず煉功すれば、絶えず延長されます。修煉すればするだけ延びるので、根基《こんき》が良いのにすでに年を取ってしまった人も、これで煉功の時間は足りるようになります。しかし、ここに基準が一つあります。定められた天寿を越えた、延長された生命は、すべて煉功するために与えられたものであり、間違った考えが浮かんだだけで命の危険を招くことがあります。というのは、あなたの生命の過程はとっくに終わっているからです。世間法の修煉を終えて、この制御を受けなくなれば話は別です。その時になれば、まったく別の状態になるのです。

煉功の時に向く方角や、煉功を終了する時の動作にもこだわりません。法輪《ファルン》が絶えず回転しており、それを止めることはできないからです。電話が鳴り、来訪者が来れば、直ちに応対に行けばよく、煉功を終了させる動作をしなくてもかまいません。応対に行っている間、法輪《ファルン》がすぐ時計回りに回転して、あっという間に体外に出したエネルギーを回収してきます。人為的に気をもち上げて灌頂《かんじょう》をいくらしても、気は散ってしまいますが、法輪《ファルン》は霊的なものなので、何をどうすればいいかを知っています。方角にこだわらないというのは、宇宙全体が運動し、銀河系が運行し、九個の惑星が太陽のまわりを回転し、地球が自転もしているからです。われわれは宇宙の大きな理に従って修煉するのですから、どこに東西南北があるというのですか？　ありません。どの方位に向かって修煉しても全方位に向かって煉功していることになります。法輪大法《ファルンダーファ》には、間違った方向へずれることから学習者を守る力があります。どのように守るのでしょうか？　あなたが真の修煉者であれば、われわれの法輪《ファルン》が守ってくれます。わたしは根を宇宙に下ろしているので、あなたを動かせる人がいれば、このわたしをも動かすことができることになり、はっきり言って、その人はこの宇宙を動かすことができることになります。わたしの話は信じ難いように聞こえるかも知れませんが、これから学び続けていけば、あなたも分かるようになるはずです。ほかにもありますが、程度が高すぎるものは、お話しするわけにはいきません。浅いものから深いものへと、系統的に高い次元の法を述べていきたいと思います。しかし、あなた自身の心性が歪んでいてはいけません。求めようとすれば、問題が起こるかも知れません。わたしは多くの古い学習者の法輪《ファルン》がすでに変形してしまったことに気づいています。なぜでしょうか？　他のものを混ぜて練功し、他人のものを取り入れたからです。ではどうして法輪《ファルン》が守ってくれなかったのでしょうか？　あなたに与えられたからには、法輪《ファルン》はあなたのもので、あなたの意志の支配を受けます。あなたが欲しがるなら、誰もそれに干渉できません。これはこの宇宙の理です。あなたが修煉をやめようと思えば、誰も強制的に修煉させるわけにはいかず、強制すれば、悪いことをすることになります。あなたの心をむりやり変えることのできる人などいるでしょうか？　自分で自分を律しなければなりません。各流派の良いものを取るといって、誰のものであろうとなんでもかんでも取り入れて、今日はこの気功、明日はあの気功をやり、病気を取り除こうとしても、果して病気は取り除かれたでしょうか？　取り除かれてはおらず、ただ先送りされただけです。高次元での修煉は一つに専念することが大事で、一つの法門に専念しなければなりません。ある法門を修煉する以上、ひたすらにその法門に専念しなければなりません。その法門で功を開き、悟りを開いてはじめて他の功法を修めることができますが、それはまったく違ったものになります。なぜなら、完璧な修煉法は、相当長い年月を経て伝わってきたもので、いずれもかなり複雑な演化の過程があるからです。自分の感覚を頼りに練功している人もいますが、あなたの感覚はなにほどのものですか？　なにものでもありません。本当の演化の過程は他の空間で行なわれており、きわめて複雑で微妙であり、ちょっとしたずれも許されず、精密機器に他の部品を一つでも付け加えると直ちに故障してしまうのと同じです。各空間におけるあなたの身体はみな変化しており、非常に微妙ですので、ほんの少しでもずれがあってはいけません。前にお話ししたように、「修は己にありて、功は師にあり」なのです。勝手に人のものを取り入れると、違う信息が混入して来るので、この法門のものを妨害してしまうことになり、あなたが間違った方向へ行ってしまうかも知れません。しかも、それが常人社会にも反映され、常人としての生活の中に煩《わずら》わしいことが起こることもあります。それはあなた自身が求めたものなので、他の人は干渉してはいけないことになっています。それには悟性《ごせい》の問題がかかわっています。それだけではなく、あなたが混ぜ入れたものによって功が乱され、そのためにあなたはもう修煉できなくなる、というような問題が起きてきます。わたしは皆さんにどうしても法輪大法《ファルンダーファ》を学ばなければいけないと言っているわけではなく、法輪大法（ファルンダーファ）を学ばなくても、他の功法で、真の伝授を得られればわたしも賛成します。しかし、一つ言っておきますが、本当に高い次元をめざして修煉したいのなら、必ず一つに専念しなければなりません。もう一つはっきり言っておかなければならないことは、今このように真に高い次元への功を伝えているのは、他に誰もいない、ということです。わたしが何をしてあげたのか、皆さんはそのうちきっとお分かりになると思いますが、あなたの悟性があまり低くないことを希望します。多くの人が高い次元へ修煉しようと思い立ちますが、今この修煉法が目の前に置かれていながら、あなたはまだ気づいていないかも知れません。師を求めてあちらこちらへと出かけ、いくらお金を使っても、探し当てられないものを、いま目の前に届けてあげましたのに、まだ分からないかも知れません！　これは悟るか悟らないかの問題で、つまり、済度できるかできないかの問題なのです。

第二講

天目の問題について

多くの気功師も天目のことについて発言していますが、次元が違えば、法の現われ方も違います。ある次元まで修煉した人はその次元の様子しか見えません。それより上の次元の真相は見えず、またそれを信じようともしません。それは自分のいる次元で見たものこそ正しいと信じ込んでいるからです。修煉して上の次元に到達するまでは、そんなものがあるはずがなく、信じられない、と思い込みます。これは、次元によって決まってきたことで、その人の思惟もそれから先へは昇華できないのです。言い換えれば、天目の問題については、ああだこうだと、さまざまに言われていますが、結局、諸説入り乱れて、誰一人としてはっきり説明できる者はいません。それもそのはずで、天目は低い次元において説明できるようなものではありません。今までは、天目の構造は秘中の秘で、常人に知らせてはいけないものとされてきましたので、今までそのことを取り上げる人もいませんでした。われわれはここでは、昔の理論に基づいて解釈するのではなく、現代科学の言葉で、いちばん分かりやすい現代の言葉でそれを解釈し、そして、その根本的な問題についてお話しします。

天目は人の両眉《まゆ》の間よりやや上、松果体《しょうかたい》につながるところにあり、そこが主通路です。その他にも、身体には数え切れないほどの目があり、道家が言うには、竅《きょう》の一つ一つが目です。道家は身体のツボを竅と言い、漢方ではツボと言います。佛家が言うには毛穴のすべてが目です。ですから、耳で字が読める人もいて、また、手や後頭部、足、お腹などで読める人もおり、いずれも可能です。

天目の話をする前に、まず、われわれ人間の肉眼《にくがん》のことをお話しましょう。この両目を通して、世界のあらゆる物質、あらゆる物体が見えると思う人がいます。そのため、彼らは目で見たものこそ真実で、見えないものは信じられないと固く思い込んでいます。昔はずっとこのような人は悟性が悪いと見なされていましたが、なぜ悪いか多くの人ははっきり説明できません。見えないから信じない、とても理にかなっているように聞こえるではありませんか。しかし、ちょっと高い次元から見るとそれは理に合わないのです。いかなる時空も物質からなっています。もちろん時空が違えば物質の構成も違い、異なる生命体のさまざまな現われ方があります。

例を挙げて説明しましょう。佛教では人類社会のすべての現象は幻像で、確かなものではないと言っています。どうして幻像なのでしょうか？　確実に存在する物体なのに、どうして幻と言えるのでしょうか？　物体の存在の形と現われた形は違うものです。われわれの目は、物質空間のものを、この目でとらえたような状態に定着させる機能を持っています。本当のところ、それはそんな状態ではなく、われわれの空間においてもそのような状態ではありません。例えば、顕微鏡を使って人を見るとどうなるのでしょうか？　身体全体はばらばらで、小さな分子によって構成され、まるで砂のような小粒の形状で、動いていて、電子が原子核のまわりを回り、身体全体は蠕動《ぜんどう》してうごめき、運動しています。身体の表面もすべすべの状態ではなく、でこぼこしています。宇宙のあらゆる物体、鋼《はがね》、鉄、石にしてもみな同じで、中にある分子成分がみな動いています。全体の形はあなたには見えませんが、いずれも安定した状態ではありません。この机も同じで、蠕動《ぜんどう》しています。しかし、肉眼ではその真相が見えず、この両目の働きが人に錯覚を与えています。

われわれはミクロ世界のものが見えないのでも、その能力がないわけでもなく、生まれつき、本能としてその力があり、ある程度のミクロ世界のものは見えるのです。ところが、人間はまさにこの物質空間にある両目を持っているからこそ、虚像をもたらされており、真相が見えないようになっています。ですから、人間は見えないものを認めないと昔から言いますが、修煉界では、このような人たちは悟性が悪く、常人の虚像に惑わされ、常人の中に迷ってしまっていると見ています。これは宗教では昔からよく言う言葉ですが、われわれも道理にかなっていると思います。

この両目は物質空間にあるものを今見た状態に定着させること以外、大したことは何もできません。人がものを見る時、目に直接画像ができるわけではなく、目はカメラのレンズのように、道具の働きをしているに過ぎません。遠いところを見る時、レンズが伸びるように、目もその働きを持っています。暗いところに入ると瞳孔が開くように、カメラも暗いところで撮影する時、絞りを大きくする必要があり、さもないと、露出不足で真っ黒になります。反対に、外の明るいところに出ると、瞳孔が急に収縮します。そうでなければ、眩しくて見えません。カメラも同じ原理で絞りを小さくする必要があります。目はものを捉えることしかできず、道具に過ぎません。実際われわれがものを見る時、人や物体の存在の形は人間の脳に画像としてできるのです。つまり、目で見たものは、視神経を通って大脳の後部にある松果体に伝導され、そこで画像になるのです。

言い換えれば、本当に画像を形成し、ものを見る場所は、大脳の松果体のあたりだということです。現代医学でもそれを認めています。

われわれの言う天目を開くというのは、人の視神経を避け、両眉の間に一本の通路を開いて、松果体が直接外を見るようにすることです。「それは現実的ではない。この両目には少なくとも道具の働きがあり、物を映し出すことができるので、目がなくては困るのではないか」と思う人がいます。現代医学は解剖によって、松果体の前半部は目のすべての組織構造を備えているということをすでに明らかにしています。それは頭蓋骨の裏側に存在しているから、退化した目と言われています。退化した目かどうかについては、われわれ修煉界では態度を保留していますが、少なくとも現代医学も人間の頭の真ん中のその箇所に目があることに気づいています。われわれの開こうとする通路はちょうどそこを目指しているので、現代医学の認識と一致しています。この目は肉眼のように人に虚像をもたらすことがなく、物事、物質の本質を見ることができます。したがって、天目の次元の高い人はわれわれのこの空間を超えて、他の時空を見ることができ、常人の見えない光景を見ることができます。次元の低い者には透視力があり、壁を隔《へだ》てて物を見たり、人体を透視したりすることができる、そういう功能を持っています。

佛家には五通――肉眼《にくげん》通、天眼《てんげん》通、慧眼《えげん》通、法眼《ほうげん》通、佛眼《ぶつげん》通という言い方があります。それは天目の五つの次元で、各次元はまた上、中、下に分けられています。道家は九×九、八十一次元の法眼《ほうげん》があると言っています。これから皆さんの天目を開き、天眼通より上の次元に開いてあげます。なぜでしょうか？　皆さんは、なんといっても常人の中から出てきて、ここで修煉を始めたばかりなので、多くの執着心をまだ捨てていません。天眼通以下の天目だと、常人が超能力と考えるものが現われ、壁を隔てて物を見たり、人体を透視したりすることができてしまいます。もしこの功能を広範囲にわたって伝え、みんなに持たせてしまいますと、常人社会を甚だしく妨害し、常人の社会状態を破壊しかねません。国家機密も守れなくなりますし、人は服を着ていてもいなくても同じことになります。部屋にいる人間が外から一目瞭然、街を歩いて宝くじが目に入ったら、一等賞がすべてあなたに取られてしまうかも知れません。これではいけません！　よく考えてみてください。誰もが天眼通の天目を持っているのが、人類社会なのでしょうか？　人類社会を甚だしく妨害するようなことは絶対許されません。もし、本当にこの次元まで開いてあげたら、あなたはすぐ気功師の看板を掲《かか》げてしまうかも知れません。前から気功師になりたかった人もいるでしょうが、ひとたび天目が開かれると、ちょうど都合良く人の病気を治すことができるようになります。これではわたしが皆さんを邪道に導くことになってしまうのではありませんか？

では、わたしはどの次元に開いてあげようとしているのでしょうか？　直接慧眼通の次元です。それより高い次元に開くには、皆さんの心性が及びません。それより低いと、常人社会の状態を甚だしく破壊してしまうことになります。慧眼通では、壁を隔てて物を見たり、人体を透視したりする能力はありませんが、他の空間の様子が見えます。わたしはなぜこうするのでしょうか？　こうすればあなたは常人の見えないものが見え、それが本当に存在するものだと知ることができるので、煉功の信念を深めることができます。今の時点ではっきり見えても見えなくても、みなこの次元に開いてあげますが、これは皆さんの煉功にきっとプラスになります。真に大法《ダーファ》を修める人は心性の向上を厳しく求めれば、この本を読むのも同じ効果があります。

人の天目の次元を決めるものは何でしょうか？　天目が開いたからといって、すぐ何もかも見えるというわけではなく、それには次元の問題がかかわっています。ではその次元はいったい何によって決められているのでしょうか？　そこに三つの要素があります。第一の要素は、天目の中から外まで、われわれが精華《せいか》の気と呼ぶ場がなければなりせん。それは何の役割を果たしているのでしょうか？　テレビのブラウン管で言うと、蛍光物質がなければ、スイッチを入れても、ただの電球に過ぎず、明かりがあっても、画像はありません。蛍光物質があってこそ、画像が映し出されます。ただしわれわれの天目が直接見るのと違って、テレビはブラウン管を通さなければ映りません。もちろんこの喩えはあまり適切なものではないかも知れません。しかしおおよそそういう意味です。この精華の気は非常に貴重なもので、それは徳から精錬された、徳よりもっと優れたものによってできています。一人一人の精華の気がみな違うので、同じ次元のものを持つ人は一万人に二人ぐらいです。

天目の次元はそのままこの宇宙における法の現われです。それは超常的なものであり、人の心性に深くかかわっています。心性が低いと、その次元も低いのです。心性が低いと、精華の気もより多く散ってしまうからです。心性が高い人は、小さい時から常人社会において、名利や人と人とのトラブル、個人の利益、七情六欲に淡泊であり、精華の気がよく保存されているので、天目が開けばはっきり見えることになります。六歳以下の子供は、天目が開かれるときれいに見えるばかりでなく、開いてあげるのも簡単で、一言話しかけると簡単に開けます。

常人社会に流され、汚染されたために、人々が正しいと思うことの多くは本当は間違っているのです。良い暮らしをしたいと思わない人がいるでしょうか？　しかし良い暮らしをしようとすれば、他人の利益を損《そこ》なうかも知れないし、利己主義を助長するかも知れません。人の利益を横取りしてしまうかも知れず、人をいじめ、人を傷つけるかも知れません。個人の利益のために、常人の中で人と争ったりするのは、宇宙の特性に反することではないでしょうか？　ですから、人が正しいと思っているものは必ずしも正しいとは限りません。子供を教育する際に、将来社会でやっていけるように、大人はよく子供がまだ小さい時から「利口になるように」と教えています。「利口になる」というのは、われわれのこの宇宙から見ればすでに間違っています。われわれは、自然に任せ、個人の利益を重く見ないようにと言っています。「利口になる」というのはほかでもなく個人の利益を得ようとするためです。「誰かにいじめられたら、その先生や親に訴えなさい」とか、「落ちているお金を見つけたら、拾いなさい」とか教えるのです。小さい時からこのような教育を受けてきた子供は、常人社会で利己心が次第に大きくなり、得をすることばかり覚えてしまい、それによって徳を失うことになるでしょう。

徳という物質は失っても、消えてなくなることはなく、他人のものに変わるだけですが、精華の気は散ってしまいます。小さい時からずる賢く、利己心が強く、利益に目がくらむ人は、往々にして天目が開いても駄目で、はっきり見えません。しかし、今後いつまでも駄目だというわけでもありません。なぜでしょうか？　われわれの修煉はほかでもない返本帰真を目的とするものですから、絶えず煉功を続ければ、絶えず回復し、再び取り戻します。ですから、心性を強調し、全体の向上、昇華を強調するのです。心性が向上すれば、他のものも同時に向上しますが、心性が向上して来なければ、天目の精華の気も取り戻せません。このような道理なのです。

第二の要素は、根基の良い人なら、煉功によって自分でも天目を開くことができます。天目が開いた途端に、驚いてしまう人がしばしばいます。なぜ驚くのでしょうか？　煉功は普通、夜中の十一時から一時の間の、まわりが静まり返った時を選びますが、煉功していると、突然目の前に大きな目玉が飛び出して来ますので、驚いてしまいます。あまりの恐怖で、煉功をやめてしまう人もいます！　非常に大きな目がちらちらと瞬《またた》いてこちらを見ているのが、はっきり見えるので、実に怖いものです。だからそれを魔眼《まがん》と呼ぶ人もいますが、佛眼《ぶつがん》と呼ぶ人もいます。実はそれはほかでもないあなた自身の目です。当然のことながら「修は己にありて、功は師にあり」というように、修煉者のすべての功の演化は他の空間では、きわめて複雑な過程であり、しかも一つの空間ではなく、すべての空間のそれぞれの身体に変化が起こっています。これを自分で取り仕切れますか？　とても無理なことです。それらすべてを師が段取りをして、やってくれるので、「修は己にありて、功は師にあり」と言われるのです。あなた自身はそういう願望を抱《いだ》いて、そう思うだけで、実際のことは師がやってくれるのです。

自分の修煉によって天目を開いた人がいます。お話ししたようにそれは確かにあなたの目ですが、しかしあなた自身で演化できるようなものではありません。師が付いている人もいますが、その場合、師は天目が開いたのを見て、目を一つ演化して与えてくれます。それは真眼《しんがん》と呼ばれます。もちろん、師が付いていない人もいますが、その場合でも通りすがりの師がいます。佛家は佛のいないところはないと言い、至るところに佛はいます。また、「頭上三尺に神あり《ずじょうさんじゃく》」と言う人もいますが、そこまで多いのです。通りすがりの師はあなたが真面目に修煉し、天目は開いたけれども真眼がないのを見て、真眼を一つ演化して与えてくれます。こんな場合も、あなた自身で修煉して得たものだと認められます。人を済度するには条件を付けず、代価も報酬も取らず、名乗り出ることもありませんから、常人の中の模範人物よりずっと優れています。それはまったく慈悲心によるものです。

天目が開いたら、ひどく光の刺激を感じ、目を刺されるように感じる状態が起こりえます。それは、目が刺激を受けたのではなく、松果体が刺激されているのですが、あなたは目が眩しく感じるのです。それはまだその真眼がないためで、その真眼を植えつけてあげたら、眩しく感じなくなります。一部の者はその真眼の存在を感じるし、その眼を見ることができます。それは宇宙の本性と同じように、無邪気で、好奇心が強いので、あなたの天目が開いたかどうか、見えるかどうかと外からこちらを覗《のぞ》きます。ちょうどその時、あなたの天目も開くので、こちらを覗いているその真眼を見て驚いてしまうのです。実はそれがあなたの目であり、これから物を見る時はその眼を通して見るので、その真眼がなければ見えるはずがなく、天目が開いても何も見えません。

第三の要素は、次元の突破によって各空間の違いが顕《あら》われて来ることで、これは本当に次元を決定することにかかわります。物を見る時、主通路の他にたくさんの副通路もあります。佛家では毛穴のすべてが目だと言っており、道家では身体のすべての竅が目、つまりすべてのツボが目だと言っています。もちろん、どこからでも見えるというのも、身体における法の変化の一つの形です。

われわれの言う次元はそれと違います。主通路以外に、両眉、瞼《まぶた》の上・下、両目の間など幾つかのところに主要な副通路があります。それらによって次元の突破が決まります。一般の修煉者がもしこれらの箇所から全部見えるなら、その人はすでにかなり高い次元に達しています。目で見ることができる人がいますが、その人は修煉を通して、目も同じくいろいろな功能を持つものにしたのです。ところがその両目をうまく使いこなせなければ、いつもこちらの物体が見え、あちらの物体が見えないのでは、それもいけません。ですから、一つの目はあちら、もう一つの目はこちらを見るという人がいます。右の目の下には副通路がありません。それは法に直接関係があるためです。人間が悪いことをする時、よく右の目を使いますから、その下に副通路がないのです。以上は世間法の修煉に見られる幾つかの主な副通路のことです。

きわめて高い次元に達し、世間法の修煉が終わった後、さらに、複眼《ふくがん》のような目が現われることもあります。つまり、顔の上半分に大きな目ができ、中には無数の小さな目があります。非常に高い次元まで修煉した大覚者はたくさんの目を持っていて、顔いっぱいに目が付いています。すべての目がその大きい目を通して見ており、見たいものが何でも見られ、あらゆる次元のことが一目瞭然です。今の動物学者、昆虫学者は、蝿の研究をしています。蝿の目は非常に大きく、顕微鏡で見ると、その中に無数の小さな目があることが分かり、それを複眼と呼んでいます。きわめて高い次元に達するとこんな状態が現われるかも知れませんが、それは如来よりかなり高くならないと現われません。しかし、常人にはそれが見えず、一般の次元でもその存在が見えず、普通の人と同じように見えるだけです。なぜならそれが他の空間に存在しているからです。今、お話ししたのは次元突破の問題、つまり、各空間は突破できるということでした。

わたしは天目の構造を皆さんにほとんど明らかにしました。われわれは外力《がいりき》で天目を開きますから、あまり時間もかからず、簡単にできます。今、天目のことをお話ししている間、皆さんの額のところでぎゅっと肉が中心により、内側に入り込もうという感じがしたでしょう。そうでしょう？　ここで本当に心を放下して法輪大法《ファルンダーファ》を学ぼうとする人なら、誰でも感じるに違いありません。しかもその中へ押し込む力がけっこう強いのです。われわれは天目を開くための功を出して天目を開いてあげますが、同時に、法輪《ファルン》も出して、修復をします。今、天目の話をしている時に、法輪大法《ファルンダーファ》の修煉者でありさえすれば、誰にでも開いてあげますが、誰でもはっきり見えるとは限らず、すべての人が見えるようになるとも限りません。それはあなた自身と直接関係があります。しかし、焦ることはありません。見えなくても焦ることなくゆっくり修煉してください。次元が上がるにつれ、だんだん見えるようになり、最初ははっきり見えなくてもやがてはっきり見えるようになります。修煉さえすれば、固い決意で修煉すれば、失ったものがみな取り戻せます。

　自分で天目を開くことはかなり難しいのです。自分で天目を開くには幾つかのパターンがあります。例えば人によっては、座禅して、前額《ぜんがく》や天目を観察すると、前額のあたりは暗くて何も見えなかったのに、時間が経つにつれて、前額のあたりがだんだん白くなってきます。しばらく修煉すると前額のあたりが明るくなります。明るくなってから、赤くなります。この時になると、花が咲くような模様が現われます。まるで映画やテレビを見ているかのように、花の蕾《つぼみ》が一瞬のうちに咲いてくるシーンが見られます。赤いところはもともとは平らだったのですが、いきなり真ん中が膨らんできて、次から次へと絶えず咲いてきます。自分の力でとことんまで咲かせようと思っても、八年、十年かけてもできそうにありません。なぜかと言うと、天目全体がすっかり塞がっているからです。

　天目が塞がっていない人もいますが、通路はあっても、煉功をしないため、エネルギーが蓄えられていません。ですから、煉功しだすと、突然目の前に丸くて黒い物が現われます。煉功を続ければ、それはだんだんと白く、明るくなり、最後にはますます明るくなり眩しくなります。「太陽が見えた。月が見えた」と言う人がいます。本当は太陽も見えていないし、月も見えていません。

何が見えたのでしょうか？　その通路を見たのです。次元の突破の速い人もおり、眼を植えつけてあげれば、すぐに見えます。しかし、なかなか難しい人もいます。煉功するとこのトンネルや井戸のような通路に沿って外へ走り出しますが、寝ている時でも外へ走っているように感じます。馬に乗っているとか、飛んでいるとか、走っているとか車に乗っているとかのように感じて、外へ突き抜けようとしますが、いつまでたっても突き抜けられないような気がします。なぜなら自分で天目を開くことがかなり難しいからです。道家は人体を小宇宙と見なしていますが、もしこれが小宇宙であれば、考えてみてください、前額から松果体まで十万八千里どころではありませんですから、走っても走っても、突き抜けられない感じがするのです。

道家が人体を小宇宙と見なしているのは、非常に理にかなっています。それは、その組織構造が宇宙に似ていることとか、この物質空間における身体の存在形式のこととかを指しているのではありません。現代科学で認識されたこの物質身体の細胞以下はどんな状態でしょうか？　さまざまな分子成分をはじめ、分子以下は原子、陽子、原子核、電子、クォーク、そして今の研究で分かっている最小微粒子は中性微子です。では、もっともっと小さい微粒子は何なのでしょうか？　それを研究しようとしてもあまりにも難しいのです。釈迦牟尼は晩年に「其の大は外《そと》無く、其の小は内《うち》無し」と言いましたが、どういう意味でしょうか？　如来の次元にいても、大は、宇宙の果てが見えず、小は、物質の最小微粒子が見えないので、「其の大は外無く、其の小は内無し」と言ったわけです。

釈迦牟尼は三千大千世界の学説も説いています。彼はこの宇宙、この銀河系に、人類のような肉身《にくしん》を持っている生物の住む天体が三千個あると言っています。また、一粒の砂にもこのような三千大千世界があるとも言っています。つまり、一粒の砂が宇宙のようなもので、中にはわれわれのような知恵を持った人もいれば、天体もあり、山や川もあるというのです。不思議に聞こえるでしょう！　もしそれが本当の話なら、考えてみてください。その中にもまた砂がありますね？　では、その砂にも三千大千世界があるはずですね？　さらに、その三千大千世界にもまた砂があって、その砂にまた三千大千世界があるでしょう？　ですから、如来の次元ではその底までは見えません。

人の分子細胞も同じです。宇宙の大きさはどれくらいかと人々はよく質問します。皆さんにお教えしましょう。この宇宙には果てがあるのです。しかし如来の次元でも宇宙を果てしなく無限に広いものと見ています。一方、摩訶不思議に聞こえるでしょうが、人間の身体の内部、分子からミクロ世界の微粒子までは、まるでこの宇宙と同じように広いのです。一人の人間や、一つの生命体を作り上げる場合、その人の独自の生命成分やその人の本質は超ミクロの世界ですでにできあがっているのです。ですから、現代科学のこの方面での研究はまだかなり遅れており、宇宙の他の天体に生きる高度な知恵を持った生命体に比べれば、われわれ人類の科学レベルはきわめて低いのです。われわれが同じ時間、同じ場所に存在する他の空間の壁でさえ突き破れないのに、他の星からやってくる空飛ぶ円盤は直接他の空間を往来することができます。時空の概念がすっかり違っているので、思うままに飛んで来たり、飛び去って行ったりすることができて、その速さは人間の概念では理解できません。

天目を語る時にこの問題に触れたのは、あなたがその通路を中から外へ走る時、それが果てしないものだと感じるかも知れないからです。次のような違う光景を見る人もいるかも知れません。

トンネルではなくて、一本の果てしなく延びる広い道に沿って走っていて、道の両側に山もあり、川もあり、町もあり、その道に沿って外へ走りに走るのです。いっそう摩訶不思議に聞こえる話です。ある気功師はこんなことを言いました。「人の毛穴一つの中にも町があり、電車も走ってい れば、車も走っている」。それを聞いた人は誰でも驚き、不思議に思いました。しかし、ご承知のように、物質は微粒子の状態において、分子、原子、陽子などがあり、とことんまで調べていって、もし、各層で一つ一つの点ではなく、その層の面を見ることができれば、例えば分子の層の面、原子の層の面、陽子の層の面、原子核の層の面を見ることができれば、違った空間の存在のあり方が見えるようになります。人間の身体も含むあらゆる物質は、宇宙空間の空間次元と同時に存在し、互いに通じ合っています。現代の物理学は物質の微粒子を研究する時、ただ一つの微粒子を対象にし、それを分析して研究します。原子核を分裂させ、それから分裂後の成分を分析したりします。もし、なんらかの機器があって、ある次元におけるすべての原子成分、または分子成分の全体的な現われをとらえ、その光景を見ることができるとすれば、あなたはこの空間を突破し、他の空間の存在の真相が見えるようになるでしょう。人間の身体も外の空間と対応しており、すべてにこのような存在形式が存在しているのです。

自分で天目を開くには他にもいくつか異なる状態がありますが、ここでは主によく見られる現象についてお話ししました。天目が回転するのが見える人もいます。道家の功を煉っている人はよく天目の中が回転しているのが見えますが、太極の円盤がパッと破裂すれば、画像が見えるようになるのです。しかし、それはもともとあなたの頭に太極があったわけではなく、師が始めから一式のものを植えつけてくれて、その中に太極が含まれていたのです。彼はあなたの天目を塞いでおくのですが、開かれる時になると、それが破裂します。師がわざわざこのように段取りしてくれたのであって、あなたの頭の中に元からあったわけではありません。

天目を開くことを追求している人もいますが、練功すればするほど開かないのです。原因は何でしょうか？　本人にも分かりません。それは、天目というものは求めてはいけないもので、求めれば求めるほど得られないためです。求めれば求めるほど、開かないどころか、かえって天目の内側からあるものが湧き出てきます。その黒とも白ともつかないものがあなたの天目を塞いでしまいます。時間が経つにつれ、それは大きな場を作ってしまい、ますます湧き出てきます。天目が開かないのでいっそう追求しますが、それがますます湧き出てきて、しまいに身体全体をも包み込んでしまいます。ひどい場合はかなりの厚みをもち、大きな場となります。この人はたとえ本当に天目が開いたとしても何も見えません。自分のこのような執着心によって封じ込められてしまったからです。将来この人が天目のことをもう考えず、その執着心も徹底的に捨て去ったころになれば、それはだんだんと消えていきます。しかし、それを無くすには、困難に満ちた長い修煉過程を経なければなりませんので、そこまでするには及びません。もちろん、それを知らない人もいて、師が求めてはいけない、求めてはいけないと注意しているにもかかわらず、信じようとせず、無我夢中に追求しますので、結局のところ逆効果になってしまうのです。

遠隔透視功能

天目と直接かかわりのある功能に遠隔透視というものがあります。ここにいながら、北京の光景、アメリカの光景、地球の反対側が見える、と言う人がいます。これを理解できない人がいて、科学から見ても、どうしてこんなことがありうるのか理解できません。ああだ、こうだと解釈されていますが、納得のいく説明はありません。なぜ人間にはこんな力があるのかと不思議がられます。実はそうではなくて、世間法の次元で修煉している人にはこのような力がありません。見えたものや、遠隔透視も含むいろいろな超能力は、みなある特定の空間に限定されています。最大のものでもわれわれ人類が生存するこの物質の空間を超えることはなく、通常、自分自身の空間場を超えることはありません。

われわれの身体はある特定の空間に一つの場を持っています。その場は徳の場そのものではなく、範囲は同じですが、異なった空間にあります。この場は宇宙と対応関係にあり、宇宙の彼方《かなた》にあるものもすべてこの場に映すことができます。それは一種の映像であり、実在ではありません。例えば、地球上にアメリカがあって、ワシントンがあるから、その場にもアメリカ、ワシントンが映されます。それは影にしか過ぎませんが、影も一種の物質的存在で、対応している関係にあるので、向こうの変化に従って変わります。というわけで、人のいわゆる遠隔透視功能は、自分自身の空間場範囲内のものを見ることにほかなりません。ところが、世間法の修煉が完了すれば、このように見るのではなく、直接見えるようになるのです。それは佛法神通と呼ばれ、この上ない威力をもつものです。

それでは、世間法における遠隔透視功能というのはどんなものなのでしょうか？　皆さんに分析してご説明しましょう。この場の空間には、人の前額のあたりに一枚の鏡があります。煉功しない人は、鏡が裏返しになっており、煉功する人の場合は、それが表向きになります。遠隔透視の功能が現われようとするころになると、それが表裏《ひょうり》を変えながら反転します。皆さんがご存じのように、映画のフィルムが一秒間に二十四コマで動くと映像をスムーズに見られますが、二十四コマより少ないと、画面が跳ねて動くように見えます。それの反転速度は二十四コマより速く、捕らえたものを鏡に映して反転して見せてくれると、すぐ裏返って消します。また映しては反転し、消すというふうに絶え間なく反転します。ですから、見えたものはすべて動いているのです。つまりそれがあなた自身の空間場にあるものを映して見せてくれているわけですが、その空間場のものはほかでもなく大宇宙から映って来たのです。

では、身体の後ろはどうやって見るのでしょうか？　小さな鏡では身体のまわりをすべて映せないのではありませんか？　ご存じのように天目が天眼通の次元を超え、慧眼通に入ろうとする時、いよいよわれわれの空間を突破することになります。ちょうどそのおり、突破しようとしてまだ完全に突破していないその時に、天目にある変化が起こります。ものが見えなくなり、人を見ても見えず壁を見ても見えず、何もかもなくなり物質がみな存在しなくなるのです。つまり、この特定の空間で、さらに深く見ていきますと、人もいなくなり、ただ一枚の鏡だけがあなたの空間場の範囲内に立っていることに気づくでしょう。あなたの空間場における鏡の大きさは、あなたの空間場全体と同じなので、回転すれば映し出せないところはありません。あなたの空間場の範囲内で、宇宙から対応して来たものなら、鏡には全部映し出すことができます。これがわれわれの言う遠隔透視功能です。

人体科学の研究では、この功能を鑑定する時、とかくそれを否定しがちです。否定するのは次のような理由からです。例えば、北京にいる親戚が今何をしているのか、その親戚の名前と大体のことを告げられると、すぐ見えてきます。住んでいる建物はどんな形をしているのか、どのように入り口を通り、部屋に入って、中の様子はどうかなどを、すべて言い当てます。親戚が今何をしているのかと聞くと、字を書いているところだと答えます。それを確認するため、電話をかけて本人に聞いてみたら、今食事中だと答えました。これでは彼の見たことと食い違っているのではありませんか？　これまでは、そういう理由によってその功能が否定されてきました。しかし環境などは、間違いなく言い当てられます。われわれのこの空間と時間、つまり時空と呼ばれるものは、功能の存在しているあの空間の時空との間に時間の差があり、双方の時間の概念は同じではないのです。ですから、その人は先ほど字を書いていたが今は食事をしている、このような時間の差が出てくるわけです。したがって、人体科学の研究をする人が、常識を基準に、現在の科学に基づいて考え、研究を行なっていたのでは、一万年経っても駄目です。もともと常人の次元を超えるものなので、人間は考え方を変えなければならず、今までのようにこれらのことを理解してはいけません。

宿命通功能

他にも天目と直接かかわる功能があり、宿命通と言います。今、世界では六種類の功能が認められていますが、天目、遠隔透視のほかに、宿命通も含まれています。宿命通とは何でしょうか？つまり、人の将来や過去が分かることです。大きくは、社会の興廃が分かり、さらに大きくは天体全体の変化の規律まで分かります。それが宿命通功能です。物質は一定の規律に従って動いていて、ある特殊な空間において、あらゆる物体は他のたくさんの空間での存在形式を持っています。例を挙げて言うと、身体が動くと、身体の中にある細胞も動き、さらにミクロ世界のすべての分子、陽子、電子、もっともっと小さい成分もみんな動き出します。しかし、それぞれに自分の独立した存在形式があり、他の空間に存在する身体形式にも変化が起こります。

われわれは物質は不滅だと言ってはいないでしょうか？ある特定の空間では人が何かをすれば、たとえ手の一振りであっても、とにかく何かをしたらみな物質的に存在し、影像と信息が残ります。他の空間ではそれが不滅で、永遠に残りますので、功能のある人は過去に存在した光景を見ればすぐ分かります。将来、皆さんが宿命通の功能を持つようになったら、今日の講義風景をちょっと見てください。きっとそこにまだありますし、すでに同時にそこに存在しています。一人の人間が生まれた時、時間概念のないある特殊な空間に、その人の一生がすでに同時に存在しており、一生だけではない場合もあります。

それでは、個人の努力によって自分を変えようとする必要はないのではないか、と考え、納得できない人がいるでしょう。実は、個人の努力は人生の小さい部分なら変えることができ、小さな部分は個人の努力によって確かに何らかの変化を受けます。しかしまさにその変える努力によって、あなたは業力も得てしまうかも知れません。さもなければ、業を造ることや、良いことをする、悪いことをするとかの問題が起こりません。無理に何かをする時、必ず人の利益を横取りし、悪いことをすることになります。修煉でいつも自然に任せることを強調するのは、そういうわけです。努力することにより、他人を傷つけてしまうかも知れないからです。もともとあなたの人生の中にないもの、社会において他人に属するべきものを手に入れてしまえば、他人に借りを作ったことになります。

大きいことを変えようと思っても、常人にはとても無理です。変えられる方法は一つあります。それは悪事ばかりをして、悪いことをしつくすことです。それによって人生を変えることができますが、その人を待っているのは徹底的な壊滅です。高い次元から見ると、人が死んでも元神は滅びません。元神はどうして不滅なのでしょうか？　われわれが見たところでは、人が亡くなって、死体安置所に置かれる遺体は、われわれのこの空間における人体の細胞に過ぎません。内臓や身体の中の細胞組織、つまりこの空間における身体全体の細胞が脱落しましたが、他の空間にある分子、原子、陽子などの成分よりさらに小さな物質微粒子の身体は全然亡くなっていません。他の空間に、ミクロの空間にはまだ残っています。ところが、極悪非道な人が直面するのはすべての細胞が解体することで、佛教ではこれを形神全滅と言っています。

人生を変えるにはもう一つ方法があります。実はこれが唯一の方法で、すなわちこれから修煉の道を歩むことです。どうして修煉の道を歩めば人生を変えることができるのでしょうか？　それは誰にでも簡単には変えられないものではないでしょうか？　その人が修煉しようと思い立ち、その一念が生じると、黄金《おうごん》のように輝き、十方世界を震わせるからです。佛家の宇宙に対する概念は十方世界の説を取っています。高い次元の生命体から見れば、人間の生命は人間になるためのものではありません。彼は、人間の生命は宇宙空間で生まれ、宇宙と同じ性質を持ち、善良で、真・善・忍という物質でできていると考えています。しかしそれにも集団的関係があり、その集団で社会的関係ができると、一部の者が悪くなり、下へ堕ちていきます。その次元でさらに悪くなり、またいられなくなれば、さらに下の次元へ堕ちます。堕ちに堕ちて、最後には常人という次元にまで堕ちてくるのです。

この次元において、この人は壊滅され、消滅されるべきところだったのです。しかし、大覚者たちは大きな慈悲心によって、わざわざこの空間、今の人類社会のような空間を作ったのです。この空間にある者には一つの肉身を与え、この物質空間のものしか見えない目を与え、つまり、迷いの中に堕ちてしまった者に、宇宙の真相が見えないようにしたわけです。これに対して、他の空間ではすべてが見えるのです。この迷いの中、こんな状態の中に、機会を残しておいてあげるのです。迷いの中にいるから、最も苦しいわけで、この身体を持つことによって苦しみを営《な》めさせられます。この空間にいる人間が上に戻ることができれば、道家の煉功で言う返本帰真になります。ある人に修煉の心があれば、それはつまり佛性が現われたことであり、この心が最も貴重なものとされているので、みんな、その人を助けます。こんな苦しい環境の中でも迷わずに、元へ戻ろうとしているので、みんな彼を助けることになり、無条件に助けてやり、どんなことでもしてあげられます。なぜわれわれは修煉者にこういう事をしてあげられるのに、常人にはしてやれないのでしょうか？　その理由はここにあります。

常人の場合、病気が治るようにと願っても、何もしてあげられません。常人は常人であり、常人社会の状態に合わなければなりません。しかし、佛教のあらゆる経典を調べても、常人の病気を治すことが衆生を済度することだという言い方は、どこにも見あたりません。ここ数年、偽気功師がこのことを撹乱しています。本当の気功師、草創期《そうそうき》の気功師たちは、人に病気治療のことを絶対教えておらず、自分で身体を鍛えて、病気を治し、健康を保持するよう教えているだけです。あなたは常人で、何日も習っていないのに、他人の病気を治せるのですか？　それは人を騙しているのではありませんか？　執着心を助長することになるのではありませんか？　名利を追求し、超常のものを追求して、常人の前で見せびらかしたりする！　それは絶対許されないことです。ですから求めれば求めるほど、何も得られません。しかもそれは許されないことで、そうして勝手に常人の社会状態を破壊することも許されないのです。

宇宙には、返本帰真しようと思えば、みな助けの手を差し伸べてくれる、という理があります。人の生命は元に戻るためのもので、常人の中にいるべきではないと考えられています。もしも人類に何の病気もなく、楽に暮らすことをさせれば、神仙になれと言っても、なりたくないでしょう。病気もなく、苦しみもなく、欲しいものが何でもあるなら、なんと良いことでしょう。まさに神仙の世界です。ところが、あなたは自分が悪くなって、ここまで堕ちてきたものですから、楽になるはずはありません。人間は迷いの中で悪いことをしかねませんが、佛教ではそれを因果応報と言っています。人間に何か魔難があり、良くないことが起きた時は、すべて因果応報の中で、業を返しているのです。佛教では「佛のあらざる処《ところ》なし」とも言います。一人の佛がちょっと手を振るだけで、全人類の病気がすべて無くなります。それは間違いなくできることですが、これほど多くの佛がいるのになぜそうしないのでしょうか？　なぜかと言うと、人は以前悪いことをして借りができたからこそ、現在その苦しみに見舞われているのです。その病気を治してやったら、宇宙の理を破壊することになります。つまり人は悪いことをしてもよい、借りがあっても返さなくてよいということになりますので、それは許されないことです。ですから、みなこの常人の社会状態を守り、壊そうとしないわけです。心地よく、病気にもかからないような真の解脱《げだつ》に達しようとするには、修煉するほかありません！　人に正法《しょうぼう》の修煉を教えることこそ、真に衆生を済度することです。

多くの気功師はなぜ病気の治療ができるのか？　どうして彼らが治療を重んじているのか？　こういう疑問を思いついた人がきっといるでしょうが、こういった類《たぐ》いの多くはまともではありません。本当の気功師が慈悲心や憐憫《れんびん》により、修煉の過程で、衆生が苦しんでいるのを見て、助けてあげることは許されることです。しかし完全に治すことはできません。ただその病気をしばらく抑制するだけです。あるいは病気をずらして、つまり、今は発病しないが将来発病するように、病気を先送りするとか、あるいは病気を転化させ、家族の誰かに転化させることしかできません。本当に徹底的にその業を滅することとなると、彼らにはできません。常人のために勝手にそういうことをするのは許されないことで、修煉者にのみしてあげられます。こういう道理なのです。

佛家の言う衆生済度の意味は、あなたを常人といういちばん苦しい状態から高い次元へ導き、永遠に苦しみから解放し、解脱させることです。衆生済度とはこういうことを意味しているのです。釈迦牟尼は涅槃《ねはん》の彼岸《ひがん》を説いたではありませんか？　それが彼の衆生済度の本当の意味です。もし、常人社会で幸せに暮らし、金貨で寝床を作れるほどお金があり余って、なんの苦しみもなければ、神仙になれと言っても嫌だと言うにきまっています。修煉者となれば、あなたの人生の道を変えてあげてもよいし、修煉でしか変えられません。

宿命通という功能の形は、前額のあたりにテレビのブラウン管のようなものをもつことです。人によっては、前額の中心あたりや、前額から近いところや、前額の内側にあったりします。目を閉じれば見える人がいますが、それが強ければ、目を開けたままでも見えます。それはその人の空間場の範囲内に存在するものなので、他人には見えません。ということは、この功能が現われてから、もう一つの功能が媒体となって、他の空間で見た光景を映し出してくれるので、こうしてこの天目で見えるわけです。人の将来、過去が見え、それも非常に正確に見えます。占いではいくら詳しく見ることができても、小さいこと、細部までは推定できません。しかし、彼にははっきりと見え、年代も、変化の細部まで分かります。彼は他の空間における人や物事の真実を見ているからです。

法輪大法《ファルンダーファ》を修煉する者なら、誰にでも天目を開いてあげます。しかし、先ほどお話しした他の功能は開いてあげられません。次元の向上につれ、宿命通の功能が自然に現われ、将来修煉の途中にこういうことにきっと出会います。これらの功能が現われた時、どういうことなのか分かるように、ここではこれらの法や理などを皆さんにお話ししました。

五行に居《い》ず、三界《さんがい》を出る

「五行に居《い》ず、三界《さんがい》を出る」とはどういうことでしょうか？　これはなかなか微妙な問題です。これまで多くの気功師は、この問題に触れると、気功を信じない者に「練功をやっているあなた方のうち、誰が五行から出て行ったのか、誰が三界にいないのか？」と、さんざんに言われたあげく絶句していました。気功師ではないのに、気功師と自称している者が多く、分からなければ言わなくてもいいのに、出任せを言ったため、反発を食らったのです。それは修煉界に大きなダメージを与え、混乱を起こしており、人々もその点から気功を非難しています。五行に居ず、三界を出るというのは修煉界の言葉で、宗教に由来しており、宗教で生まれたものです。ですから、この歴史的な背景や当時の環境から切り離してそれを解釈してはいけません。

「五行に居ず」とは何でしょうか？　われわれ中国の古代物理学でも、現代の物理学でも中国の五行説は正しいものだと認めています。金、木、水、火、土という五行によって宇宙の万事万物が構成されています。これは正しいので、われわれもこの五行を説いています。人が五行から出るということは、現代の言葉で解釈すれば、われわれのこの物質世界から出るということです。不思議に聞こえるでしょうが、よく考えてみてください。気功師は功を持っているのです。わたしも多くの気功師も測定を受けたことがあります。エネルギーの測定です。功の中の物質成分は、現在多くの機器で検出できます。つまり、気功師が出した功の成分によって、そういう機器さえあればその功の存在が測定できます。現在の機器では、赤外線、紫外線、超音波、低音波、電気、磁気、ガンマ線、原子、中性子などが測定できます。気功師はみなこれらの物質を持っており、一部の気功師の出した物質は、機器がないため測定のしようがありません。機器で測定できるところから見て、気功師の出した物質は非常に豊富です。

特殊な電磁場の働きで、気功師は強い光を発することができ、それはとても綺麗な光です。功力が強いほど、発せられるエネルギー場は大きくなります。常人にもありますが、それはきわめて弱い光です。高エネルギー物理学の研究では、エネルギーは中性子、原子などのようなものだと見ています。多くの気功師、特に有名な気功師たちはみな測定を受けています。わたしも受けたことがありますが、測定されたガンマ線と熱中性子は、物質が正常時に出す放射量の八十倍から百七十倍でした。測定機器の針がいっぱいに振り切れたので、結局どれほど大きいものか分かりませんでした。こんなに強い中性子はまったく不思議なものです！　どうしてこんなに強い中性子を発することが人間にできるのでしょうか？　これによって、われわれ気功師には功があり、エネルギーがあることが実証されましたが、このことは科学界でも認められたのです。

「五行を出る」には、性命双修の功法でなければなりません。性命双修でない功法では、その人の次元に相応する功が伸びるだけです。命《めい》を修めない功法の場合は、五行を出ることを言わないので、この問題は始めから存在しません。性命双修功法の場合、そのエネルギーは人体のすべての細胞に蓄えられています。普通の煉功者、功が現われたばかりの人の発したエネルギーは粒子が粗く、隙間があり、密度も低いので、威力は非常に弱いのです。次元が高くなれば、エネルギーの密度が水の分子の何百倍、何千倍、何億倍になる可能性さえあります。次元が高ければ高いほど、密度が高くなり、細かくなって、威力も強くなるからです。このようにして、エネルギーは身体のすべての細胞に蓄えられていて、しかもこの物質空間の身体の細胞だけではなく、他の空間にあるすべての身体の、分子や原子、陽子、電子から、ミクロ世界でのきわめて小さな細胞までも、このエネルギーで満たされることになります。時間が経つにつれ、人間の身体はこのような高エネルギーの物質でいっぱいになります。

この高エネルギー物質は霊的なもので、力を持っています。量が多くなるにつれて、密度も高くなり、身体のすべての細胞に満ちると、人間の肉体の細胞、この最も無能な細胞を抑えることができます。いったん抑えれば、新陳代謝ができなくなり、最後は完全に肉体の細胞に取って代わります。もちろん、言うのは易しいのですが、そこまで修煉するのはかなり緩《ゆる》やかな過程です。あなたがそこまで修煉すれば、身体の細胞はすべてこの高エネルギー物質によって取って代わられます。考えてみてください。その時あなたの身体はまだ五行によって構成されているものと言えるでしょうか？　まだこの空間の物質だと言えるのでしょうか？　その身体はすでに他の空間から採集した高エネルギー物質によって構成されています。あの徳という成分も他の空間にある物質で、われわれのこの空間の時間場の制約を受けません。

現代科学は、時間には場があり、時間場の範囲に入らなければ、時間の制約を受けないと考えています。他の空間の時空概念はわれわれのとは違うのに、どうやって他の空間の物質を制約できますか？　まったく役に立ちません。考えてみてください。その時になれば、あなたはもう五行の中にいないのではありませんか？　あなたはまだ常人の身体なのでしょうか？　いやまったく違うものになっています。ただ一つ、常人の目には分からないのです。しかし身体がそこまで変わったものの、修煉が終わったわけではありません。まだまだ次元を突破し続けて上へ修煉しなければならないので、常人の中で修煉を続けなければなりません。人々の目にその人が見えないようではいけません。

では、ここから先はどうなるのでしょうか？　修煉の過程で、すべての分子細胞が高エネルギー物質によって取って代わられたとはいえ、原子の配列には順序があり、分子や原子核の配列順序は変わっていません。細胞の分子の配列順序は、触れると柔らかく感じる状態ですが、骨は分子の配列順序の密度が高く、触れると硬く感じ、血液は分子の密度が非常に低いから、液体となっています。細胞の分子は本来の構造と配列順序を保っているままで、構造も変わっていないため、常人には外観からその変化が分かりませんが、中のエネルギーはすっかり変わっているので、この人はこれから自然老衰はせず、細胞も衰えることなく、いつまでも若さを保つことができます。修煉を続けているうちに、人は若く見えるようになり、最後はあるところにとどまり続けるのです。

もちろん、その身体は車にぶつかると骨が折れ、刃物で切れば血が出ます。分子の配列順序が変わっていないからです。しかし、それは自然に滅びることもなければ、老衰もせず、新陳代謝もありません。それがわれわれの言う「五行を出る」ことです。これのどこに迷信があると言えるでしょうか？　すべて科学の道理で説明できるのです。一部の者がはっきり説明できないのに、軽々しくしゃべるから、迷信だと言われるわけです。「五行を出る」というこの言葉は宗教に由来したもので、現代気功が言い出したものではありません。

「三界を出る」とは何でしょうか？　先日お話ししたように、功が伸びるのに大事なのは心性を修煉することです。宇宙の特性に同化すれば、宇宙の特性から制約を受けなくなり、心性が上がれば、徳の成分が演化して功に変わります。絶えず伸び、絶えず向上して、高い次元まで昇華すると、功柱ができあがります。功柱の高さがあなたの功の高さです。大法無辺《ダーファむへん》という言葉があり、どこまで修煉できるかは、あくまでもあなたの心の修煉次第で、忍耐力と苦しみに耐える力にかかっています。自分自身の白い物質を使い果しても、苦しみに耐えることによって黒い物質は白い物質に転化することができます。それでも足りなければ、修煉しない親族や友人の代わりに、罪や過ちの償いをすることによっても功を伸ばすことができます。しかし、それはきわめて高い次元まで修煉した者に限られます。常人としての修煉者は、親族や友人の代わりに罪や過ちの償いをするような考えがあってはなりません。業力が大きすぎて一般の人ならそれで修煉できなくなります。わたしがここで話しているのは異なる次元の理です。

宗教で言う三界は、九層の天、あるいは三十三層の天のことで、つまり、天上、地上、地下が三界内の衆生を構成しています。その三十三層の天にいるすべての生物はみな六道輪廻《ろくどうりんね》をするものだと言われています。六道輪廻とは現世は人間ですが、来世は動物になるかも知れないということです。佛教では、人間として生きているうちに修煉しなければいつ修煉するのか、と言っています。なぜなら動物は修煉を許されないもので、法を聞くことも許されず、修煉しても正果《しょうか》は得られないばかりでなく、功が高ければ天罰を受けることになるからです。人間の身体を得るのに、何百年でも足らず、千年以上かかってやっと人間の身体を得るのに、人間の身体を得ればそれを大事にすることを知らないのです。もし、岩に生まれ変わったら万年経っても出られません。その岩が砕けないかぎり、風化しないかぎり、永遠に出て来られません。人間の身体を得ることはどんなに難しいことなのでしょうか！　もし本当に大法《ダーファ》を得ることができれば、この人はあまりにも幸運だと言えます。人間の身体が得難いとは、そういう意味です。

われわれの煉功では、次元のことを言いますが、この次元はまったく自分の修煉によるものです。三界を抜け出ようとするなら、功柱がとても高くなるように修煉すれば、三界を突破することになるのではありませんか？　座禅していたら元神が身体から抜け出して、あっという間に高いところに上がったという人がいます。「先生、わたしはいく層もの天に登り、これこれの光景を見ました」と、修煉の感想を書いてくれた学習者がいます。もっと上へ上がってみなさいと言ってあげたら、「いや、それより上へは登れず、恐くてできない」と答えました。なぜでしょうか？　彼の功柱の高さはそこまでしかないからです。彼は自分の功柱に乗って上がったのです。それは佛教で言う果位のことで、その果位まで修煉しているということです。しかし、修煉者にとっては、まだ果位の頂点に達しているわけではありません。まだまだ絶えず上昇し、昇華し、向上していきます。そうして功柱が三界の限界を突破すれば、あなたも三界から抜け出ることになるではありませんか？　われわれが測ったところでは、宗教で言う三界は、せいぜいわれわれの九大惑星の範囲内のことです。十大惑星を言っている者もいますがまったく存在しないものです。昔の気功師には功柱が銀河系を突き抜けてかなり高く、三界をとっくに突破した人がいました。三界を出るということは、実は次元のことにほかなりません。

求めるということの問題

多くの人は何かを求めて、われわれの修煉場に来ています。功能を求めたいとか、理論を聞きたいとか、病気を治してもらいたいとか、そして法輪《ファルン》をもらいたいとか、どんな心理状態でもあるといっていいほどです。受講していない家族がいて、お金を払うから彼らにも法輪《ファルン》を与えてほしいと言う人もいます。われわれが何代も何代もの人を経て、長い、長い年月を経て、数字を言えば驚くほど長い年月を経てやっと形成されたその法輪《ファルン》を、たかが数十元で買えるとでも思っているのでしょうか？　われわれはどうして無条件で皆さんに与えているのでしょうか？　それは、あなたが修煉者になろうとしているからで、その心はいくらお金を払っても買えないものです。佛性が現われてきたので、われわれはそうしてあげるのです。

あなたは求める心を抱いて、それのために来ているのですか？　あなたが何を考えているのか、他の空間にいるわたしの法身は何もかも知っています。二つの時空の概念が違っていて、他の空間から見ると、あなたの思惟が形成されるのは非常に緩やかな過程です。あなたが考える前に、法身は察知できるので、良くない考えはすべてよしたほうがいいのです。佛家は縁を重んじますが、皆さんも縁によって集まってきたのです。あなたはあなたが本来得るべきものを得たのかも知れません。だからこそ大切にするべきで、何かを求める心を一切捨ててください。

昔、宗教の修煉では、佛家は空《くう》を強調し、何も考えずに、空門《くうもん》に入ります。道家は無を強調し、すべてが無なので、何も要らず何も求めません。煉功者の間では、「煉功する心があればとて、功を得る心無し」とよく言っていますが、無為の状態で修煉し、心性の修煉に専念すれば、次元もどんどん突破していって、得るべきものが得られるはずです。何かにこだわれば、それは執着心ではありませんか？　われわれは始めから高次元の法を皆さんに伝えているので、心性に対する要求も高いのです。ですから何らかの求める心をもって法を学んではいけません。

皆さんに責任をもつため、われわれは皆さんを正しい道に導いています。そこでこの法を分かりやすくはっきりと説明してあげなければなりません。人が天目を追求すれば、天目は自ら塞がり、あなた自身をも封じ込めてしまうのです。これも皆さんに言わなければなりませんが、世間法の修煉で現われたすべての功能はみな、肉身自らが持っている、先天の本能で、われわれはいまそれを超能力と呼んでいるのです。それは、現在いる空間、われわれのこの空間でしか力を発揮できず、常人だけしか制約できないものです。こんな小手先の技を追求してどうしますか？どんなに追求しても、出世間法の修煉になると、他の空間ではまったく役に立たないものになります。世間法の修煉が終わる時点でこれらの功能はすべて捨てなければならず、それらは非常に深い空間に押し込まれて、将来あなたの修煉過程の記録として保存しておく程度の役割しかありません。

世間法の修煉が終われば、また最初から修煉を始めます。その時、身体は先ほどお話しした五行を出た身体で、佛体になっています。このような身体を佛体と呼ばないで何と呼ぶのでしょうか？　その佛体は改めて修煉する必要があり、功能も改めて現われます。しかし、それは功能と呼ばず、佛法神通と呼びます。その威力は限りないもので、各空間を制約し、真に力のあるものです。それでもあなたは功能を追求して何をしようというのですか？　およそ功能を追求する人は、常人の中で使おうとして、見せびらかそうとしているのにきまっており、でなければそれを求めて何にするというのですか？　姿も形もないものを飾り物にでもするのですか！　あなたの潜在意識にきっとそれを使う気持ちがあるに違いありません。それは常人の中での技能として求められるようなものではなく、まったく超常的なものなので、常人に見せびらかしてはいけません。見せびらかすこと自体、強い執着心で、非常に良くない心であり、修煉者として捨てなければならないものです。まして、それを利用して金を儲け、金持ちになり、自分自身のための努力や奮闘で、常人としての目標を達成しようとすることは、なおさらいけないことです。それは高次元のものをもって常人の社会に干渉し、それを破壊しようとするもので、ことのほかいけないのです。だからこそ勝手に使うことは許されません。

功能が現われた人には、両端つまり子供や年寄りが多いのです。特に年配の女性は、常人の中であまり執着心がないから、心性をしっかり制御できます。功能が現われてもどう対処するかが分かり、見せびらかそうとする心がありません。若い人になぜ出にくいのでしょうか？　特に若い男性は常人社会で立身出世しようとして、何らかの目標を達成しようと思っています！　いったん功能が出ると、それを目的達成のための道具として何かに使おうとしますが、そんなことは絶対に許されません。ですから、その人たちには功能が現われないのです。

修煉ということは、遊びごとではなく、常人の中の技能でもなく、非常に厳粛なことです。修煉するかしないか、修煉できるかどうかは、すべて自分の心性をどうやって向上させるかにかかっています。もし、ある人が本当に功能を求めて得ることができたなら、それは大変なことになります。修煉うんぬんなど念頭にも置かないのにきまっています。なぜならその人の心性は常人のレベルのままで、そのうえに功能は求めて得たのだから、どんな悪いことでもやってしまいかねませんね。銀行にはお金がいくらでもあるから、功能で運んでこよう。街には宝くじがいくらでもあるから、一等賞を取ってこよう、と思うかも知れません。なぜ今までそういうことが見られなかったのでしょうか？　徳を重んじなければ、功能が出ると悪いことをやりかねない、と言っている気功師がいますが、それは間違っています。そんなことはありえません。徳を重んぜず、心性を修煉しない者に功能が出るはずがありません。心性の良い者に、達した次元に相応する功能が出たが、後にその人がしっかり制御できなくなり、やるべからざることをやってしまったケースはあります。いったん悪いことをすると、功能が弱まるか、なくなってしまいます。一度こんなふうに失うと、永遠に失ってしまいますが、それよりも深刻なことは、執着心が引き起こされることです。

一部の気功師は、彼の功を学べば三日で病気の治療ができるとか、五日やればできるとか言っていますが、まるで広告をしているかのようで、それは気功商人と言えます。よく考えてみてください。常人のあなたが出した気で他人の病気を治すことができると思いますか？　常人の身体には気があり、あなたにもありますが、練功を始めたばかりのあなたは、労宮《ろうきゅう》というツボが開き、ただ気の出し入れができるだけです。人の病気を治療する場合、相手の身体にも気があり、下手をすると、その気にやられてしまうこともあります！　気と気の間にはどんな制約作用があるのでしょうか？　気による病気治療は不可能です。そのうえ人の病気治療をしている時、あなたは患者と一つの場を形成し、患者から病の気がそのままあなたの身体に移ってきて、同じ量になります。病気の根元は向こうにあるとはいえ、病の気が多くなるとあなたも病気になりかねません。

さらにいったん自分が人の病気が治せると思ったら、きっと看板を掲げて、来る者は拒《こば》まずとばかりに病気治療を行ない、執着心が現われるに違いありません。人の病気を治すことができてなんと嬉しいことでしょう！　でもどうして治療できたのでしょうか？　偽気功師の身体にはみな憑き物があり、信じてもらうために、あなたに多少の信息を分けているのに過ぎないことにあなたは気づきませんか？　三人か五人、あるいは八人、十人ほど治療すれば信息がなくなります。それも一種のエネルギーの消耗ですので、二度とありません。あなた自身に功がないのですから、どこから功が出てくるというのですか？　気功師は数十年にわたって修煉してきましたが、昔の修行は生やさしいものではありませんでした。正しい法門で修煉せずに、脇門や小道《しょうどう》で修煉すると、相当難しいものです。

かなり有名な大気功師でも、数十年間修煉してやっとほんの少しの功を得ただけです。修煉もしていないのに、あなたが講習会に参加しただけで功が出たとでも言うのですか？　そんなことがありえますか？　それ以降あなたには執着心が生まれます。執着心をもつと、病気をうまく治せなければ、焦ってしまいます。一部の人は自分の名声を保つために、治療する時にどんなことを考えると思いますか？　治すためなら、代わりに自分がその病気をもらってもよい、と。それは慈悲心から出るものではありません。その人は名利心を全然捨てていないので、慈悲心が現われるはずがありません。彼は自分の名誉が失われるのを心配するあまり、その病気を代わりにもらえるならもらってもよいとまで考えるのです。名誉を失いたくないのです。なんと強い名利心でしょう！　そう願えば、病気が直ちに自分の身体に移ってきて、本当に願った通りになります。人は治りましたが、治してあげた本人は病気になり、家に帰って苦しむのです。人の病気を治せて、気功師と呼ばれたので、嬉しくてたまらなくなりますが、それは執着心ではありませんか？　治せなかったら、しおしおと元気を失いますが、それは名利心のせいではありませんか？　しかも、あなたが治療した患者の病の気が、ことごとくあなたの身体に移ってきます。偽気功師がこれを体外に排出する方法を教えていますが、それは全然効果がなく、少しも排出などできないことを忠告しておきます。なぜならば、あなたは良い気と悪い気を区別する力を持っていないからです。度重なるうちに、あなたの身体は中まで真っ黒になりますが、それがほかでもない業力なのです。

本気で修煉しようと思うようになった時は、大変厄介なことになります。どうすればいいでしょうか？　どれだけ苦しみを嘗めたらはじめてそれを白い物質に転化することができると思いますか？　とても難しいのです。特に根基の良い者ほどこういう問題を起こしやすいのです。病気治療のことばかり追求している人がいます。追求すれば、その動物の目にとまるので、取り付いてきます。これが憑き物です。病気治療をやりたいのか？　よし、治療させてやろう、と。しかし、それはただで病気治療をさせてくれるわけではありません。「失わないものは得られず」なので、非常に危険です。ついにそんなものを招いてしまったら、どうやって修煉しますか？　一巻の終わりです。

根基の良い者で、自分の根基をもって、人の業と交換している人がいます。患者の業力は大きいので、重病患者を治療すると、家に戻ってから苦しくて耐えられないことがあります！　これまでに病気治療の経験のある人ならお分かりでしょうが、患者は治っても、自分が病気で寝込んでしまいます。時間が経つにつれて、業力をもらえばもらうほど、それと引き替えにあなたは人に徳を与えます。失わなければ得られないからです。病気をもらったうえに、徳と交換して、業をもらってしまうのです。宇宙には、自分が欲しがったものについては、誰も干渉できず、誰も口出しできない、という理があります。ですからあなたが良いことをしたとも言えません。宇宙では業力の多い者こそ悪者であると定められており、あなたは自らの根基をもって人の業力と交換していますが、業力がさらに多くなってしまったら、どうやって修煉しますか？　あなたの根基そのものが損なわれてしまいます。恐ろしいことではありませんか？　他人は病気が治って、楽になったのに、あなたは家に帰って苦しまなければなりません。癌患者を二人も治したら、あなたがその代わりにあの世に行かなければならないのです。恐ろしいことではありませんか？　間違いなくそういうことなのに、多くの人がその中の道理が分からないのです。

一部の偽気功師は、名声は高くても、有名だからといって、明白とは限りません。常人にどうして分かりましょうか？　まわりが騒げば、そう信じてしまいます。偽気功師は今こんなことをやっていますが、他人を害しているだけではなく、自分自身をも害していますので、あと一、二年経った時に彼らがどうなるか見てください。このように修煉を破壊することは許されないのです。修煉は確かに病気の治療ができますが、病気治療のためのものではありません。それは超常的なもので、常人の中の技ではないので、このように勝手にそれを破壊することは絶対許されません。今、偽気功師は本当にひどいことをやっており、気功を売名のため、金銭のための道具に使い、自分の勢力を伸ばし、邪悪集団をつくっています。本物の気功師よりその数が何倍も多いのです。常人がみなそう言い、みなそうやっているからといって、そのままあなたも信じるというのですか？　気功はそういうものだと思われていますが、違うのです。わたしが言っているのは本当の理です。

常人は人といろんな社会的な接触をする時に、私利私欲のために悪いことをしたり、借りができたりすれば、それを償い返済しなければいけません。もし、勝手に治療などをしてやって、本当に治せたとしても、それは許されることだと思いますか？　佛が至るところにいるのに、こんなに多くの佛がどうしてそれをやらないのでしょうか？　人類を楽にしてやればよいのに！　なぜそうしないのですか？　自分の業力は自分で返す、誰もその理を壊してはなりません。個人が修煉の過程で、慈悲心によって、たまに人助けのつもりでやっても、病気を先送りするだけです。今苦しまなければ、これから先苦しむことになります。あるいは、何かに転化されて、病気にかからないまでも、お金を失ったり、災《わざわ》いに見舞われたりするのです。こういうことはありうるのです。本当にやりとげられる者は、そういった業をいっぺんに滅してあげますが、それは、修煉者にだけしてあげられることで、常人にはしてはいけないのです。わたしは今ここでわたしの法門の理を言っているわけではなく、わたしはこの宇宙全体の真理を語っており、修煉界の実状を話しているのです。

ここでは病気の治療法を教えません。なぜなら皆さんを大道《だいどう》、正道《しょうどう》へ導き、上の次元へ連れていこうとするからです。ですから講習会の時にいつも言いますが、法輪大法《ファルンダーファ》の弟子は、病気の治療を行なうことが許されず、治療を行なえば、法輪大法《ファルンダーファ》の人ではなくなります。われわれは皆さんを正しい道に導きますので、世間法の修煉過程で、身体が完全に高エネルギー物質によって取って代わられるまで、ずっと皆さんの身体を浄化し続けていきます。それなのに、あなた自身がまだ自分の身体にあの黒いものを取り寄せようとしているのです。そんなことでどうやって修煉しますか？　あれは業力なのですよ！　そんなことではまったく修煉できなくなってしまいます。

業力が多ければ、あなたが耐えられなくなり、あまりにも苦しみを嘗めれば、あなたは修煉できなくなります。そうなるに違いありません。わたしはこの大法《ダーファ》を公に伝えましたが、わたしが伝えているものがどういうものか、あなたにはまだ分からないかも知れません。この大法《ダーファ》は、公に伝えることができた以上、それを守る方法もあります。あなたがもし人に病気治療をしたりしたら、あなたの身体に植えつけてあげた修煉用のすべてのものを、わたしの法身が全部回収することになります。あなたが名利のために勝手にこのような貴重なものを損なうことを許すわけにはいきません。法の要求通りにしない者は法輪大法《ファルンダーファ》の人ではないので、あなたの身体を常人の位置に戻し、良くないものもあなたに返します。というのもあなた自身が常人になりたいと思っているからです。

昨日から、講義が終わって、身体が軽く感じる人もたくさんいます。しかし、ごく少数の重病患者は一足早く、昨日から苦しくなりました。昨日、わたしが皆さんの身体にある良くないものを取り除いてから、ほとんどの人は身体が軽くなり、心地よく感じています。しかし、宇宙には「失わなければ得られず」という理がありますので、根こそぎ取り除いてあげるわけにはいかず、また自分でまったく苦しみに耐えようとしないことは絶対許されないのです。言い換えれば、あなたの病気の根本原因や、体調の良くない根本原因は取り除いてあげましたが、病気の場がまだ残っているのです。低い次元で天目を開けば、身体の中に黒い気の固まり、濁《にご》った病の気があるのが見えますが、それは濃縮された濃度の高い黒い気の固まりなので、いったん拡散すると、身体中に充満します。

今日から、身体中寒気《さむけ》がして、ひどい風邪を引いているかのように骨まで痛く感じる人がいますが、多くの人は足が痛いとか、めまいがするとか、身体のどこかが具合が悪いと感じるでしょう。今まで、他の気功をやって完治し、あるいはどこかの気功師に見てもらって治ったと思う病気は、今後再び発病します。それは実際はその病気が治ったわけではなく、先送りされただけで、当分は発病しないが将来発病するように、そのままそこに残っていたからです。われわれはそれを全部掘り出して、追い出してしまい、徹底的に取り除いてあげます。こうすると、あなたは病気が再発したように感じますが、これは根本から業を滅してあげているからで、当然の反応が起きてきたのです。特定の部位に反応があり、あちこちに異状を感じ、さまざまな辛さを覚えますが、いずれも正常なものです。どんなに辛くても、ぜひ頑張って受講に来てください。この会場に入ればすべての症状が消え、何の危険もありません。このことを皆さんに言っておきたいのですが、どんなに「病気」で苦しいと感じていても必ず来てください。法は得難いものです。苦しければ苦しいほど、物事が極まれば必ず逆の方向へ転化するので、身体全体が浄化されようとしており、浄化されなければならないことを苦しさそのものが物語っています。病根はすでに取り除かれており、残りはほんの少しの黒い気で、それを外に発散させるので、あなたにほんの少しだけ難を与え、ちょっとした苦しみを嘗めさせることになります。あなたが全然苦しみを嘗めないわけにはいかないのです。

常人の社会では、名誉や利益のために、人と奪い合い、争い合ったりして、睡眠も食事もろくに取れず、身体をひどく傷めており、他の空間から見ると、あなたの身体は骨まで黒くなっています。こんな身体を一気に浄化してあげるのですから、何の反応もないというわけにもいかず、反応は必ずあります。中には吐いたり、下痢したりする者もいます。これまで多くの地方の学習者が、わたしに書いてくれた感想文でこのことに触れています。ある人など、講習会からの帰りに、家に着くまでトイレばっかり探していた、と言います。内臓まで浄化されなければならないからそうなるのです。受講中、ずっと眠っている人もいますが、講義が終わると目が覚めてきます。なぜでしょうか？　それは頭の中に病気があって、その調整をしてあげなければならなかったからです。頭の調整は、とても耐えられないものなので、本人に自覚はありませんが、昏睡状態に入らせなければならないわけです。ところが、聴覚には問題がないので、ぐっすり眠っているのに、一言も聞き落とさず、全部耳に入っており、その後は、元気が出て、二日間一睡もしなくても、まったく疲れを知らないという人もいます。それぞれ状態が異なるので、それぞれ調整し、身体全体を浄化してあげなければなりません。

真に法輪大法《ファルンダーファ》を修煉して、心を放下できるときは、いまから反応が出てきます。口では放下したと言いながら、実際は全然放下していない人の場合は、なかなか難しいのです。後になってわたしの講義の内容がだんだん分かってきて、放下したので、身体が浄化される人もいます。他の人はとっくに身体が軽くなったのに、彼らの病気除去はようやくこれから始まり、ようやく今になって苦しく感じるようになります。どこの講習会でも、落後する人、悟りが少し遅れている人がどうしてもいます。あなたにどんな状況が現われても、すべて正常なことなのです。ほかのところで講習会を開いた時も、こういう例がありました。苦しくて椅子に伏せたまま、帰ろうとせず、わたしが演壇から降りて治してあげるのを待っているのです。そういう場合、わたしは治療をしてあげません。これぐらいの関《かん》も越えられなければ、今後自分で修煉する場合、いろいろな大きな難が現われてくるのです。これすら乗り越えられないのに、どうやって修煉していけるでしょうか？　これぐらいのことも乗り越えられないと言うのですか？　必ず乗り越えられるはずです。ですから、わたしに病気を治して欲しいなどと言わないでください。わたしは病気治療はしません。「病気」という言葉さえ聞きたくありません。

人間は済度し難いものです。どこの講習会でも五パーセントないし十パーセントの人がついて来られません。誰でも得道するというのは不可能なことで、修煉を続ける人でも、成就できるかどうかの問題があり、どこまで修煉する決意があるかの問題があります。誰でも佛になることはありえません。本当に大法《ダーファ》の修煉をしようと思う人なら、本を読むだけでも同じ状態が現われ、同じように得るべきものがみな得られます。

第三講

わたしは学習者をすべて弟子とする

皆さんはわたしがどんなことをしているのか、お分かりでしょうか？　わたしは、独学で真に修煉する者をも含めて、すべての学習者を弟子として導いています。高い次元への功を伝えるには、このように皆さんを導かなければなりません。さもないと、無責任で、でたらめなことをすることになります。われわれは皆さんにこんなに多くのものを与えました。これほど多くの常人の知るべからざる理を教え、この大法《ダーファ》を伝えたばかりでなく、さらにたくさんのものをも授けることになっています。身体も浄化してあげましたが、他にも多くのことが絡んできます。ですからあなたを弟子として導かなければ、絶対駄目なのです。勝手に常人にこんなに多くの天機を漏らすことは許されません。ただし、今は時代も変わりましたので、叩頭《こうとう》の儀式のような形式はとりません。あんな形式は何の役にも立たず、やりだすと宗教みたいなものになってしまうので、われわれはそんなことをしません。たとえ弟子入りの儀式をやっても、あなたがここから離れればまた元の木阿弥になり、常人の中で相も変わらぬ行動をし、名利のために争ったり、闘ったりしたのでは、何の意味があるでしょうか？　もしかすると、わたしの看板を掲げて、大法《ダーファ》の名誉に泥を塗るようなことさえやりかねません！

本当の修煉は、すべてあなたの心にかかっています。あなたが修煉できさえすれば、着実に揺るぎなく修煉していきさえすれば、われわれはあなたを弟子として導きます。そういうふうに扱わなければいけないのです。必ずしも本当に修煉者としての自覚をもって修煉し続けていけない人もおり、不可能な人もいるでしょう。しかし大勢の人は真に修煉し続けていくに違いありません。あなたが修煉を続けるかぎり、われわれはあなたを弟子として導きます。

毎日幾つかの動作を行なうだけで、法輪大法《ファルンダーファ》の弟子と言えるのでしょうか？　そうとは限りません。本当に修煉しようと思えば、われわれの言う心性基準に基づいて自らを律し、本当に心性を高めなければならず、それこそが本当の修煉です。ただ動作だけをやっても、心性は向上せず、一切を加持する強いエネルギーがなければ、それは修煉とは言えず、われわれもあなたを法輪大法《ファルンダーファ》の弟子として認めるわけにはいきません。毎日煉功をしていても、法輪大法《ファルンダーファ》の要求に従わず、心性を向上させず、常人の中で元通りに振舞っていては、そのうちに、なにか厄介なことに遭うかも知れません。もしかすると、あなたは法輪大法《ファルンダーファ》をやっているからおかしくなったと言いだすかも知れません。そういうことはいずれも起こりうるのです。ですから、皆さんのやることがわれわれの心性基準の要求を満たしてこそ、はじめて本当の修煉者であると言えます。皆さんにはっきりお話ししたのですから、今後、師を拝むとかいう形式をやりたいなどと言わないでください。本当に修煉さえすれば、あなたに対してふさわしい扱いをします。わたしの法身は数え切れないほど多いので、ここにいるこれぐらいの学習者はもとより、もっと多くてもわたしは面倒を見ることができます。

佛家功と佛教

佛家功は佛教ではありません。この点を皆さんのためにはっきりさせる必要があります。実は、道家功も道教ではありません。このあたりのことをいつまでたっても分からない人がいます。一部の寺の和尚や居士《こじ》は、佛教のことについてなら自分がよく知っていると思い、われわれの学習者の間で、佛教について盛んに宣伝しています。そのようなことはやめるように忠告します。なぜなら、それは同じ法門ではないからです。宗教には宗教の形式があり、わたしがここで伝えているのは我が法門の修煉法の一部です。法輪大法《ファルンダーファ》の専修弟子以外は宗教という形式を取りませんから、末法の時期にある佛教とは違うのです。

佛教の法は、佛法の中のわずかな一部に過ぎず、まだまだたくさんの奥深い大法《たいほう》があり、それぞれの各次元にはさらに異なる法があります。釈迦牟尼は修煉には八万四千の法門があると言っています。佛教の法門は限られており、天台宗、華厳宗、禅宗、浄土宗、密教など、数えられるほどの法門しかなく、端数《はすう》にも及びません！　ですから、それは佛法のすべてを概括することはできず、佛法のほんのわずかな一部分に過ぎません。法輪大法《ファルンダーファ》も八万四千法門の中の一つで、原始佛教および末法の時期の佛教とは関係がなく、今日の宗教とも無関係です。

佛教は、二千五百年前に、古代インドで釈迦牟尼によって創立されたものです。当時、釈迦牟尼は功を開き悟りを開いた後、記憶にある、以前の自分が修煉したものを思い出し、それを世に伝えて、人を済度しました。彼の法門は、幾万巻の経典が出されていても、実は三文字にまとめめられます。彼の法門の特徴は、「戒《かい》・定《じょう》・慧《え》」と言います。戒とは、常人の中の一切の欲望を戒めること、強制的に利益に対する追求心を失わせ、俗世間のすべてのものを一切断ち切らせるなどの意味です。そうすれば、心が空《くう》になり、何も考えなくなるので、定になります。これらは互いに助けあって成り立つものです。定に至れば、座禅を組んで着実に修煉をし、定力《じょうりき》によって上へと修煉します。それはこの法門における本当の修煉の部分です。それは手法を重んぜず、自分の本体を変えようともしません。ただ次元に相応する功を修めるだけなので、ひたすら心性の修煉をします。命《めい》を修めないため、功の演化を問題にしません。同時に定の中で定力を強め、座禅の中で苦しみに耐えることによって、自分の業を滅するわけです。慧とは悟りを開き、大智大慧《だいちだいえ》となることです。宇宙の真理が見え、宇宙の各空間の真相も見え、大いに神通力を顕わします。慧《え》を開く、悟りを開くことは、功を開くとも呼ばれます。

釈迦牟尼がこの法門を創立した当時、インドでは八つの宗教が同時に伝わっていました。中でも根が深く勢力の大きかったのはバラモン教でした。釈迦牟尼は在世中、ずっと他の宗教とイデオロギーの面で闘っていました。釈迦牟尼が伝えたのは正法《しょうぼう》なので、法を伝えていく中で、彼の伝える佛法はどんどん盛んになりました。一方、他の宗教はますます衰え、あの根が深く勢力の大きいバラモン教でさえ滅亡に瀕《ひん》する状態にありました。しかし、釈迦牟尼が涅槃に入った後、他の宗教がまた復興し、特にバラモン教は再び盛んになりました。それに対し、佛教はどうなったのでしょうか？　一部の僧侶はそれぞれの次元で功を開き、悟りを開きましたが、いずれも次元が低かったのです。釈迦牟尼は如来の次元に達しましたが、多くの僧侶はそこまで達しませんでした。

佛法も次元が違えば、違った現われ方をしますが、次元が高いほど真理に近く、低いほど真理から遠いのです。だからこそ低い次元で功を開き、悟りを開いた僧侶たちは、自分のいる次元で見えた宇宙の様子や分かったこと、悟った理だけから、釈迦牟尼の述べたことを解釈していました。つまり彼らは、釈迦牟尼の伝えた法をあれやこれや勝手に解釈していたのです。中には自分の悟ったものを釈迦牟尼の言ったこととして伝える者もいて、釈迦牟尼元来の言葉を語らなくなりました。こうして佛法の姿はすっかり変わって、釈迦牟尼が伝えた法とはまったく違うものになってしまったので、ついに佛教の中の佛法がインドから姿を消しました。これは重大な歴史的教訓で、それ以降インドではかえって、佛教がなくなってしまいました。なくなる前に、佛教は度重なる改良を経て、最後にはバラモン教のものと合わさり、インドでヒンズー教と呼ぶ今日の宗教になったわけです。佛に仕えることはせず、他のものに仕えるようになり、釈迦牟尼のことも信奉しなくなりました。こういう状況になったわけです。

佛教は発展の過程で、何度か大きな改良がありました。一つは釈迦牟尼が世を去ってから間もなく、ある者たちが釈迦牟尼の説いた高次元の理に基づいて、大乗《だいじょう》佛教を創立しました。その一方で、釈迦牟尼が公に説いた法は普通の人に聞かせるもので、己れの解脱と羅漢の果位に達するためのものであると考え、衆生済度を唱えないものを、小乗《しょうじょう》佛教と呼びました。東南アジア諸国の和尚は原始的な釈迦牟尼時代の修煉法を保っており、漢民族の地域ではそれを小乗佛教と呼んでいます。もちろん彼ら自身は認めておらず、自分たちこそ釈迦牟尼の本来のものを受け継いでいると考えています。実際その通りで、彼らは基本的に釈迦牟尼時代の修煉法を受け継いでいるのです。

改良後の大乗佛教は、中国に入って、中国に定着しましたが、それが今中国に伝わっている佛教です。実際それは釈迦牟尼時代の佛教とは似ても似つかないものとなっており、服装から、悟りに至る状態、修煉の過程まですべて変わっています。原始佛教は釈迦牟尼だけを本尊《ほんぞん》として仕えていましたが、現在の佛教には多くの佛、大菩薩などが現われ、しかも、多佛信仰となっています。多くの如来佛《にょらいぶつ》に対する信仰が現われましたので、一種の多佛の佛教となっています。例えば、阿弥陀佛《あみだぶつ》をはじめ、薬師佛、大日如来などなど、それに多くの大菩薩も現われています。そうなると佛教は、釈迦牟尼が創立した当初の時とはまったく違うものとなってしまいました。

この間に他の改良もあり、竜樹《りゅうじゅ》菩薩が秘密の修煉方法を世に伝えました。それはインドからアフガニスタンを経由して、中国の新疆《しんきょう》に入り、漢民族の地域に伝わってきました。時はちょうど、唐の時代に当たりますので、唐密《とうみつ》と呼ばれました。中国は儒教の影響が大きいので、道徳観は他の民族と違います。その密教修煉法の中に男女双修のものがあり、当時の社会に受け入れられなかったので、唐の会昌《かいしょう》年間に佛教を滅ぼす時、それは取り除かれ、唐密は漢民族の地域から消えたわけです。今、日本に東密《とうみつ》があり、当時中国から学んでいったものですが、灌頂《かんじょう》を受けていませんでした。密教によれば、灌頂を受けずに、密教のものを学んだら、法を盗む行為と見なされますので、親授《しんじゅ》とは認められません。もう一つのルート、インドからネパールを経由して、チベットに伝わったものは、チベット密教と呼ばれ、今日まで伝わっています。佛教は大体このような状況です。わたしはきわめて簡単に、その発展変化の過程を概括してお話ししました。佛教が発展する過程において、達磨が創立した禅宗、さらに浄土宗、華厳宗なども現われましたが、いずれも釈迦牟尼が当時説いたものから悟りを得て創ったもので、改良された佛教に属します。佛教にはこれら十数種の法門がありますが、いずれも宗教形式を取っているので、みんな佛教に属しています。

今世紀に生まれた宗教、いや今世紀にとどまらず数世紀前から世界各地で現われたたくさんの新宗教、それらのほとんどは偽物です。大覚者たちが人を済度する時、みな自分の天国を持っています。釈迦牟尼、阿弥陀佛、大日如来などの如来佛は、いずれも自分の主宰《しゅさい》している世界があり、そこへ人を済度しています。われわれの銀河系には、そのような世界が百以上あり、われわれ法輪大法《ファルンダーファ》にも法輪《ファルン》世界があります。

偽の法門は、人をどこへ済度しようというのでしょうか？　彼らが伝授したのは法ではないので、人を済度できません。もちろん、一部の者が宗教を創立した当初の目的は、正教《せいきょう》を破壊する魔となりたいわけではありませんでした。彼らは、それぞれの次元で功を開き悟りを開いて、多少の理が見えましたが、人を済度する覚者にはほど遠く、非常に低いものでした。彼らは一部の理が分かり、常人の中の一部のことが間違っているのに気づき、どうやって良いことをするかを人々に教えたりもして、始めのころは他の宗教に反対するようなこともしませんでした。やがて人々が彼らを信奉するようになり、彼らの話に道理があると思い、ますます彼らを信じるようになって、結局人々は彼らを崇拝するようになり、宗教を崇拝しなくなってしまいました。彼らには名利心が芽生え、人々に自分を何かに祭りあげさせ、それ以降新しい宗教をこしらえました。皆さんに言っておきますが、それらはすべて邪教で、たとえ人に害が無くても邪教です。なぜなら、人々が正教を信仰することを妨害しているからです。正教は人を済度するものですが、それらにはできないのです。時間が経つにつれて、それどころか密かに悪事を働き始めます。最近こういった類いのものの多くが中国にも入ってきています。いわゆる「観音法門」というのはその一つです。ですから皆さんは、こういうものに十分注意してください。東アジアのある国には二千あまりもの宗教があると言われ、東南アジアや西側諸国には、怪しげなものへの信仰もあり、ある国には公然と悪魔信仰があります。これらはすべて末法の時期に現われた魔です。末法の時期とは佛教だけを指しているのではなく、かなり高い次元から下までの多くの空間が堕落していることを指しています。末法とは、佛教の末法のみならず、人類社会が道徳を維持するための心の法の規制を失ったことを言うのです。

修煉は専一《せんいっ》でなければならない

われわれは、修煉は専一《せんいっ》でなければならないと言っていますが、どんな方法で修煉するにしても、他のものを混ぜて、いい加減に修めてはいけません。佛教の修行をしながら、法輪大法《ファルンダーファ》の修煉をする居士《こじ》がいます。忠告しますが、あなたは最終的に何も得られないのであって、誰も与えてくれるはずがありません。われわれはどちらも佛家ではありますが、ここに心性の問題と専一の問題があります。あなたは身体を一つしか持っていないのに、その身体から、どの門の功を生み出すのですか？　どうやって演化してあげたらいいのですか？　あなたはどこへ行こうとするのですか？　その法門を修煉していれば、そこへ行くことになります。浄土宗で修煉すれば、阿弥陀佛の極楽世界へ行き、薬師佛のものを修煉すれば、瑠璃《るり》世界へ行くことになります。宗教ではこのように言うのであって、不二法門《ふじほうもん》と言っています。

われわれはここで煉功について語っていますが、功の演化の全過程は、間違いなく自分の修煉する法門に従って進むものです。あなたはいったいどこへ行こうとするのですか？　あなたが二股《ふたまた》かけているなら、何も得られません。煉功と、寺院での佛道修行との間を混合してはいけないだけではなく、修煉方法、気功と気功、宗教と宗教も混ぜるわけにはいきません。同一宗教の中でも、違う法門のものを混ぜて修煉してはいけません。一つの法門を選んで修めなければなりません。浄土の修煉をするのであれば、浄土の、密教の修煉をするのであれば、密教の、禅宗の修煉をするのであれば、禅宗のものでなければいけません。二股かけて、あれもこれも修煉しようとすれば、何も得られません。つまり、佛教の中でさえ、不二法門のことを重んじなければならず、混ぜ合わせて修煉することは許されません。それらも煉功であり、修煉であるので、その功が生成する過程はそれ自身の法門の修煉、演化の過程に従って進んでいます。他の空間にも功が演化する過程があり、それもきわめて複雑で玄妙な過程であり、やはり勝手に別のものを混ぜて修めてはいけないのです。

佛家の功を修煉しているのだと聞いて、すぐにわれわれの学習者を寺へ連れて行って、帰依《きえ》させようとする居士《こじ》もいます。注意しておきますが、ここにいる学習者は誰もこのようなことをしないでください。われわれの大法《ダーファ》を破壊するだけではなく、佛教の戒律をも破壊することになり、同時に、学習者を妨害して何も得られないようにするので、許されないことです。修煉は厳粛なことで、一つに専念しなければなりません。われわれが常人の中で伝えているものは宗教ではありませんが、修煉の目標は一致しており、いずれも功を開き、悟りを開き、圓満成就するという目的を達成しようとするものです。

釈迦牟尼は、末法の時期に至ると、寺院の僧侶たちも自分自身さえ済度できなくなると言っていましたが、まして居士《こじ》など、なおさら構ってくれる者もいません。あなたがある師に弟子入りしたつもりでも、その師も修煉者に過ぎず、着実に修煉しなければ彼も駄目なのです。心を修めなければ誰も成就できるはずがありません。帰依は常人の中の形式であり、帰依したからといって佛家の者になったと言うのですか？　佛が面倒を見てくれるとでも言うのですか？　とんでもありません。毎日頭を地につけて血が出るほど拝んでも、線香を束にして燃やしても、何の役にも立ちません。自分の心を着実に修めなければ何にもなりません。末法の時期になって、宇宙はすでに大きく変わっており、宗教や信仰の世界まで堕落してしまって、功能のある（和尚を含む）者も、このことに気づいています。今のところ、全世界で正法を公に伝えている人はわたし一人しかいません。わたしは前人の誰もがしたことのないことをしており、しかもこの末法の時期に、こんなに大きな門を開きました。実に千年に一度、いや万年に一度出会えるかどうかの機会ですが、しかし、済度できるかどうか、つまり修煉できるかどうかは本人次第です。わたしは厖大《ぼうだい》な宇宙の理を話しているのです。

別にどうしてもこの法輪大法《ファルンダーファ》を学べと言っているわけではなく、わたしは一つの理をお話ししているのです。修煉しようとすれば、一つに専念しなければなりません。でなければ、修煉できるはずがありません。もちろん、修煉したくないなら、われわれも面倒を見ません。法は本当に修煉する人に聞かせるものですから、必ず一つに専念しなければならず、他の功法の意念さえも混ぜてはなりません。わたしはここで意念活動というものを言いません。法輪大法《ファルンダーファ》にはいかなる意念活動もないから、皆さんもその中に意念にまつわるものを加えないでください。この点には必ず注意していただきたいのです。佛家は空《くう》を唱え、道家は無を唱えていますが、基本的に意念活動はありません。

ある日、わたしは自分の思惟を四、五人のきわめて高い次元にいる大覚者、大道とつないだことがあります。その次元の高さと言えば、常人から見れば信じられないほど高いのです。彼らはわたしが何を考えているのかを知りたがっています。わたしは長年の修煉を経ており、わたしが何を考えているのか他人には分かるはずがありません。他人の功能は全然わたしの中に入って来ることができません。誰もわたしを知ることができず、わたしが何を考えているのかを知るすべもありません。彼らはわたしの思惟活動を知りたがって、わたしの了承を得た上で、しばらくの間、わたしの考えとつないだわけです。つながれると、わたしの方がちょっと耐えられなくなりました。なぜなら、わたしの次元がどんなに高くても、あるいはどんなに低くても、わたしは常人の中に身を置いており、人を済度するという有為《うい》のことをしており、心は人を済度することにあります。しかし、彼らの心はどれほど静かでしょうか？　恐ろしいほど静かでした。一人であそこまで静かになるならまだしも、四、五人が一緒に坐っていて、いずれもあのように静かで、まるで一溜まりの静止している水のように何もありません。わたしは彼らの心を感じ取ろうと思っても何も感じ取ることができませんでした。あの数日間はわたしは本当に辛く感じ、言い知れぬ気持ちを覚えました。それは普通の人には想像もできないし、感じ取ることもできないもので、完全に「無為」で、「空《くう》」でした。

高い次元での修煉には、何の意念活動もないものです。それは常人の中での基礎作りの段階で、すでにその基礎ができているからです。高い次元で修煉するようになると、特にわれわれの功法では、すべて自動的に、完全に自動的に修煉が進むことになります。自分の心性を向上させさえすれば、功が伸びますので、手法すらいらなくなるのです。われわれの動作は自動的な機制を強化するためのものです。禅定《ぜんじょう》の中で、いつもじっと座禅して動かないのはなぜでしょうか？　まったくの無為だからです。道家の場合、あれやこれやの手法を重んじ、意念活動や、意念による導引などを言っていますが、少しでも気の次元から抜け出すと、何もかもなくなり、あれこれの意念のことをまったく問題にしません。他の気功を習ったことのある人はどうしても呼吸法とか意念などにこだわります。わたしは大学程度のものを教えてあげたのに、どういうふうに導引すればよいかとか、どういうふうに意念活動をすればよいかとか、いつも小学生程度の質問をしてきます。彼らはすでにそのようなやり方に慣れているから、気功はこういうものだと思い込んでいますが、本当はそうではありません。

功能と功力《こうりき》

多くの人は気功の中の用語をはっきりとは知らず、また一部の者はいつも混同して使っています。功能のことを功力《こうりき》と言ったり、また、功力のことを功能と言ったりしています。自分の心性によって修めて得た功は、宇宙の特性に同化し、自分の徳によって演化したものです。それは、人の次元の高さ、功力の大きさ、果位の高さを決める、最も肝心な功です。修煉の過程で人にどんな状態が現われるでしょうか？　特異功能が現われてきます。われわれはそれを略して功能と呼んでいます。今お話しした、次元を向上させる功のことを功力と言います。次元が高いほど功力が大きく、功能が強いわけです。

功能は修煉過程の副産物で、次元を代表せず、次元の高さや、功力の大きさを代表していません。たくさん出る人もいれば、あまり出ない人もいます。それに、功能は修煉の主な目的として求めて得られるようなものでもありません。本当に修煉しようと決めた時、はじめて功能が現われることがありますが、功能を主な目的として修めてはいけません。こういうものを煉って、何をするつもりですか？　やはり常人の中で使ってみたいと思うのですか？　常人の中で勝手に使うことは絶対に許されません。ですから、功能は求めれば求めるほど出て来ません。なぜならあなたが求めており、求めることそれ自体が執着心で、修煉とは、ほかでもないその執着心を取り除こうとすることだからです。

多くの者はかなり高い境地まで修煉しましたが、功能を持っていません。それは師が、自分をうまく制御できないために悪いことをしてしまうことを心配して、それに鍵をかけており、神通力を振るうのを抑えているからです。このような人は結構多いのです。功能というものは人の意識によって支配されるのです。寝ている時は自分をうまく制御できないかも知れませんので、もしかして夢を見れば、翌朝天地がひっくり返っているかも知れません。しかしこれは許されません。常人の中で修煉をしているので、大きい功能を持っている場合は、たいてい用いることを許されず、ほとんど鍵をかけられています。でも、それは絶対的ではありません。しっかり修煉していて、うまく自分を制御できる者には、ある程度の功能を持つことが許されます。こういう人に功能を見せてくれと頼んでも、絶対見せないもので、こんな人は自分をしっかり制御できるのです。

返修と借功《しゃっこう》

煉功した経験のない人もおり、あるいはどこかの気功講習会でちょっと習ったとしても、それもしょせん病気治療と健康保持の類いで、修煉と言えるようなものではありません。つまり、これらの人々は本物の伝授を受けたことがないのに、ある時突然一夜のうちに功がやってくることがあります。その功がどこから来たのか、いくつのパターンがあるかについてお話しします。

その一つは、返修です。返修とは何でしょうか？　一部の年配者が修煉しようと思っても、始めから修煉するにはもう時間が足りません。気功ブームの中でこうした人たちも修煉しようとし、気功が他人に良いことをしてあげられると同時に自分も高められることが分かり、向上したい、修煉したいという願望をもっていました。ところが、数年前の気功ブームの時、気功師たちはほとんど気功を普及させるだけで、本当に高い次元のことを伝える人がいませんでした。今日に至っても、真に公に高次元のものを伝えているのはわたし一人しかおらず、他には誰もいません。返修する者はたいてい五十才以上で、年を取っていますが、根基が非常に優れており、身に付いているものは良いので、いずれも人が弟子として、教えを受け継がせたい人ばかりです。しかし、これらの人は年も取っているので、修煉しようとしても容易なことではありません！　どこへ師を探しに行けばよいでしょうか？　しかし、修煉しようと思い、その心が動いただけで、まるで黄金《おうごん》のようにきらきらと光って、十方世界を震わせます。人々が佛性、佛性と言いますが、これこそその佛性が現われたのです。

高い次元から見れば、人間の生命は人間になるためのものではありません。人間の生命は宇宙空間で生まれたので、宇宙の真・善・忍という特性に同化しており、本性はもともと善良なのです。しかし、生命体が多くなってから、ある社会関係が生じ、中の一部の者が利己的になり、あるいは駄目になり、高い次元にいられなくなったため、下の次元へ堕ちていきます。その次元でも、また駄目になったため、さらに下へ、下へと堕ち、最後には常人という次元にまで堕ちてきたのです。この次元まで堕ちたら、本当は完全に消滅されるはずでしたが、大覚者たちは慈悲心により、この最も苦しい環境の中でもう一度人間に機会を与えることにしたので、このような空間を造ったのです。

他の空間にいる人はみなこのような身体を持っておらず、彼らは空を飛んだり、大きくなったり、小さくなったりすることができます。ところが、この空間ではわれわれの肉身という身体を人間に与えられました。この身体を持っているから、寒くても駄目、暑くても駄目、疲れても、お腹が空いても駄目で、とにかく辛いのです。病気に罹《かか》ったら苦しいし、生老病死もあります。それはほかでもなくこの苦しみの中で業を返させるために、上へ戻れるかどうかを見るために、もう一度あなたに機会を与えました。というわけで、人間は迷いの中に堕ちて来たのです。この中に堕ちてから、他の空間や物質の真相が見えないように、この目が造られました。もし戻ることができるとすれば、最も苦しいことが、すなわち最も貴いことになります。迷いのまっただ中で、悟りに頼って元へ戻るよう修煉することは実に苦しみが多いのですが、戻ることもそれだけ速いのです。もしさらに悪くなれば、生命が壊滅されてしまいます。したがって、彼らから見れば、人間の生命は人間になるためのものではなく、返本帰真して、元に戻るためのものです。常人はそれを悟ることができません。常人は、常人社会において常人にほかならず、いかに発展しようとか、いかに良い暮らしをしようとかばかり考えます。贅沢な生活をするほど、私心が強くなり、ますます多く占有しようとし、ますます宇宙の特性に背《そむ》き、滅亡に向かうのです。

高次元から見れば、あなたが前へ進んでいると思うことが実際は後退しているということになります。人類は発展しており、科学は進歩していると思われていますが、実は宇宙の規律に従って進んでいるに過ぎません。八仙人の中の張果老《ちょうかろう》がなぜ後ろ向きにロバに乗るのか、そのわけを知っている者はわずかです。彼は、前へ進むことは後退することだと気づいて、後ろ向きに乗っていたのです。ですから、修煉しようと思う者がいれば、覚者たちはその心を非常に貴重なものと見て、無条件でその人を助けます。今ここにいる学習者が修煉しようと思うのであれば、わたしは無条件で助けてあげますが、それと同じです。しかし、常人として、病気の治療を求めたり、あれや、これやと求めるのなら、助けてあげるわけにはいきません。なぜでしょうか？　あなたが常人のままでいいと思っているからです。常人なら生老病死は付きもので、そうあるべきなのです。すべてに因縁関係があり、乱してはいけないのです。人間の生命の中にはもともと修煉は入っていませんが、今やあなたは修煉しようとするのですから、あなたのために今後歩む道を改めて段取りしてあげなければならず、あなたの身体を調整してあげてもいいのです。

修煉したい、という人の願望がひとたび現われると、それを見た覚者たちはこの上なく貴重だと思います。しかしどうやって助けてあげたらいいでしょうか？　世の中のどこに教えてくれる師がいるでしょうか？　それに五十も過ぎてしまっています。大覚者たちは教えるわけにはいきません。なぜなら彼が顕現して、説法し功を教えると、天機を漏らすことになり、彼自身も堕ちてしまう羽目になるからです。人間は、自分自身が悪いことをしたため迷いの中に堕ちてきた以上、迷いの中で悟りながら修煉しなければいけないのですから、覚者は教えてはならないのです。佛が姿を現わして説法し、功を教えてくれるのを見れば、極悪非道の連中も習いに来て、誰でも信じるようになるようでは、何を悟ればよいのでしょうか？　悟りという問題も存在しなくなります。人間は自分のせいで迷いの中に堕ち、消滅されるべきものでした。元へ戻る機会を一度与えられて、戻ることができれば戻りますが、戻れなければ、引き続き輪廻するか、消滅されるしかありません。

道は自分で歩むものですが、あなたが修煉しようと思ったのを見たらどうしてあげればよいでしょうか？　ある方法が考え出されました。当時、気功がブームで、それも天象の変化の一つですが、その天象に合わせるために、大覚者がその人の心性の達した位置からその人に功を与え、身体に軟らかい管のようなものを取り付け、水道の蛇口のように栓を開くと功が出てくるようにするのです。功を出そうと思えば功が出てきますし、出さない時は、彼自身に功があるわけではありません。こういう状態を返修と言って、上から下へと圓満成就をめざして修煉することです。

普通の修煉は、下から上へ、功を開き圓満成就するまで修煉しますが、返修というのは、年を取っていて、下から修煉するのではもう間に合わない場合に、上から修煉すればかえって速くなるということです。それも当時現われた現象でした。このような人は、心性が高くなければ駄目です。彼の心性の位置に、あれほど大きなエネルギーを与えてあげるのは、何のためでしょうか？　一つは当時の天象に合わせるためです。その人は良いことをする時に、苦しみに耐えることを経験できます。なぜなら常人を相手にする以上、さまざまな常人の心が妨害してくるからです。人の病気を治してやっても、本人はまったく理解しない場合もあります。病気の治療をする時、どれだけ悪いものを取り除き、どこまで治してやったのか、すぐにははっきりした変化が現われないこともあります。それで、その人は機嫌が悪く、感謝するどころか、騙されたと罵るかも知れません！　こういうことに直面して、どう対処するか、といった環境の中で、人の心は磨かれていくのです。功を与える目的は、修煉させ向上させるためであり、良いことをすると同時に、自分の功能を開発し、功を伸ばさせるものですが、この道理を知らない人がいます。前にもお話ししたように、説法してあげるわけにはいかないのです。悟れればそれでいいのですが、悟りの問題なので、悟らなければ仕方がありません。

一部の人は功が現われた時、ある晩寝ていると、突然布団も掛けていられないほど熱くてたまらなくなり、朝起きたら、手が触れるところすべて帯電するようなので、自分に功が出てきたと分かりました。他人の身体の痛いところに触れると、すぐに効き目が出ました。功が現われたと分かって、気功師の看板を掲げ、自分に気功師の肩書きを付けて、気功師をやり始めます。そういう人は良い人なので、最初のころは、人の病気を治して、お金を渡されても贈り物を渡されても、受け取らないかも知れません。しかし、このような返修の者は心性の修煉を真に経ていないため、自分の心性を制御することが難しいのです。常人という「染め物がめ」での汚染に抵抗しきれず、だんだんとちょっとした記念品を受け取るようになり、そのうち大きな物までもらうようになり、しまいにはくれるものが少ないと承知しなくなります。最後にはとうとう「物をたくさんもらっても仕方がないから、金をくれ！」と言い出し、その上、金が少なければ機嫌が悪くなります。本物の気功師のことまで認めなくなり、耳に入ってくるのは、自分がどれほどすごいかを褒《ほ》めてくれる言葉ばかりです。ちょっとでも批判の言葉を聞くとご機嫌斜めになり、名利心も高ぶり、自分が誰よりも偉く、大したものだと思い込みます。この功を与えられたのは、自分を気功師にして、大金を儲けさせてくれるためだったのだと勘違いしますが、本当は彼に修煉させるためだったのです。名利心が生じますと、実際には、彼の心性も堕ちてきてしまいます。

お話ししたように、心性の高さが功の高さです。堕ちてきたら、功もそれに相応して減らされます。心性の高さが功の高さなので、功は心性に合わせて与えられるものです。名利心が重いほど、常人の中で激しく堕ちていきますので、功もそれにつれて堕ちていきます。最後に完全に堕ちてしまった時は、功も与えられないので、何の功も出なくなります。数年前にはこのような人がけっこう多く、五十代の女性によく見られました。あるお婆さんなどは、練功はしていますが、別に直伝を受けたわけでもなく、どこかの気功講習会で病気治療と健康保持のための動作を習っただけで、ある日突然功が現われてきました。ところが心性が悪くなり、名利心が生じると堕ちてしまいますので、その結果、今は何者でもなく、功もなくなりました。このように返修から堕ちてしまった者は非常に多く、残っている者は何人もいません。なぜでしょうか？　彼女たちは、それが修煉のために与えられたものとは知らず、常人の中で財をなすとか、有名になるとか、気功師になるために授かったものだと思い込んでいたのですが、本当は修煉のために与えられたものだったのです。

では、借功《しゃっこう》とは何でしょうか？　これには年齢の制限はありませんが、一つだけ、心性が特別に良い人でなければならないという条件が付いています。その人は気功で修煉できることが分かり、修煉しようとします。修煉しようとする願望はもっていますが、どこで師を求めたらよいのでしょうか？　数年前、確かに本当の気功師たちが世に出て、気功を教えていましたが、彼らが伝えたのは、いずれも病気治療と健康保持のためのもので、誰も高次元のものを伝えておらず、教えようともしません。

借功のことに言及したので、もう一つのことにも触れておきます。人には自分の主元神（主意識）の他に、副元神（副意識）もあります。人によっては、副元神を一つ、二つ、三つ、四つも持っていて、五つある人もいます。その副元神は本人の性別と必ずしも同じとは限りません。男もいれば、女もいて、みんな違います。実は主元神も肉身と同じとは限りません。この頃、男性でありながら元神が女性であり、女性でありながら元神が男性であるケースがきわめて多く、ちょうどいま道家の言う陰陽反転、陰盛陽衰《いんせいようすい》という天象に合致しているのです。

人間の副元神は多くの場合、主元神より次元が高く、特に一部の者の副元神はきわめて高いところから来ています。副元神は憑き物とは違って、あなたと同時に母胎から生まれ、同じ名前をもち、あなたの身体の一部をなしているのです。普段、何かを考えたり、何かをする時は、主元神の一存で決めます。副元神の主な役割は、悪いことをしないように主元神を制御することです。しかし、主元神がどうしても執着する時は、副元神もお手上げです。副元神は常人社会に惑わされませんが、主元神は常人社会に惑わされやすいのです。

一部の副元神は次元がかなり高く、正果《しょうか》を得るまであとわずかなところまで行っていたかも知れません。副元神が修煉しようと思っても、主元神が修煉しようと思わなければどうにもなりません。そこである日、気功ブームの中で、主元神も気功を習い、高次元をめざして修煉しようと思いました。もちろん、その考えは素朴で、名利を追求するつもりはありません。副元神は、「こっちが修煉したくても、こっちの一存で決められないが、そっちが修煉したいと言うなら、ちょうどこっちの心にかなう」と喜びました。しかし、どこに師を求めればよいのでしょうか？　副元神はなかなか力があるもので、身体から離脱して、前世で知り合った大覚者のところへ行きます。一部の副元神は次元が高いので、身体から脱け出すことができます。そこへ行って、修煉したいので功を借りたいと申し出ますと、大覚者はこの人も立派なものだと思い、修煉だから当然助けてあげることになります。こうして副元神は功を借りてきました。一般的に、このような功には、放射力があり、管を通って送られてきます。形になっている功をそのまま借りてくる場合もありますが、形になっているものには、たいてい功能が伴っています。

そうなれば、その人には同時に功能も伴っているかも知れません。この人も先ほどお話ししたように、夜寝ていると、熱くてたまらず、翌朝目が覚めると、功が現われました。どこを触っても帯電しますし、人の病気を治すことができるようになりましたので、本人も功が現われたことに気づきます。どこから来たのかは、本人には分かりません。おそらく宇宙空間から来ているのだろうとは知っていますが、具体的にどのように来たのかは分かりません。副元神も教えてくれません。それは副元神の修煉ですので、本人には功が出てきたことしか分からないのです。

借功の場合、たいてい年齢の制限がなく、若者に多く見られます。数年前にも、二十代、三十代、四十代各年齢層の者に見られ、年配の人もいました。若者が自分を制御するのは、なおさら難しいことです。日頃はなかなか良い人で、常人社会で大した能力を持たない時は、名利心にも淡泊でした。いったんまわりから抜きん出ると、名利に惑わされやすいのです。彼は、人生のこれからの道のりが長いから、何らかの常人の目標に達するためにまだ頑張らないといけないと考えています。ですから、いったん功能が現われて力がつくと、常人社会では往々にしてそれを、個人の目標を追求する手段とします。それではいけません。そういうふうに使うことは許されず、使えば使うほど功が減り、最後にはすっかりなくなってしまいます。このような人で堕ちてしまったのはさらに多く、今は一人も残っていません。

以上お話しした二つの状況は、いずれも心性が比較的良い人に功が現われた事例ですが、どちらも自分の修煉によって得たものではなく、覚者から借りたもので、功そのものは良いものです。

憑《つ》き物

多くの人は修煉界で、動物や狐、イタチ、幽霊、蛇などの憑《つ》き物に関する話を聞いたことがあると思います。いったい何のことでしょうか？　練功して超能力を開発すると言っている人がいますが、実は超能力は開発するものではなく、それはほかならぬ人間の本能です。しかし人類社会の発展につれて、人間はますますこの物質空間の有形のものを重視し、ますます現代化された道具に依存するようになりました。ですから人類の本能は退化する一方で、最後にはこの本能が完全に消えてしまったのです。

功能を得ようとするには、修煉を通して、返本帰真し、それを修煉によって取り戻さなければなりません。しかし、動物などはそのような複雑な考え方がないため、宇宙の特性と相通じており、生まれつきの本能を持っています。動物も修煉できるとか、狐には煉丹術が分かるとか、蛇などが修煉法を知っているとか言う人がいます。それらが修煉法を知っているのではなく、初めは修練などまったく分からずに、生まれつきの本能を持っているだけでした。ある特定の条件、環境の下で時間が経つと効能が出てくるかも知れないので、その結果功を得ることができ、さらに功能も現われるのです。

こうして、それらのものは力量を持ち、昔の言い方で言うと、霊気を得て、力量を持つようになったわけです。常人の目には、動物がいかにも強く、簡単に人間を左右することができるように映っていますが、実は大したものではありません。本当の修煉者の前では、それらは何ものでもありません。一千年かそこら修練したとしても、小指の先の一ひねりにも耐えられません。動物はこのような生まれつきの本能があるから、確かに力を持つことができます。しかし宇宙には、動物が修煉して成就することが許されないという理も存在しています。ですから、古い書物には、何百年に一度、あるいは大小の災厄《さいやく》ごとにそれらのものを殺すことが書かれています。動物も一定期間経過して、功が伸びれば、落雷などでそれらを殺さなければならず、その修煉を許しません。動物は人間の本性を持たないので、人間のように修煉してはならないのです。人間の本性を持たないために、修煉して成就すれば魔物になるにきまっているからです。ですから、修煉して成就することは許されず、天罰を招いてしまうのです。動物もそれを知っています。ところが、人類社会は今ひどく退廃しており、一部の人は悪事をやりつくしています。このような状態になった時こそ、人類社会は危険に晒《さら》されているのではありませんか？

物事は、極まれば必ず逆の方向へ転化します！　人類社会の先史時代の異なる周期における壊滅は、いずれも人類の道徳がきわめて退廃した時に起きたのです。今われわれ人類が住む空間と他の多くの空間はみなきわめて危険な境地にあり、この次元における他の空間も同じですから、それらも速く逃げ出そう、高い次元へ上がろうとしています。次元が上がれば難から逃れられると思われていますが、それは言っているほど簡単なことでしょうか？　それらが修煉するには、人体が必要です。そこで練功する人が憑き物に取り付かれるということが現われており、これがその原因の一つとなっているのです。

「あれほど数多くの大覚者、功の高い師が、なぜ手をこまねいているのだろうか？」と思う人もいるでしょうが、この宇宙には、自分の求めたもの、自分の欲しがるものに、他人は干渉しないという理があります。われわれはここで、皆さんに正しい道を歩むよう教え、同時に法も分かりやすく説き聞かせ、悟るように導いていますが、実行するかどうかはあなた自身の問題です。「師は入口まで導くが、修行は各自にあり」と言われているように、誰も修煉を強要しませんし、無理にやらせることはありません。修煉するかどうかはあなた個人の問題で、つまり、あなたがどの道を歩むか、何を求めるか、何を欲しがるかについては、誰も干渉する人はおらず、ただ善をなすように勧めることしかできません。

一部の者は練功しているように見えても、実際のところは、すべて憑き物に功を取られています。どうして憑き物を招いてしまったのでしょうか？　全国各地の練功する者の中に、取り付かれている人がどれほどいるのでしょうか？　明らかにすれば、多くの人が怖くて練功しなくなるかも知れません。恐ろしいほどの数です！　なぜこのような状態になっているのでしょうか？

これらのものが社会を撹乱していますが、なぜこんなに凄《すさ》まじいところまで至ったのでしょうか？それもすべて人類が自分で撒《ま》いた種です。人類が堕落しているから、至るところに魔が現われています。特に偽気功師の身体はみな憑き物に取り付かれているので、彼らは功を伝える時、ほかならぬそれを伝えているのです。人類史上において、動物が人の身体に取り付くことは許されたことなどありません。ですから取り付くとそれを殺さなければならず、誰が見かけても許さなかったのです。しかし、今日の社会ではそれを求める者もいれば、それを欲しがったり、祀《まつ》ったりする者もいます。こんなものは確かに求めた覚えがない！と思う人がいるかも知れませんが、それを求めていなくても、功能を求めていたかも知れません。正法修煉の覚者が与えてくれるでしょうか？求めることは常人の執着心で、取り除くべきものです。では、誰が与えることができますか？他の空間の魔や、各種の動物だけが与えることができます。結局それらを求めたことになるのではありませんか？そこでそれがやって来たのです。

正しい考えをもって練功している者はどれぐらいいるのでしょうか？煉功するには徳を重んじなければならず、良いことをし、善をなさなければなりません。いつでも、どんな所でも、そのように自己を律しなければいけません。公園で練功するにしても、家で練功するにしても、そのように考えている者は何人いるのでしょうか？一部の人は何の功をやっているのか分かりませんが、身体をゆらゆらと動かしながら、口では「ねえ！うちの嫁はわたしにちっとも親孝行しないのよ」とか、「うちの姑《しゅうとめ》はなんて意地悪なんでしょう！」とか言っています。職場から国の政治まで、何でもおしゃべりする人もいて、自分の気にそぐわないことになると、腹が立って仕方がないのです。これを煉功と言えるのですか？またある者は站椿《たんとう》をしている時、足ががたがたと震えるほど疲れたにもかかわらず、頭はちっとも休んでいません。「今は物がずいぶん高くなって、物価は上がる一方で、会社は給料も払えなくなっている。どうして僕には功能が現われてこないのだろうか？　何か功能が出てきたら、僕も気功師になって、人の病気を治してお金を稼ぎ、金持ちになるのに」といった具合です。他の人に功能が現われたのを見れば、いっそう焦って、ひたすら功能を追求し、天目を求め、病気治療の技を求めます。よく考えてください。それは宇宙の特性の真・善・忍とどれほどかけ離れていることでしょう！　まったく背反《はいはん》しています。厳しく言うと、その人は邪法を練っています！　しかし彼は意識的にやっているのではありません。彼がこのように思えば思うほど、発せられる意念はますます悪くなるのです。彼は法を得ておらず、徳を重んじることを知らないので、動作を通して功を得ることができると思い、欲しいものをなんでも追求して手に入れることができると思っています。彼はそう信じきっているのです。

自分の考えが歪んでいるからこそ、良くないものを招いてしまいます。するとそれらの動物はそれを見逃しません。「よし、この人は練功して金儲けしようと思っている。あの人は有名になろうとして功能を欲しがっている。よーし、この人の身体は悪くない。身に付いているものもけっこういいが、功能を求めるとは考え方が悪い！　もしかすると、彼に師が付いているかも知れないが、師がいても怖くない」。その動物は、人が功能を追求すればするほど正法修煉の師はなおさらそれを与えないということを知っています。それこそまさに執着心であり、取り除かなければならないものなのです。その考えがあるかぎり、功能は与えられないので、その人もますます悟りから遠く、求めれば求めるほど考え方が悪くなります。最後に師は、この人はもう駄目だと嘆き、見放してしまいます。師が付いていない人もいますが、通りすがりの覚者がちょっと面倒を見たりするかも知れません。各空間に覚者がたくさんいるのですが、ある覚者がその人を一日観察してみて、駄目だと分かって、去っていきます。翌日、別の覚者がやってきてちょっと見て、駄目だと分かり、また去っていきます。

その人に師が付いていようと、通りすがりの師がいようと、彼の求めているようなものを師が与えてくれるはずがないことを、動物は知っています。動物には大覚者のいる空間が見えないので、怖いと思わず、隙《すき》に付け入るのです。われわれ宇宙には、自分の追求しているもの、欲しがっているものについては、他人はふつう干渉することができないという理があるので、動物はまさにこの隙に付け入ったのです。「彼が求めているのだから、与えてやり、助けてやることは間違っていないだろう？」そして動物はそれを与えてくれます。最初は、まともに取り付く勇気がなく、まず少しの功を与えて試してみます。すると、その人はある日突然、本当に求めていた功が出てきて、病気の治療もできるようになったのです。動物はそれを見て、演奏する楽曲の前奏がうまくいったので、しめたと思い、「彼が望んでいるからいっそのこと乗り移ってやろう。取り付けば、思う存分たくさん与えてやれる。天目も開きたいだろう？　今度は何もかも与えてやる」というわけで、ついに取り付いてしまうのです。

彼の心がちょうどこれらのものを求めているところに、天目が開き、功も出すことができ、さらにちょっとした功能も付いています。ついに追求したものを手に入れて、修得したと思い、嬉しくてたまりません。実際には、彼は何も修得していません。人の身体を透視できて、人の身体のどこに病気があるか見えるようになった、と本人は思います。実際は彼の天目はまったく開いておらず、彼の脳は動物に制御されて、動物が自分の目で見たものを彼の大脳に映し出して見せているだけなのに、自分の天目が開いたと勘違いしています。功を発したいなら発してみなさい。手を伸ばして功を発しようとした途端に、その動物も後ろから手を伸ばしてきます。功を発する時に、その蛇が舌を伸ばして、病んでいるところ、腫瘍《しゅよう》のところを舐《な》めたりするのです。こういう類いのことがかなり多いのです。それらの人の憑き物はすべて自分自身が求めてきたものです。

金持ちになりたい、有名になりたいと追求していたら、まさに、その功能が現われたし、病気の治療もでき、天目も見えるようになったし、なんと嬉しいことでしょう。それを見た動物は、「儲けたいと思っているのではないか？　よし、儲けさせてやろう」と手ぐすねを引きます。常人の脳を制御することはいとも簡単なことです。憑き物はたくさんの患者を制御して、彼のところへ治療に来させることができ、どんどん来させます。すごいことに、その人がこちらで病気治療をしていると同時に、あちらでは、憑き物は新聞記者を操って新聞で宣伝させます。常人を制御してこれをやっているので、患者の払う謝礼が少なければ許さず、頭痛を起こさせたりして、とにかく、たくさん払わせます。これで、名利ともに得て、金も儲かったし、有名にもなったし、気功師にもなれたのです。たいていの場合、そのような人たちは心性を重んじないので、何でも憚《はばか》らずに言います。天帝が一番なら、俺様が二番目だぞとか、自分は西王母《せいおうぼ》や玉皇大帝《ぎょくこうたいてい》が下界に降りてきた者だとか、自分が佛だとさえ憚らずに言い出します。まともに心性の修煉をしたことがなく、練功する時もひたすら功能を求めてきたために、結果として、動物の憑き物を招いてしまったのです。

とにかく儲かって、有名になれたら、それでいいではないかと思う人が少なくありません。皆さんに教えますが、実際にはその憑き物には目的があり、理由もなく与えてくれるわけではありません。この宇宙には、「失わないものは得られず」という理があります。その憑き物は何を得るのでしょうか？　先ほどもこのことについてお話ししたではありませんか？　憑き物はあなたの身体から精華《せいか》を取って、人の形を修得しようとしているので、人の身体から精華を採集するのです。ところが、人体の精華は一つしかなく、修煉しようとするなら、それ一つしかありません。憑き物に取られたら、あなたは修煉をあきらめるしかありません。いまさら何をもって修煉すると言うのでしょうか？　何もかもなくなったのですから、修煉などできるはずがありません。「わたしは別に修煉などしたくない。金儲けだけがしたい。金さえあればいい、後は知らん！」と、こう言う人もいるかも知れません。あなたは金儲けをしたいと思っていても、わたしがそのわけを教えてあげると、もうあなたはそう思わなくなるに違いありません。なぜでしょうか？　憑き物が早くあなたの身体から離れて行ったとしても、あなたは身体中の力が抜け、これから一生涯ずっとこのままです。なぜなら精華を取られすぎたからです。もし、なかなか離れて行かなければ、あなたは植物人間になります。残りの人生は息をするのが精一杯で、寝たきりになります。金があっても使えますか？　有名になってもそれを楽しむことができますか？　まったく恐ろしいことではありませんか？

このような事例は今の練功者の中でよく見られ、きわめて多いのです。憑き物は取りつくばかりでなく、人の元神まで殺して、泥丸宮《でいがんきゅう》に潜り込んで、そこに居坐ってしまいます。見た目では、人間に見えますが、実際は人間ではなくなっています。いまやこういう事さえ起きているのです。人類の道徳水準が変わったので、悪事を働いている者に、それは悪いことですよと忠告してあげても、信じようともしません。彼らにとっては、金を儲けることや、金銭を求めること、金持ちになることは至極当然で、正しいことなので、人を傷つけても、他人の利益に手を出しても、金儲けのためなら、どんなことでもどんな悪事でも憚らずにやるのです。憑き物も失わなければ得られないのですから、理由もなくあなたに与えるはずがあるでしょうか？　憑き物はあなたの身体にあるものを欲しがっているのです。もちろんお話ししたように、人は自分の考え方が間違って、心が歪んでいるから、厄介なことを招いたのです。

われわれは法輪大法《ファルンダーファ》を伝えています。この法門を修煉する人は、心性をしっかりと制御さえできれば、一正《いっせい》が百邪を圧することができるので、何の問題も起こりません。しかし、心性をしっかりと制御できず、あれもこれも追求していては、必ず厄介なことを招くに違いありません。これまで学んだものをどうしても捨てられない人もいますが、煉功は一つに専念しなければならず、本当の修煉は一つに専念しなければできません。一部の気功師は本も出していますが、しかしその本の中には何でもあり、彼が練っているものと同じく、蛇やら、狐やらイタチなどがすべて入っています。その本を読むと、それらのものが文字の中から飛び出してきます。お話ししたように、偽気功師は本物の気功師より何倍も多く、あなたには識別が難しいので、皆さんはくれぐれもしっかりしてください。わたしはここで是が非でも法輪大法《ファルンダーファ》を学べと言っているわけではありません。どの法門を修煉しても結構です。しかし、昔からこんな言い方があります。「千年、正法を得ざるも、一日《いちじつ》、野狐禅《やこぜん》を修するなかれ」。ですから、しっかりと自分を制御して、本当に正法を修煉してください。他のものをいっさい混ぜ入れてはならず、意念さえも加えてはいけません。一部の者の法輪《ファルン》が変形してしまっていますが、なぜ変形したのでしょうか？「別に他の功を練ったことはないのですが」と本人は言います。しかしこの人は練功すると、意念ではいつも元のものを中に加えていたのですから、それでは入れてしまったことになるではありませんか？　憑き物のことについては、これぐらいにしておきましょう。

宇宙語

宇宙語とは何でしょうか？　ある人は突然わけの分からない言葉をぺらぺら、ぺらぺらとしゃべりだし、何を言っているか本人にも分かりません。他心通の功能を持つ者なら、だいたいの意味が分かりますが、具体的に何を言っているかは分かりません。しかも何種類もの言葉をしゃべれる人もいます。これは大したものだ、すごい能力だ、功能だと思っている人もいますが、それは功能でもなく、修煉者の能力でもなく、あなたの次元を代表するものでもありません。それはどういうことでしょうか？　それはあなたの思惟が外来のある霊体に支配されているということです。あなたは悪くないと思い、喜んで受け入れ、嬉しく思いますが、喜べば喜ぶほど、その支配もますます強固になります。本当の修煉者として、そんなものに支配されていいのですか？　それに、そういうものの次元はとても低いので、真に修煉する者は、こんな厄介なものを招かないようにすべきです。

人間は最も貴いもので、万物の霊長です。どうしてこんなものに支配されてよいというのでしょうか？　あなたが自分の身体も放棄してしまうとは、なんと悲しいことでしょう！　それらのものは人の身体に取り付くものもあれば、取り付かないものもあり、ちょっと人と距離を置いていますが、あなたを操り、支配しているのです。あなたが話したければ、すぐにぺらぺらとしゃべらせてくれます。人に移すこともでき、習いたい者が、大胆に口を開ければ、話せるようになります。実際はこの類いのしろものも、群れをなしているので、しゃべろうとすると、そこからすぐ一匹が取り付いてきて、しゃべらせてくれます。

なぜこのような情況が現われたのでしょうか？　これもお話ししたように、それらのものも自分の次元を高めようとしているのですが、あちらでは苦しみがないので修煉ができず、向上することができません。それで、思い付いたのは人に何か良いことをすることですが、どうやればいいのか分かりません。でも自分が出したエネルギーは、患者にちょっとした効き目があり、一時の苦痛を和らげることができることを知っています。完治はできませんが、人の口を借りてそのエネルギーを出せば、このような役割を果たせることは知っています。それだけのことです。これを天の言葉だとか、佛の言葉だと言う人もいますが、そんな言い方は佛に対する誹謗中傷です。まったくのでたらめだと言っておきます！

皆さんご存じのように、佛はめったに口を開きません。もしわれわれのこの空間で口を開けば、人類に地震を起こしてしまい、轟々《ごうごう》と鳴り大変なことになります！「わたしの天目が見たのだ、佛がわたしに声を掛けてくれたのだ」と言う人がいます。それはあなたに声を掛けているのではありません。わたしの法身が見えた人も同様で、あなたに話しかけているわけではなく、彼の発した意念が立体音声を帯びているので、話しているように聞こえたのです。彼は普段自分の空間で話をすることができますが、こちらに伝わってきた場合、何を話しているかはっきり聞こえません。二つの空間の時空概念が違うからです。われわれの空間の一刻、つまり二時間は、あの大きな空間の中では一年に当たり、かえってあちらの時間より遅いわけです。

昔の言葉に「天上はやっと一日なのに、地上はすでに千年」というのがありますが、それは、空間、時間の概念がない単元世界のことを指し、つまり、大覚者がいる世界で、例えば極楽世界、瑠璃世界、法輪《ファルン》世界、蓮華《れんげ》世界などのようなところです。しかし、あの大きな空間の時間はかえって速く進みます。仮に彼らのしゃべっている言葉を受信できて、聞き取れたとしても、一部の人は天耳通《てんじつう》の功能があって、耳が開いたので聞こえますが、はっきりとは聞き取れません。何を聞いても、まるで小鳥の囀《さえず》りのように聞こえ、レコードを速く回転させた時の音のようで、はっきり聞き取れないのです。もちろん、音楽が聞こえ、話が聞こえる者もいます。それは必ずある種の功能を媒体として、その時間の差を消してあなたの耳に伝わって、はじめてはっきり聞き取れるのです。つまりそういうことです。佛の言葉だという人がいますが、まったく違います。

覚者たちが出会うと、互いににこりと笑うだけですべて分かり合えます。これは無声の思惟伝達ですが、受信したのは立体音声を帯びたものなのです。二人がにこりと笑った瞬間に意見交換がなし遂げられたのです。この方法だけではなく、他の方法を使う時もあります。皆さんもご存じのように、チベット密教のラマ僧たちは「手印」を結びますが、ラマ僧にそれは何の意味かと聞くと、「無上のヨガ」と答え、具体的な意味は彼らにも分かりません。実は手印は大覚者の言葉なのです。人が多い時は「大手印」を行ない、さまざまな大手印があり、非常に綺麗です。人が少ない時は「小手印」を行ない、さまざまな小手印もとても綺麗で、非常に複雑かつ非常に豊富です。それは言語だからです。これまで、それらはすべて天機でしたが、われわれはそれをすべて明らかにしました。チベットで使われている手印は単なる煉功用のいくつかの動作で、それを整理し系統化したものです。それは煉功する際の単一言語に過ぎず、しかも煉功の形も数種しかありません。本当の手印は相当複雑なものです。

師は学習者に何を与えたのか

一部の人は、わたしに会うとわたしの手をつかんで、握手をするとなかなか離してくれません。他の人もそれを見て、握手を求めてきます。わたしには彼らが何を考えているのかが分かります。師と握手ができて嬉しく思う人もいれば、何か信息が欲しくて、握って離さない人もいます。皆さんに言っておきますが、本当の修煉はあなた個人のことですから、ここでは病気治療や健康保持のようなことはいたしません。信息を与えて、病気を治すようなことはしません。あなたの病気はわたしが直接取り除いてあげますが、煉功場ではわたしの法身がしてあげます。本を読んで独学している人にも、わたしの法身がするのです。わたしの手を触ったぐらいで、功が伸びるとでも思っているのですか？　そんな馬鹿な話があるでしょうか？

功は自分の心性によって修めるもので、着実に修煉しなければ、功が伸びるはずはありません。なぜなら心性の基準がそこにあるからです。あなたの功が伸びる時、次元の高い人から見れば、あの執着心、あの物質が消えると、頭上に尺度が現われるのが見えます。尺度は功柱に似たようなもので、尺度の高さが功柱の高さで、それはあなたの修煉して得た功を代表し、あなたの心性の高さも代表しています。他人がいくら載せてあげても駄目で、たとえほんのわずか載せようとしてもすべて落ちてしまいます。わたしは直ちにあなたを三花聚頂《さんかしゅうちょう》に到達させることができますが、ここを離れた途端にすぐ落ちてしまいます。それはあなたのものではなく、あなたが修煉して得たものではないので、載せてもだめです。あなたの心性の基準がそこまで達していないのですから、誰がつけ加えようとしても駄目です。それはまったく自分の修煉によるもので、心の修煉にかかっています。着実に功を伸ばし、絶えず自分を向上させ、宇宙の特性に同化してこそ、はじめて上がって来られるのです。サインして欲しいと頼んでくる人がいますが、わたしはしたくありません。先生がサインしてくれたのよと人に見せたり、先生の信息の保護を欲しがったりする人がいます。それこそ執着心ではありませんか？　修煉は自分次第なので、信息などにこだわって何になるのですか？　高次元における修煉では、そんなものを重んじることができますか？それが何だというのですか？　そんなものは病気治療と健康保持の段階のものに過ぎません。

あなたが自分で修煉して得た功は、ミクロの世界では、その功の微粒子の様子があなたの姿かたちとそっくりです。世間法から出るときになると、佛体として修煉することになります。その時、功はすべて佛の姿かたちをしており、蓮《はす》の花の上に坐って、とても綺麗です。微粒子の一つ一つがみなそうなっています。一方、動物の功は、みな小さな狐や蛇の姿かたちばかり、超ミクロの世界でどの微粒子もみなそうです。それから信息めいたものを、お茶に混ぜて飲ませるなどというしろものもありますが、どのみちそれも功だというわけです。常人は、一時的に苦痛を取り除き、病気を先送りしてしばらく抑えておきさえすればよいのです。常人は常人にほかならず、自分の身体をいくら壊しても、われわれとは関係ありません。われわれは煉功者ですから、このことをお教えしました。今後、そのようなことを絶対しないでください。信息やら何やらいかがわしいものを絶対に求めないでください。一部の気功師は、自分が信息を発するから、全国各地で受け取るようにとか言っていますが、何を受け取るのですか？　言っておきますが、そういうものは大して役に立ちません。たとえよいところがあるとしても、せいぜい病気治療や健康保持程度のものを手に入れるに過ぎません。これに対してわれわれ煉功者の場合、功は自分の修煉によって得るものなので、他人が発したいわゆる信息という功は、次元の向上には役に立たず、常人の病気を治すぐらいしかできません。必ずや心を正しくもってください。修煉というものは誰も代わってあげられず、あなた自身が着実に修煉して、はじめて次元を向上させることができるのです。

それではわたしは皆さんにいったい何を与えるのでしょうか？　皆さんの中には煉功したことのない人が多く、身体に病気を持っている人がいます。多くの人が長年練功していますが、依然として気のレベルから抜け出せず、功も持っていません。もちろん一部の人が人の病気を治していますが、どうして治せるのか分かりますか？　先ほど憑き物の問題についてお話しした時、わたしはすでに本当に大法《ダーファ》を修煉できる人の身体に取り付いている憑き物を、どんなものであれ、身体の中から外まであらゆる良くないものを全部取り除いたのです。真に修煉しようと思う独学の人にも、この大法《ダーファ》の本を読んでいる時に、同じように身体をきれいに浄化してあげます。そればかりではなく、あなたの家庭の環境も片付けなければなりません。これまで祀《まつ》っていた狐、イタチなどの位牌は、早く捨ててください。すでに浄めてあげましたので、存在しなくなりました。あなたは修煉しようとしているのですから、われわれは最も入りやすい門を開き、こういったことをしてあげます。しかし真の修煉者に限ります。言うまでもありませんが、修煉するつもりのない者や、今になってもまだ分かっていない者の面倒はわれわれは見ません。われわれが面倒を見るのは本当の修煉者だけです。

それからこのような人もいます。以前身体に憑き物があると人に言われ、自分自身もあるように感じましたが、取り除いてあげてからも、気病みが消えず、いつも以前の状態がまだ残っていると疑っているのです。これはすでに執着心になっており、疑心《ぎしん》と言います。時間が経つにつれて、また呼び戻してしまう恐れがあります。あなた自身がその心を捨てなければなりません。もう何も残っていないからです。一部の人たちについては、われわれが以前講習会を開いた時にすでに処理し、わたしはすでにそれをやりました。あらゆる憑き物を取り除いてしまったのです。

道家は低い次元で煉功する時、基礎作りをし、周天を形成し、丹田の田《でん》も作らなければならず、その他にもいろいろなものを作る必要があります。われわれはここで皆さんに「法輪《ファルン》」をはじめ「気機」や、修煉に必要なすべての「機制」を植えつけ、幾万以上にも及ぶものを、種のように蒔《ま》いてあげるのです。あなたの病気を取り除いてから、やるべきことをやり、与えるべきものを全部あなたに与えて、これであなたはやっとこの法門で本当の修煉ができるようになります。さもなければ、何も与えなければ、それはただの病気治療になります。ずばり言いますと、心性の修煉を重んじない人は、むしろ体操をやったほうがましだと思います。

本当の修煉となると、わたしはあなたに責任をもたなければなりません。独学で修煉する人も同じように得られますが、ただし本当に修煉している者でなければなりません。われわれはこれらのものを本当に修煉する人に与えます。すでにお話ししたように皆さんを本当に弟子として導かなければいけないのです。そのうえ皆さんは、高次元の法を必ず徹底的に学んで、どのように修煉するか分かるようにならなくてはいけません。五通りの功法を一度に習得して、全部覚えなければなりません。将来あなたはきわめて高い次元、あなたが思ってみたこともない高い次元に達することができ、間違いなく、正果が得られるのです。この法は各次元のことを結び合わせて説いているので、修煉を続けるかぎり、今後異なる次元で修煉するにあたって、それはいずれも指導作用があることに気づくでしょう。

修煉者として、今後の人生の道は変わるはずです。わたしの法身が改めて段取りしてあげなければなりません。どのように段取りをするのでしょうか？　これからの人生は、果して後どれぐらい残っているのでしょうか？　本人にも分かりません。ある人は、半年か一年くらいして、数年間治らない重病に罹《かか》ることになっているかも知れません。ある人は、脳血栓やその他の病気に罹って、まったく動けなくなるかも知れません。では今後の人生においてどうやって修煉するのでしょうか？　われわれはそれらのことをすべて取り除き、そういうことが起こらないようにします。断っておきますが、本当の修煉者にしかこれをしてあげられません。常人に対して勝手にしてはいけないので、そんなことをすれば、悪いことをするのと同じです。常人の生老病死にはすべて因縁関係があり、勝手にそれを壊してはならないのです。

われわれは修煉者を最も大切な者と見ていますので、修煉者にだけ変えてあげるのです。どういうふうに変えるのでしょうか？　師の威徳が高ければ、つまり師の功力が強ければ、業を滅することができます。師の功が高ければ、たくさん滅することができますが、師の功が低ければ、滅する業も少ないのです。例を挙げて説明してみましょう。まずあなたの今後の人生にあるさまざまな業を全部集めて、その一部分、半分を滅してあげましょう。残りが半分となってもまだ山より高く、あなた自身の力では乗り越えられません。どうすればよいのでしょうか？　将来あなたが得道した時、多くの者がその恩恵を受けることになるかも知れません。ですから多くの人がその一部を代わりに負担してくれるのです。もちろん、彼らにとっては大したことではありません。さらに、あなたが修煉によって作り出した多くの生命体も、主元神、副元神以外の多くのあなたも、みな一部を負担してくれるのです。あなた自身が劫難《ごうなん》を乗り越えなければならない時には、もうさほど残っていません。さほど残っていないと言っても、やはりかなり大きいので、あなたはやはりまだ乗り越えられません。どうすればよいのでしょうか？　つまりそれを無数の部分に分けて、あなたの修煉の各次元に割り当て、それを利用してあなたの心性を高め、業力を転化させ、功を伸ばすことにするのです。

また、一人の人間が修煉しようと思うことは決して容易なことではありません。お話ししたように、それはきわめて厳粛なことであって、常人の域を超えており、常人のいかなることよりも難しいのです。それならばそれは超常的なことではありませんか？　だからこそ常人のあらゆる事よりも、あなたへの要求が厳しいのです。人間には元神があり、元神は不滅です。もし元神が不滅なら、よく考えてみてください。あなたの元神は、その前世の社会活動の中で、悪いことをしませんでしたか？　した可能性が十分あります。殺生《せっしょう》したことがあるとか、誰かに借りがあるとか、人をいじめたり、傷つけたりするようなことをしたことがあるかも知れません。そうであれば、あなたがここで修煉すれば、あちらにいる相手にははっきり見えます。病気治療と健康保持くらいのことなら、返済を先送りして、今返さなければ将来返すことになり、しかも将来はたくさん返すことになるのが分かっているので、しばらくの間返さなくても彼らは何も言いません。ところが、あなたが修煉するとなれば、彼らは承知しません。「お前が修煉すると、お前は行ってしまい、しかも功が伸びるのだから、こっちは手が届かなくなり、お前をつかまえられなくなる」と、承知しません。あらゆる手段を考えてあなたを妨害します。修煉させないようにいろんな手を尽くして妨害し、あなたを本当に殺しに来ることさえありえます。もちろん、座禅しているうちに、頭を吹き飛ばされるなどということはありえません。常人社会の状態に合わなければならないからです。外出中に交通事故に遭ったり、ビルから転落したり、あるいは他の危険に出会ったり、などといったことが起きます。非常に危ないのです。本当の修煉は、あなたが想像しているほど容易なことではないのです。修煉したければ、修煉して上がっていけるのだと思いますか？　真に修煉しようと思えば、直ちに生命の危険に晒《さら》され、こういった問題に引きずりこまれます。多くの気功師が高い次元への功を教える勇気を持っていません。なぜでしょうか？　ほかでもない、彼にはこれが手に負えず、とてもあなたを守りきれないからです。

昔は、道《どう》を伝える者の多くが、一人の弟子にしか教えることができませんでした。一人くらいならなんとか守ることができるからです。このような広範囲のことは、一般の人にはする勇気がありません。しかし、すでに皆さんにお話ししましたが、わたしにはできます。なぜならわたしは無数の法身を持っており、それらはわたしと同じように非常に大きな神通力と法力を備えており、大きな神通力と大きな法力を発揮することができるからです。しかも、われわれが今日やっているこのことは、見た目ほど簡単ではなく、またわたしは決して一時の思いつきでやっているわけでもありません。皆さんにお教えしてもよいのですが、たくさんの大覚者はみなこのことに注目しており、われわれが末法の時期に正法を伝えるのもこれが最後です。われわれのやっていることには、間違いが許されません。本当に正道《しょうどう》によって修煉すれば、誰もあなたを勝手に傷つけたりすることはできません。それにわたしの法身に守られているので、何の危険も起こらないのです。

借りがあれば、返さなければいけないのですから、修煉の途中で危険に出会うことはあります。しかし、そういうことが起こった時でも、あなたを恐怖に陥れ、あるいは本当の危険に遭遇させるようなことはありません。例を二、三挙げましょう。これは北京で講習会を開催した時のことです。ある学習者が自転車で道路を横断して、街角に来た時、急カーブしてきた高級乗用車にはねられました。この学習者は女性で、五十才あまりです。乗用車にドンとぶつけられて、彼女の頭は車に当たって大きな音がしました。その時この学習者はまだ自転車に跨《また》ったままで、頭を打ちましたが、痛くないばかりか、出血もなく、腫《は》れたりもしませんでした。運転手は慌てて飛び降りて、「怪我《けが》はありませんか？　病院に行きましょう」と聞きましたが、彼女は大丈夫だと答えました。もちろん、この学習者は心性が高いので、人に言い掛りをつけるようなことなどしません。彼女は大丈夫と言いましたが、乗用車の方は大きく凹《へこ》んでしまいました。

この類いの事はすべて命を取りにきた例ですが、本当に危険に至るようなことはありません。この前吉林大学で講習会を開いた時も、ある学習者が大学の正門を出て、自転車を押して道の真ん中に行ったら、二台の車がいきなり彼を挟《はさ》み、今にもはねられそうになりましたが、彼はちっとも怖いと思いませんでした。こういうことに遭遇した時、ふつう誰も怖く思うことはありません。その瞬間に、車が止まり、何事も起こらなかったのです。

北京ではこんなこともありました。冬は日が暮れるのが早いので、みんな早く寝ます。街には人影がなく、静まりかえっていました。ある学習者が自転車で帰宅を急いでいました。前方にはジープがたった一台走っていましたが、急に止まりました。彼は気づかずに、相変らず下を向いて漕《こ》いでいました。ところがそのジープは突然猛スピードでバックし始めました。それも命を取りに来たもので、この二つの力が合わさって、あわや衝突しようとする時、ある力が急にこの人の自転車を五十センチほど後方へ引っ張り、ジープの運転手も後ろの人影に気づいたらしく、自転車の車輪にぶつかるぎりぎりのところで急ブレーキをかけました。そしてその時彼は全然怖くなかったというのです。このような状況に遭う人はみな怖いとは思いませんが、後になって怖くなるかも知れません。彼がその瞬間まず思ったのは、誰が自分を引っ張ってくれたのか、その人にお礼を言わなければならないということでした。しかし、振り返ってお礼を言おうとして、ふと見ると街はシーンとしていて、誰ひとりいませんでした。師が守ってくれているのだ！と彼にはすぐ分かりました。

長春《ちょうしゅん》での話もあります。ある学習者の家の近くにビルの建築現場がありました。昨今のビルはかなり高く建てるもので、足場が直径六センチ、長さ四メートルの鉄パイプで組み立てられていました。彼が家から出て、しばらく歩くと、一本の鉄パイプが上からまっすぐ彼の頭めがけて落ちてきました。街の人はみな立ちすくみ凍りついたようになってしまいました。彼は誰かに頭を叩かれたと思い、「誰だ、ぼくを叩くのは?」と言いながら振り返ったところ、頭上に大きな法輪《ファルン》が回転しているのが見えました。鉄パイプも頭から滑り落ちました。滑り落ちてそのまま地面に突き刺さって倒れませんでした。もし、それが人間の身体に突き刺さったら、考えてもごらんなさい、あれだけの重さがあるので、飴玉の串刺しのようにぐさりと突き抜けるにきまっています。なんと危険なことではありませんか！

このような例は数え切れないほど多いのですが、いずれも危険に至るようなことはありません。誰でもこんなことに遭遇するとは限りませんが、一部の者は遭遇することがありえます。遭遇しても、しなくても、いかなる危険もないことをわたしが保証します。しかし一部の学習者は心性の求めるところに従わずに、動作だけをやっていて、心性を修めようとしないので、煉功者とは言えません。

師が皆さんに何を与えるのかと言えば、わたしは以上のものを皆さんに与えます。わたしの法身は、皆さんが自分で自分を守ることができるようになるまで、ずっと守ります。その時は、あなたがついに世間法の修煉を出て、得道した時です。しかし、必ず自分のことを本当の修煉者として自覚して、はじめてそこに到達できるのです。わたしの本を手にして、街を歩きながら、「李先生が守ってくれているから、車なんか怖くない！」と叫ぶ者もいますが、それは大法《ダーファ》を破壊しているので、このような人を守るはずがありません。実際、真に修める弟子はこんなことをするはずもありません。

エネルギー場

煉功する時に、まわりに一つの場が出来ますが、それは何の場でしょうか？　気の場、磁場、電場といろいろな言い方があります。実は何と呼んでも正しくありません。なぜならその場に含まれる物質は非常に豊富だからです。宇宙のあらゆる空間を構成する物質が、ほとんど全部この功の中に含まれています。それをエネルギー場と呼んだほうが適当かも知れないので、通常われわれはエネルギー場と呼んでいます。

この場はどんな作用をしているのでしょうか？　皆さんがご存じのように、正法の修煉をしている者には次のような感覚があります。つまり、正法を修煉してきたので、慈悲を重んじ、宇宙の真・善・忍という特性と同化しているため、学習者はこの場に坐るとみんな感じることですが、頭に邪念が浮かぶこともなく、タバコを吸うことすら思い浮かばず、和やかな雰囲気に包まれて、とても心地良く感じます。それはほかでもなく正法修煉者の持っているエネルギーが、この場の範囲内で作用しているのです。この講習会が終わると、大部分の学習者は功を持つようになり、本当に功が出るわけです。なぜならわたしが伝えているのは正法修煉のもので、あなた自身もその心性基準に基づいて自分を律するからです。煉功を続けて、われわれの心性の要求に基づいて修煉すれば、だんだんと、あなたのエネルギーも強くなるはずです。

われわれは自分と他人を済度し、衆生を済度することを言っていますので、法輪《ファルン》が時計回りに回転すると自分を済度し、逆時計回りに回転すると、人を済度します。逆時計回りの時、法輪《ファルン》はエネルギーを放出するので、他人にその恩恵を与えます。そうすれば、あなたのエネルギー場がカバーする範囲内にいる者はみな恵みを受け、気持ちが良いと感じるでしょう。あなたが街を歩く時も、職場や家庭にいる時も同じ役割を果たすことができます。あなたの場の範囲内にいる者に、あなた自身は知らないうちに身体を調整してあげているかも知れません。この場は一切の間違った状態を正すことができるからです。人間の身体は病気があるべきものではなく、病気があるのは間違った状態にあるからで、このエネルギー場はその間違った状態を正すことができます。悪い心の持ち主が歪んだことを考える時、あなたの場の強烈な作用を受けて、その考えを変え、悪いことを考えなくなるかも知れません。人を罵ろうと思う者も、急に考えを変えて、やめたりします。ただ正法修煉のエネルギー場だけが、このような役割を果たすことができます。ですから佛教には昔から、「佛光が普《あまね》く照らせば、礼儀が圓明《えんめい》となる」という言葉がありますが、そういうことを言っているのです。

法輪大法《ファルンダーファ》の学習者はいかに功を伝えるか

多くの学習者は家に帰ってから、この功法が素晴らしいと思い、自分の親戚や友人などに伝えようと思います。結構です。誰が伝えてもかまいませんし、誰に伝えてもかまいません。しかし一つだけ、皆さんに断っておきたいことがあります。われわれが皆さんに与えた多くのものは、計り知れない価値があります。なぜ皆さんに与えたのでしょうか？　修煉してもらうためです。修煉するからこそ、これらのものを与えることができるのです。つまり、これから皆さんが功を伝える時、それによって名誉や利益を求めてはいけません。したがってわたしのように講習会を開いて受講料を取ってはいけません。われわれは本や資料を印刷するために、またあちこちに功を伝えに行くために、費用を必要とします。われわれの受講料は、全国でいちばん安いのです。一方、皆さんに与えるものはいちばん多く、われわれは本当に高い次元へ人を導いているのです。その点については皆さんも実感されていると思います。法輪大法《ファルンダーファ》の学習者として、将来功を伝える時、次の二点を守って下さい。

第一に、受講料を取ってはいけないことです。われわれがたくさんのものを与えたのは、あなたを金持ち、有名人に仕立てるためではなく、あなたを済度するため、修煉させるためなのです。もし、受講料を取ったら、わたしの法身がこれまであなたに与えたすべてのものを回収してしまいますので、あなたも法輪大法《ファルンダーファ》の人ではなくなり、あなたの伝えるものも法輪大法《ファルンダーファ》ではありません。皆さんは功を伝える時、名利を求めず、無償で人々に奉仕することです。全国各地の学習者はみなこのようにしていますし、各地で指導にあたる人たちもみなこのように自ら模範を示しています。われわれの功を学びたければ、来てください。われわれはあなたに責任を負い、一文も取りません。

第二に、大法《ダーファ》に自分のものを混入してはいけないことです。つまり、功を伝えるにあたって、あなたの天目が開いたにせよ、何かが見えたにせよ、あるいは何か功能が現われたにせよ、自分に見えたもので法輪大法《ファルンダーファ》を解釈したりしてはいけません。あなたがその次元で見たわずかなものは、われわれの法の真の内容とは程遠いのです。ですから、今後功を伝える時、くれぐれもこのことに注意してください。そうしなければ、法輪大法《ファルンダーファ》の本来のものが伝わることを保証できません。

また、わたしと同じ形で功を伝えてはいけません。わたしのように講演会のような形で説法してはいけません。あなたには法は説けません。わたしは高い次元のものを結びつけて話しており、意義が大変深いのです。皆さんは異なる次元で修煉していますが、将来次元が向上してから、この録音を聞いても、さらに向上することができます。繰り返し聞けば、いつも新しい理解、新しい収穫があり、本を読めばなおさらそうです。わたしの講義は、非常に高くて奥深いものを結びつけて話しているので、あなたにはこの法を説くことができません。そして、わたしの言葉をあなたの言葉として語ることは許されません。さもなければ、法を盗む行為となります。わたしの言葉をそのまま述べて、先生がこう話していたとか、本にはこう書いてあるとか、を付け加えて言うべきです。なぜなら、そのように話せば、大法《ダーファ》の力を帯びるようになるからです。自分の知っていることを法輪大法《ファルンダーファ》として伝えてはいけません。さもなければ、あなたの伝えるものは法輪《ファルン》大法《ダーファ》でなくなり、法輪大法《ファルンダーファ》を破壊することになるのです。あなたの理解や考えに基づいて伝えるものは、法ではなく、人を済度することができず、何の効果もありません。ですから、誰もこの法を説けるはずがありません。

皆さんが功を伝える方法は、煉功場や功を伝える場で、学習者にわたしの録音を聞かせ、ビデオを見せ、それから指導にあたる人たちが煉功の指導をします。また、座談会の形で、互いに交流したり、体験談を話したりしてもよいのです。このようにすることは望ましいことです。もう一つは、法輪大法《ファルンダーファ》を広める学習者（弟子）のことを、先生とか大師《だいし》とかと呼んではいけません。大法《ダーファ》の師は一人しかいません。入門した者は早い遅いにかかわらず、全員弟子です。

皆さんは功を伝える時、「先生は法輪《ファルン》を植えつけることができるし、人のために身体を調整してくれるが、わたしたちにはそんなことはできない」と思う人がいるかも知れません。その点は大丈夫です。皆さんにお話ししたように、すべての学習者にわたしの法身が付いており、しかも一つにとどまらないので、わたしの法身がそれらのことをすることになります。人に教える時、もしその人に縁があれば、直ちに法輪《ファルン》が得られます。縁が薄ければ、身体の調整を経て、煉功するようになってから、そのうち得られますので、わたしの法身が彼のために身体の調整をします。

それればかりではなく、わたしの本を読んだり、わたしのビデオを見たり、あるいはわたしの録音を聞いて、法を学び、功を学び、自分を真の煉功者と自覚すれば、同様に得るべきものが得られます。

学習者が人の病気を治療することを許しません。法輪大法《ファルンダーファ》の学習者が、人の病気を治療することを絶対禁止します。われわれは、皆さんが執着心を起こしたり、自分の身体を壊したりしないように、上をめざして修煉するよう教えています。われわれの煉功場は他のいかなる功法の練功場よりも素晴らしく、われわれの場は、そこへ行って煉功さえすれば、病気治療よりずっと効き目があります。わたしの法身がまわりを囲んで坐り、煉功場の上空には覆《おお》いがあり、その上に大きな法輪《ファルン》があって、「大法身《だいほうしん》」が覆いの上から煉功場を見守っています。その場は、並大抵の場ではなく、普通の練功の場とは違い、修煉の場なのです。功能を持つ多くの人はみな、赤い光に包まれて、一面真っ赤になっている法輪大法《ファルンダーファ》のこの場を見たことがあります。

わたしの法身は直接法輪《ファルン》を植えつけることもできます。しかしわれわれは執着心を助長しません。あなたが人に動作を教える時、その人が突然「わたしにも法輪《ファルン》があった」と言えば、あなたは自分が植えつけたと思うかも知れませんが、それは違います。皆さんにこのことを話しているのは、その執着心を起こさせないためです。実はすべてわたしの法身がやっているのです。法輪《ファルン》大法《ダーファ》の弟子は以上のように功を伝えるものです。

法輪大法《ファルンダーファ》の功法を改ざんしようとする者がいれば、彼が大法《ダーファ》を破壊し、この法門を破壊する者にほかなりません。功法を囃《はや》し唄《うた》に直す者がいますが、絶対許されません。本当の修煉法はみな先史時代から残ったもので、大昔から伝わってきたものです。数え切れないほどの大覚者がそれによって修煉し、成就しました。誰一人としてそれを変えようとする者はいませんでした。これもこの末法の時期にしか見られないことです。歴史上こんなことはありえないことでした。皆さんはぜひともこの点に注意してください。

第四講

失と得

修煉界では、失と得の関係についてよく議論されており、常人の間でも議論されています。しかし、煉功者としては、どのように失と得に対処すればよいでしょうか？　それは常人の場合とは違います。常人が得ようとしているものは個人の利益で、どうすれば暮しが良くなるか、どうすれば楽に暮せるかということです。煉功者はそれと正反対に、常人の得ようとするものは求めようとしません。そのかわり、常人は修煉しないかぎり、われわれの得るものを得ようとしても得られません。

われわれが言っている「失」とは、狭い範囲に限られたものではありません。失といえば、すぐに金銭や財産の喜捨《きしゃ》、例えば困った人を援助したり、街で物乞《ものご》いに物を与えたりするようなことが連想されますが、これも確かに放棄の一つで、失の内に入ることは間違いありません。しかし、それはあくまでも金銭や物質的なものにあまりこだわらないというだけのことです。財産を放棄することは失の中の一面であり、それも比較的重要な一面であることは言うまでもありません。しかし、われわれの言う失は、決してこのような狭い範囲のものではありません。われわれが修煉するにあたって、煉功者として放棄しなければならない心があまりにも多いのです。顕示心や嫉妬心、闘争心、歓喜心など、さまざまな執着心がありますが、それらはみな放棄しなければなりません。したがって、われわれの言う失は、より広義なものであり、それは修煉する全過程において、常人のもっているあらゆる執着心とあらゆる欲望を放棄しなければならない、ということを意味します。

でも自分たちは常人の中で修煉する者なのだから、何もかもすべて放棄してしまうと、和尚になってしまうのではないか？　尼僧になってしまうのではないか？　全部放棄することなどとても考えられないという人がいるかも知れません。われわれの法門では、常人の中で修煉する部分があって、常人社会に身を置きながら修煉し、最大限に常人と一致を保つよう求めているのであって、物質的利益において本当に何かを失わせるのではありません。どんなに地位の高い官職に就いても、いくら大金持ちになったとしても、いっこうに構いません。最も大切なのは、それらのことに対する執着心を放棄することができるかどうかということです。

われわれの法門は、人心を真っ直ぐに指すもので、個人の利益や対人関係の軋轢《あつれき》において、それらのことを気にかけないでいられるかどうかが肝要です。寺院や深山《しんざん》で修煉する場合は、完全に常人の社会と断絶させ、強制的に常人の心を放棄させ、物質的利益が得られない状況に身を投じさせて、失わせるのです。それに対し、常人の中で修煉する人には、このような方法をとらず、常人の生活環境のまったただ中にいながら、それらのことに淡々としていられるよう求めます。言うまでもなく、これは大変難しいことですが、われわれの法門の最も重要なことでもあります。ですから、われわれの言う失は、より広い意味のもので、狭い意味のものではありません。良いことをする、例えば、金銭や財産を喜捨することについてですが、現在、街をうろうろする物乞いの中にはプロの物乞いもおり、あなたよりも金を持っているかも知れません。ですから、瑣末《さまつ》なことではなく、大きなところに目を向けなければならず、修煉は、堂々と大きいところに着眼して修煉しなければなりません。われわれが失うにあたって本当に失うべきものは、良くないものしかありません。

人間は、自分が追求しているものはすべて良いものだ、と思い込みがちです。しかし、高次元から見れば、それらはみな常人におけるささやかな既得権益を満足させるためのものに過ぎません。宗教では、あなたがどんなに金持ちになっても、どれほど高い地位の官職に就いても、たかが数十年のものだと言っています。それらは生まれる時に持ってくることのできるものでもなければ、死ぬ時に持っていくことのできるものでもありません。なぜこの功は、こんなに貴重なものとされるのでしょうか？　それは功が直接元神の身体にできるものなので、生まれる時に持ってくることができるだけでなく、死ぬ時に持っていくこともできるからです。しかも、それは直接あなたの果位を決めるものです。だからこそ容易に修煉できるものではありません。良くないものを捨てることによってはじめて返本帰真を実現することができます。それでは、何を得るのでしょうか？　それは次元の向上と、最後には正果《しょうか》を得、功成って圓満成就に達することにほかならず、根本的な問題を解決するということです。もっとも、常人のもっているさまざまな欲望を捨てて、真の修煉者の基準に達することは、一挙にというわけにはいかず、徐々に努力しなければなりません。しかし、わたしが「徐々に」と言ったからといって、先生がそう言うのだから、徐々に修煉すればよいのだと考えてはなりません！　徐々に向上することは許しますが、あなた自身は自らを厳しく律しなければなりません。もし今日中にいっぺんに達成できれば、今日にでも佛になれるのですが、それは現実的ではありません。あなたは徐々にそこに到達していくでしょう。われわれが失うものは、実際に悪いものにほかなりません。それは何でしょうか？　それはほかならぬ業力なのです。この業力は人間のさまざまな執着心と一体関係にあります。例えば、常人はさまざまな良くない心をもち、個人の利益のためにいろいろ悪いことをし、そこで業力という黒い物質を得ることになります。これはわれわれ自身の心と直接に関係していることなので、良くないものを取り除こうと思えば、まずあなたのこの心を是正しなければならないのです。

業力の転化

白い物質と黒い物質の間には、相互に転化するという過程があります。人と人との間にトラブルが起きると、そこに転化する過程があります。良いことをすれば、徳という白い物質を得ることになり、悪いことをすると業力という黒い物質を得ることになります。さらにまた継承するという過程もあります。「それは前半生で何か悪いことをしたためではないだろうか？」と言う人がいますが、必ずしもそうとは限りません。なぜかと言えば、人間の持っている業力は決して一世《いっせ》一代《いちだい》で積み重なったものではありません。修煉界では、元神は不滅だと考えています。もし元神が不滅なものならば、その人にはその人の前世での社会活動があるかも知れません。そして、その人は前世の社会生活の中で、誰かに借りがあったかも知れません。あるいは誰かをいじめたことがあるかも知れません。あるいはその他の悪いこと、例えば殺生などをしていたかも知れません。とすれば、それらによって、業力を造ってしまうことがあります。これらのものは、他の空間において次から次へと蓄積され、いつまでも身に付いて存続していくものです。白い物質の場合もまったく同じで、しかも由来はこれ一つに限りません。その他に、もう一つの情況があります。つまり、家族の間や先祖からも蓄積されてくることがあるということです。昔から年寄りの方たちは、徳を積もう、徳を積もうとか、先祖がよく徳を積んでくれたとか、あの人は徳を失っているとか、徳を損なっているとかということをよく言いますが、まったくその通りです。しかし、現在の常人は、すでにこれらの言葉には耳を貸そうとしません。若い人たちに、それは不徳なことだ、そんなことをすると徳を損なうんだよ、と諭《さと》してあげても、まったく聞く耳を持たないでしょう。実を言うと、それにはきわめて深い意味があります。それは近代人の思想と精神の基準となるものであるのみならず、真の物質的存在でもあります。人間の身体にはこの二つの物質のいずれもが宿っています。

　黒い物質が多ければ、高い次元へ修煉することができなくなるのではないか、と言う人がいます。黒い物質の多い人は、悟性に影響があるということは言えます。なぜかと言えば、黒い物質は身体のまわりに一つの場を形成し、あなたをその真ん中に囲み、真・善・忍という宇宙の特性と切り離してしまうので、このような人はそれによって悟性が悪くなっているかも知れません。彼らは気功や修煉の話を聞くと、すべて迷信だとして、まったく信じようとせず、馬鹿げた話だと思うのです。全部が全部そうとは限らないにしても、よくあることです。それでは、この人たちは修煉しようとしても無理であり、高い次元の功を得ることができないのでしょうか？　そうでもありません。大法《ダーファ》は無辺であり、すべてが心の修煉にかかっています。「師は入口まで導くが、修行は各自にあり」と言われているように、すべてあなた自身がどのように修煉するかによります。修煉できるかできないかということは、あなた自身が忍耐することができるかどうか、代償を支払うことができるかどうか、苦しみに耐えられるかどうかによって決まります。いかなる困難にも阻《はば》まれないほどの固い決意をもっていれば、何の問題もないでしょう。

黒い物質の多い人は往々にして白い物質の多い人と比べて、より多くの苦労をしなければなりません。なぜなら、白い物質は真・善・忍という宇宙の特性にそのまま同化しているので、心性さえ向上すれば、トラブルの中で自分を高めることさえできれば、功が速やかに伸びるからです。徳の多い人は悟性が優れていて、苦痛に耐えることもできます。「其の筋骨を労せしめ、其の心志《しんし》を苦しめる」と言われていますが、たとえ肉体的な苦痛より精神的な苦痛のほうが少ない場合であっても、功を伸ばすことができます。しかし、黒い物質の多い人はそう簡単にはいかず、まず黒い物質を白い物質に転化させる過程を経なければならず、その過程はまたきわめて辛いものです。したがって悟性の優れない人は往々にして、より多くの苦痛に耐えなければならず、業力が大きければ悟性が優れないのですから、修煉がいよいよ難しくなります。

そのような人はどういうふうに修煉しているのか、具体例を挙げて説明しましょう。禅定《ぜんじょう》の中で修煉するには、足を組んで長時間座禅を続けなければなりません。足を組んで座禅していると、足が痛み痺《しび》れてきます。時間が長くなると、心が乱れ始め、しかも次第に激しくなっていきます。「其の筋骨を労せしめ、其の心志を苦しめる」と言われているように、肉体が痛ければ、心も乱れます。座禅をする時、痛みだすとすぐ足を崩してやめようとする人がいます。そして、座禅の時間が少しでも長くなると、耐えられない人もいます。しかし、足を崩すと、せっかくの煉功が無駄になってしまいます。座禅をして足が痛くなれば、しばらく足を動かし、また足を組み直して座禅をする、そんなやり方では、何の効果もありません。なぜかと言えば、足に痛みを感じる時、われわれは、黒い物質が彼の足を攻めているのが見えます。その黒い物質はすなわち業力なのです。苦痛に耐えていれば、業を消して徳に転化させることができます。足が痛くなることはすなわち業力が消去され始めているということです。業力が足の方に押し寄せれば押し寄せるほど、足の痛みがひどくなります。ですから、足が痛くなることにはそれなりの理由があるわけです。座禅する場合の足の痛みは通常、断続的な痛みで、耐えきれないほど辛くても、それが過ぎるとだいぶ苦痛が和らぐようになります。しばらくすると、また痛みが激しくなります。たいていそうなるのです。

業力は一塊ずつ消去していくものですので、一塊の業力が消去されると、足の痛みがその分和らいで楽になります。しばらくして、また一塊の業力がやってきて、再び痛みだします。黒い物質は消去された後、散らばって消えてしまうというわけではありません。この物質も不滅のもので、消去された後、直接白い物質に転化します。この白い物質はすなわち徳です。どうしてこのように転化することができるのでしょうか？　それは本人が辛いことに耐えて自ら代償を支払い、苦痛を耐え抜くことができたからです。徳は自分が苦痛に耐えて、良いことをすることによって得たものです。そのため、座禅をする時には以上のようなことが現われてきます。ですから、足が痛くなるとすぐ崩し、少し動かしてからまた座禅をやり直すような人の場合は、何の効果もないと言っています。站椿《たんとう》をする時、腕が疲れてくると、我慢できなくなって、下ろしてしまう人がいますが、それでは全然効果がありません。これぐらいの苦痛が何だというのですか？　もし人がこのように腕を上げるだけで修煉が成就できるならば、修煉はあまりにも易しすぎるものになります。以上は、人びとが禅定の中で修煉する時に現われることについてです。

これも部分的には役に立ちますが、われわれの法門では、これを主な方法とはしません。われわれは基本的に、人と人との間の心性の摩擦の中で業力を転化させるのであって、普通そうやって転化を実現するのです。人間がトラブルの中、または人間同士の摩擦の中に身を置かされた時の苦痛は、肉体的な苦痛よりも辛いものです。わたしに言わせれば、肉体の苦痛は最も耐えやすく、じっと我慢すれば、何とか耐え抜くことができます。しかし、人と人とがいがみ合う時の心は、最も制御しにくいものです。

一つ例を挙げてみましょう。ある人が職場に行ったら、同僚の二人がそこで自分の悪口を言っているのが聞こえました。あまりにもひどいことを言われたので、ついかっとなりました。しかし、すでにお話ししたように、煉功者としては、殴られても殴り返さず、罵られてもやり返さないで、常に高い基準で自分を律しなければなりません。そこで、彼は「煉功者は常人と違って、広い心をもたなければならない」という先生の教えを思い出し、その二人と口論をしませんでした。しかし、往々にしてトラブルが発生する時、それが人の心の奥深いところを刺すような激しいものでないと効果が上がらず、向上につながりません。というわけで、彼はやはり気になってたまらず、どうしても後ろを振り向いて、その二人の様子を覗いてしまうかも知れません。振り返って見たら、二人はちょうど憎々しげに、調子に乗って悪口を言っているではありませんか。そこで、彼もついに我慢できなくなり、かっとなって相手と喧嘩してしまう可能性もあります。このように、人と人の間にトラブルが発生した時に、穏やかな心を保つことは大変難しいものです。もしすべてを座禅で解決することができれば、その方がむしろ易しいかも知れません。しかし、いつもそううまくはいかないものです。

したがって、今後煉功する際、さまざまな苦難に遭うでしょう。それらの苦難がなければ、修煉がどうやってできるでしょうか？　誰もが和気藹々《あいあい》としており、利益についての衝突や心が乱されることもなく、ただそこに坐っているだけで、心性が高まることになるでしょうか？　そんなことはまずありえません。人間は実践の中で本当に自分を錬磨しないかぎり、向上することはありえません。「どうして煉功すると、次々と厄介なことにぶつかるのでしょうか？　しかも常人の中の厄介なこととあまり変わりがありません」と言う人がいます。あなたは常人の中に身を置いて修煉するのだから、突然あなたを逆さ吊りにして空中に引き上げ、宙にぶらさげたまま苦労をさせるわけにはいきません。今日、誰かがあなたの気に障《さわ》るようなことを言ったとか、あなたを怒らせたとか、誰かが失礼なことをしたとか、あるいは誰かがあなたに不遜なことを言ったなど、いずれも常人の中でよく起きる状態ですが、そこであなたがどう対処するかが問題なのです。

さて、どうしてこういうことにぶつかるのでしょうか？　それらはみな自分自身の業力によるものです。われわれはすでに数え切れないほど多くの業力を消してあげました。残ったわずかなものは、あなたの心性を高め、心を錬磨し、さまざまな執着心を取り除くために、「難」として各次元に割り当てました。それらの難はもとよりあなた自身が持っているもので、われわれはあなたの心性を高めるためにそれらを利用するのですが、いずれも乗り越えられるようにしてあります。あなたが心性を向上させさえすれば、必ず乗り越えられるものです。それを乗り越えようとする気がなければ話は別ですが、乗り越えようと思えば、乗り越えることができるのです。したがって今後、何かトラブルに遭遇した時は、それを偶然なことだと考えてはなりません。なぜなら、トラブルは突然現われるかも知れませんが、決して偶然なものではなく、みなあなたの心性を高めるためのものなのです。あなたが平素から煉功者として自覚してさえいれば、それに正しく対処することができるでしょう。

言うまでもなく、難やトラブルが起きる時、あらかじめあなたに知らせることはありません。何もかもあなたに知らせたら、何を修煉するというのですか？　効果もなくなります。それはいつも突然に現われるからこそ、心性の試練となって、本当に人間の心性を高めることができます。そして、その時こそ、心性を守れるかどうかを見て取ることができるのです。ですから、トラブルが起きるのは、偶然ではありません。修煉する全過程において、業力を転化させる中で、このようなことが起きるのです。それは一般の人が想像している「其の筋骨を労せしめる」ことより遥かに難しいことです。煉功する時、時間が長くなると腕も足も疲れますが、それだけで功が伸びるのでしょうか？　数時間余計に煉功するだけで果して功が伸びるものでしょうか？　それは本体を転化させるのに効果があるだけで、しかもそれでも、エネルギーによる加持がなければなりませんので、次元を向上させるうえでは役に立ちません。ですから、「其の心志を苦しめる」ことこそ本当に次元を向上させるための鍵です。もし「其の筋骨を労せしめる」ことだけで次元を向上させられるのでしたら、中国の農民たちはこの上なく辛い思いをしているのですから、みんな大気功師になっているはずではありませんか？　あなたがいくら筋骨を労しても、彼らには及びません。農民は、毎日激しく照りつける太陽の真下で野良仕事をしており、大変辛くて苦労が多く、とても生やさしいものではありません。ですからわれわれが言っているように、本当に向上しようとすれば、自分の心性を確実に高めなければならず、そうしてはじめて向上できるのです。

業力を転化させるにあたっては、しっかり自分を制御し、常人のように正しく対処できないことによる失敗を避けるために、平素から慈悲の心と、穏やかな心理状態を保たなければなりません。そうすれば、何か問題が突然現われた時に、それに正しく対処することができます。平素から慈悲の心を保っていれば、問題が突然現われても、たいてい一息おいて考える余裕があります。心の中でいつも人とあれこれ争うことばかり考えているのであれば、問題が起きると、必ず相手と真っ向からやり合うに違いありません。ですから、何かトラブルに遭った時こそ、自分自身の黒い物質を白い物質に、つまり徳に転化させる時だ、とわたしは言うのです。

人類はここまで来てしまい、ほとんど誰もが業に業を積み重ねてきました。ですから、みんな相当な業力を持っているわけです。したがって、業力を転化させることについていえば、功が伸び、心性が高まると同時に、業力も消去されて転化することがよくあります。何かトラブルに遭った時、それはよく人と人との間の心性の摩擦として現われますが、それに耐えることができれば、業力も消去され、心性も高まり、功も伸びます。それらは一つに熔《と》け合うのです。昔の人間は徳が多く、もとから心性が高いために、ちょっと苦痛に耐えればすぐ功が伸びたものでした。ところが、現在の人間はそれと違って、ちょっとした苦難に遭うとすぐ修煉をあきらめたくなります。そればかりでなく、悟りがますます悪くなる一方なので、修煉がいっそう難しくなります。

修煉するにあたって、具体的なトラブルに対処する時、誰かに辛く当たられたりした場合は、たいてい次の二つの状況が考えられます。一つはおそらく前世にその人に対して何か悪いことをしたのかも知れません。あなたは、「どうしてわたしにこんなひどいことをするのだろう?」と言って心のバランスをくずすかも知れませんが、しかし、あなたはなぜ前世でその人にあんなことをしたのですか?「あの時のことは知らない。現世は前世と関係ない」とあなたは言うかも知れませんが、そういうわけにはいきません。もう一つは、トラブルの中に業力転化の問題が絡んでいるので、具体的に対処する時、われわれは大らかな態度を保たなければならず、常人と同じようにしてはなりません。勤務先やその他の仕事環境でのトラブルも同様で、個人経営者の場合も例外ではなく、やはり対人関係が存在しており、少なくとも隣り近所との関係があるので、社会と接触しないわけにはいかないはずです。

社会のつき合いにおいても、さまざまなトラブルに遭うことが考えられます。常人の中で修煉する人は、どれだけ大金持ちになっても、どれだけ地位の高い官職に就いても、個人経営で会社を興《おこ》してどんな商売をするにしても、心を正しく保ち、公平かつ良心的に取引しさえすれば、何ら問題はありません。人類社会においてさまざまな職業があるのは当り前ですから、人間の心が歪むことこそが問題で、どの職業に就くかが問題なのではありません。昔から「商《あきな》いをする者は、十人中九人がずるい」という言い方がありますが、それは常人の言い方です。わたしに言わせれば、それは人間の心の問題です。心を正しくもち、公平に取引をすれば、多く働くだけ多く稼ぐのは当然のことです。「失わないものは得られず」と言われているように、それは常人社会のあなたの働きに対する当然の報酬です。いかなる階層においても、良い人間になることができますが、階層が違えば、違ったトラブルがあります。高い階層には高い階層のトラブルの形式がありますが、しかしどこでも正しくトラブルに対処することができます。どの階層でも、良い人間を目指しさえすれば、あらゆる欲望や執着心を捨て去ることができます。どんな階層においても良い人間になることができ、誰でも自分のいる階層で修煉することができます。

現在、中国では国営企業であろうと、他の企業であろうと、対人関係におけるトラブルはきわめて特異な様相を呈《てい》しています。それは他の国や昔の中国ではかつて見られない現象で、利益をめぐるトラブルがきわめて激しく、いがみ合ったり、わずかな利益のために争ったりして、そういう時の考え方と用いる手段がきわめて悪質なものとなっていて、今や良い人間になるのも大変難しいことです。例えば、ある人が職場に出勤したら、まわりの雰囲気がどうもおかしいということに気づきました。後になって人から、「誰それが君の悪口を言っている。上司に告げ口をして、君のことをさんざん言い触らしたりしている。君は鼻つまみ者にされたんだよ」と聞かされました。まわりからは異様な目で見られています。普通の人なら、それを我慢することができるでしょうか？「こんなひどい目に遭わされて、耐えられるものでしょうか！　やられたら絶対にやり返してやる！　奴に後ろ盾がいるなら、こっちにも後ろ盾がいる。徹底的にやろうぜ」となりかねません。常人の中でこのようにすると、常人からは強い人だと褒められるかも知れません。しかし、煉功者としてはそれは最低だと言わなければなりません。常人と同じように争ったり闘ったりすると、あなたはただの常人になります。もし相手よりも激しく争ったり闘ったりすれば、あなたは相手の常人にも及びません。

われわれはどのようにこの問題に対処すべきでしょうか？　このようなトラブルに遭遇した時、まず冷静な態度でいなければならず、相手と同じような対処の仕方をしてはなりません。もちろん、善意をもって説明し、事実をはっきりさせるのは構いませんが、しかし、あまりこだわりすぎてもいけません。われわれはこのような厄介なことにぶつかった時、他の人と同じように争ったり闘ったりしてはなりません。相手がやったらこちらもやるというのでは、ただの常人になってしまうではありませんか？　あなたは相手と同じように争ったり闘ったりしないだけでなく、心の中で相手のことを憎んでもいけません。本当に相手のことを憎んではなりません。相手のことを憎むと、腹が立ったことになるではありませんか？　それでは忍を守れなかったことになります。われわれは真・善・忍を重んじますが、そんなことをすれば善のかけらもなくなります。ですから、相手と同じようにしてはいけません。あなたは相手の中傷によって、職場で面目まるつぶれになったとしても、相手のことを本当に怒ってはいけません。それだけでなく、心の中で相手に対して本当に感謝しなければなりません。「それでは、まるで阿Q《あきゅう》ではないか？」と、常人ならそう思うかも知れません。ところが、そういうことではないのです。

　考えてみてください。皆さんは煉功者なのですから、高い基準であなたを律しなければならないでしょう？　常人の理で律するわけにはいかないでしょう？　あなたは修煉者ですから、得たものは高次元のものではないでしょうか？　したがって、高次元の理であなたを律しなければなりません。相手と同じようにすれば、相手と同じようになってしまうではありませんか？　それでは、どうして相手に感謝しなければならないのでしょうか？　考えてみてください。あなたが得たものは何ですか？　この宇宙には「失わないものは得られず、得ようとすれば失わなければならぬ」という理があります。相手が常人の中であなたに大変辛い思いをさせたので、彼はひとまずは得る側だと言えます。しかしその相手があなたに与えた苦痛が大きければ大きいほど、騒ぎが大きければ大きいほど、あなたの忍耐するところも大きくなり、相手の失う徳も多くなります。

それらの徳は全部そのままあなたのものになります。しかもその時、あなたは耐え忍んでいる間、それを気にかけずに淡々と受け止めていられたかも知れません。

この宇宙にはもう一つの理、すなわち大きな苦痛に耐えれば、自らの業力もおのずと徳に転化される、ということがあります。あなたが代償を支払ったので、苦痛に耐えた分だけ、転化が行なわれ、徳になります。煉功者として求めようとしているのはまさにこの徳ではありませんか？このように、業力を転化させることもできましたので、あなたは二つのものを得ました。もし、相手がそのような環境を作ってくれなければ、あなたはどうやって心性を高めることができるでしょうか？　みんなが和気藹々で、そこに坐っているだけで、功が伸びるなどということがありえますか？　相手がそのようなトラブルを仕掛けたからこそ、心性を高める機会が生まれ、そのおかげで、心性を高めることができて、本当に心性が高まってきたのではありませんか？　三つ得ました。そしてあなたは煉功者なので、心性が高まれば功も伸びるのではありませんか？　これで一挙四得となりました。あなたが相手に感謝するのは当たり前ではありませんか？　あなたは本当に心から相手に感謝しなければなりません。本当にそうなのです。

もちろん、相手が善意でそうしたわけではありません。さもなければ、あなたに徳を与えることはないでしょう。それにしても、相手が心性を高める機会を提供してくれたことは事実です。つまり、われわれは必ず心性の修煉を重視しなければなりません。心性を修煉すると同時に業力を滅してそれを徳に転化させることができます。こうしてはじめて次元を向上させることができるので、両者は表裏一体の関係をなしています。高い次元から見れば、この理も変わります。しかし、常人にはそのことが分かりません。高い次元からこの理を見れば、まるっきり違います。し常人社会で正しいと思われた理は、本当に正しいというわけではありません。高い次元から見て正しいと思うことこそ、本当に正しいことなのです。こんなことはよくあります。

理は皆さんに説明し尽くしました。明確な理が目の前にあるのですから、今後、皆さんが修煉する際、煉功者として自覚し、着実に修煉することを期待したいと思います。一部の人は、常人の中にいるので、常人社会の目に見える物質的な利益こそ確かなものだと考えています。常人社会の流れの中において、彼らはまだ高い基準で自分を律することができません。常人社会において良い人間になるためには、手本として英雄や模範人物がいますが、それは常人のための手本に過ぎません。それに対し、修煉者になるためには、すべて自分の心の修煉にかかっており、すべて自分の悟りにかかっているので、手本などはありません。幸いなことに、今日わたしが大法《ダーファ》を明らかにしました。昔は、修煉しようとしても、教えてくれる人がいませんでした。大法《ダーファ》の教えに従って修煉すれば、うまくいくでしょう。修煉することができるかどうか、修煉がうまくいくかどうか、どの次元まで突破することができるかは、すべて本人次第です。

もちろん、業力の転化形式は、上に述べたようなものとは限らず、他の方面において現われることもあります。社会や家庭などどこにでも現われる可能性があります。街を歩いていても、あるいはその他の社会環境においても、面倒なことに遭遇する可能性もあります。常人の中で捨てられないような心を、全部あなたに捨てさせなければなりません。どんな執着心であれ、それを持っているかぎり、さまざまな環境の中でそれを少しずつ削り落とさなければなりません。さまざまな失敗を経験させ、失敗の中で悟らせることこそ修煉なのです。

比較的典型的なケースとして次のような場合もあります。多くの人は修煉するにあたって、煉功する度に配偶者の機嫌が悪くなるという経験を持っています。煉功すると決まって喧嘩を売られます。他の事なら、あなたが何をしようと、相手は一向に干渉しようとしません。マージャンで時間を無駄にした時には、相手が不機嫌になることもありますが、あなたが煉功した時のそれとは比べものになりません。煉功しても別に相手に迷惑をかけたというわけでもありませんし、身体を鍛えることは相手には何ら不都合なこともなく、良いことなのに、しかし、あなたが煉功すると、相手は物を投げたりして喧嘩を売ってきます。中には、煉功することが原因で離婚しそうになる夫婦もいます。しかし、なぜそのようなことが起きるのでしょうか？　多くの人たちはこのことを考えてもみないのです。あとで相手に、「わたしが煉功するぐらいでなぜあんなにかんかんになって怒るのか？」と聞いてみても、答えられません。「そうですね。あんなに怒ってはいけないのに、しかし、その時はついかんかんに怒りました」と、本人もなぜだか分からぬしまったのです。それはどういうことだったのでしょうか？　実は、煉功する時、業力が転化されなければなりません。「失わないものは得られず」、しかも失っていくものは悪いものなので、あなたはその代償を支払わなければなりません。

あなたが家に帰ってくると、奥様やご主人がいきなりすごい剣幕で罵声を浴びせてくるかも知れません。それに耐え切ることができれば、この日の煉功を無駄にしなかったことになります。煉功するには徳を重んじなければならないということを心得ていて、平素は奥様やご主人と睦じく暮していますが、「いつもは家のことは何もかもわたしの一存で決めていたのに、今日はまさにわたしを抑えつけようとしている」と思って、つい抑え切れず、喧嘩をしてしまった人がいます。そうすると、その日の煉功はまた無駄になってしまいます。なぜかと言えば、あなたの身体に業力があり、相手が消去するのに手を貸してくれたのに、あなたは喧嘩を買ってしまって、それを拒否したので、消去されませんでした。このようなことはきわめて多く見られますが、多くの人がそのようなことを経験しているのにもかかわらず、その理由を考えてもみませんでした。他のことに関しては、奥様やご主人がそれほど干渉しませんが、本来良いことなのに、相手は許してくれようとしません。実は、本人自身はそうとは知りませんが、あなたの業の消去に手を貸してくれたのです。相手は表向きあなたと喧嘩しているような振りをして、内心ではあなたを思いやっているというわけではありません。本当に心から腹が立っていたのです。なぜなら業力が誰かのところに落ちていれば、その人は必ず辛い思いをするからです。これは間違いないところです。

心性を向上させる

以前は多くの人が、心性を守り切れないためにさまざまな問題が起き、ある次元まで修煉が進んだのに、それ以上向上することがなかなかできませんでした。ある人はもとから心性が高いので、煉功しつづけていると、そのうち天目がぱっと開いて、ある程度高い境地に到達しました。この人は根基が比較的よく、心性がきわめて高いので、功の伸びも速いのです。彼の心性の位置に功が到達した後、その功をさらに伸ばそうとする時には、人との軋轢《あつれき》やトラブルも際立《きわだ》ってきますので、さらに心性を高めていかなければなりません。特に根基の良い人の場合は、自分の功が調子よく伸びていて、煉功が順調に進んでいたのに、どういうわけで、突然厄介なことがこんなに多くなってきたのだろうか、と思うことがあります。まわりの人に親切にしてもらえなくなったし、上司から嫌われるようになったし、家族との関係も悪化してしまった。どうして突然こんなに多くの面倒なことが出てくるのだろうか？　彼はまだ悟ろうとしません。この人は根基が良いために、ある次元に到達すると、このような状態が現われました。しかしこれは、どうして修煉者が最終的に圓満成就する時の基準と言えるのでしょうか？　もっと高い次元に向けて修煉するには、まだまだ先が遠いのです！　引き続き自分を高めなければなりません。このような状態に到達したのは、みな自分自身の根基のおかげでしたが、それ以上向上しようとすれば、基準もさらに上げなければなりません。

ある程度お金を稼ぎ、家族が安心して暮せるようにしてから、何もかも打ち捨てて修行を始めたいと言う人がいますが、わたしに言わせれば、そのような考え方は妄想です。あなたは他人の生活に干渉し、他人の運命を左右することができるはずがありません。妻や子供、親、兄弟などのような家族の人たちの運命も含めて、他人の運命があなたの思い通りになることがありえるでしょうか？　それに、後顧《こうこ》の憂《うれ》いもなくなり、厄介なことも全部なくなれば、何をもって修煉するのでしょうか？　気分よく楽に煉功しようとでも考えているのですか？　そんなことがありえますか？　それは常人の立場で考えたことに過ぎません。

修煉は、錬磨の中でこそしなければなりません。常人の持っている七情六欲を放棄することができるかどうか、それらに対して淡々としていられるかどうかが問題です。どうしてもそれらのものに執着するのであれば、修煉を成就することはできません。すべてのことには因縁関係があります。人間はどうして人間でありうるのでしょうか？　それは人間には情があり、人間は情のために生きているからです。肉親同士の情、男女の情、親の情、感情、友情など、何をするにしても情が重んじられ、情を切り離しては何ごともできません。やる気があるかどうか、気分が良いかどうか、愛しているのかそれとも憎んでいるのか、とにかく人類社会のすべてのことが情から出ています。この情を断ち切らなければ、修煉することはできません。情から抜け出すことができれば、誰もあなたを動揺させることができず、常人の心があなたを動かすことは不可能となります。それに取って代わるものは慈悲の心であり、より高尚なものです。もっとも、これをいっぺんに断ち切るのは容易なことではありません。修煉は長い道のりで、徐々に自分の執着心を切り捨てていく過程です。とはいえ、自分自身を厳しく律しなければなりません。

われわれ煉功者においては、トラブルが突然現われることがあります。その時、どのように対処すればよいでしょうか？　平素から慈悲に満ちた、和やかな心を保っていれば、問題が起きた時には、一息おいて余裕をもって、適切にその問題に対処することができるのです。日頃いつも慈悲の心を保ち、善をもって人に接し、何かをする時にはいつも他人のことを考え、問題が起きた時はいつも他人がそれに耐えられるかどうか、他人を傷つけることはないかを考えていれば、何の問題も起こりません。したがって、煉功にあたっては、高い、もっと高い基準で自分を律しなければなりません。

往々にして悟らない人がいます。ある人は天目が開いて佛が見えました。家に帰ると、佛像の前で手を合わせて「どうしてわたしを助けてくださらないのですか？　どうか、この問題を解決してください！」と拝みます。佛はいうまでもなく助けてくれません。その難は、まさに佛があなたの心性を高めるために設けたもので、トラブルの中で向上させるためです。ですから、佛がその問題を解決してくれると思いますか？　絶対に解決してくれるわけがありません。解決してくれたら、あなたはどうやって心性と次元を向上させることができるでしょうか？　あなたはどうやって功を伸ばし、どうやって心性と次元を向上させることができるでしょうか？　あなたの功を伸ばさせることこそ最も大切なことです。大覚者たちから見れば、人間になることは目的ではありません。人間の生命は人間になるためのものではなく、元に返るためのものです。人間はさまざまな苦しみに耐えていますが、大覚者はその苦しみが多ければ多いほど良く、債務が早く返済できるものと考えています。それを悟らない人は、佛を拝んでも効果がないと見て、「どうして助けてくださらないのですか？　わたしは毎日これだけ線香を立てて拝んでいるのに」と言って、佛を恨み始めました。なかにはそれが原因で佛像を壊し、その日から佛を罵るようになった人もいます。一度罵ると、心性が堕ち、功もなくなってしまいます。何もかもなくなったことを知った彼は、いっそう佛を憎むようになり、佛にひどい目に遭わされたと思い込んでしまいます。彼は常人の理で佛の心性を測ろうとしますが、測れるはずがあるでしょうか？　常人の基準で高次元のことを判断しようとしますが、そんなことができるでしょうか？　こうして、生活の中の辛さを自分に対する不公平だと思い込むことが原因で、多くの人が見る見るうちに堕ちていってしまうのです。このようなことはしばしばあります。

数年前、多くの有名な大気功師が堕ちて行きました。もちろん本当の気功師はみんな自分に与えられた歴史的使命をやり遂げた後、帰って行きました。誤って常人の中に溺《おぼ》れ、心性も低下した人だけが現在依然として活動を続けていますが、すでに功はなくなってしまっています。かつて名声が比較的高かった一部の気功師が依然として社会で活動を続けていますが、その人たちの師は彼らが常人社会に溺れ、名誉と利益に溺れて、もう自ら抜け出すことができず、すでに救いようがないのを見ると、彼らの副元神を連れて行ってしまいました。功はすべて副元神の身体に付いています。このようなケースはきわめて多いのです。

　われわれの法門では、そのようなことは比較的稀《ま》れです。あるにしても、それほど目立つものではありません。そのかわり、心性の向上に関する突出した例はきわめて多くあります。例えば、山東《さんとう》省某市のメリヤス工場で働くある学習者は、法輪大法《ファルンダーファ》を学んでから、同僚たちにもそれを教えました。それによって、この工場の人々の心掛けが大きく変わりました。以前、従業員たちが工場からタオルの端切《はぎ》れを家に持ち帰ることがしばしばあり、みんなやっていました。しかし功を学んでから、彼はタオルの端切れを家に持ち帰ることをやめただけでなく、それまで家に持ち帰った分も工場に返しました。それを見ると、誰もやらなくなり、なかには以前に持ち帰ったものもすべて工場に返した人もいて、工場全体にこのような様相が現われました。

　また、某市の法輪大法《ファルンダーファ》勉強会の責任者が、大法《ダーファ》学習者たちの煉功状況を調べるために某工場に行った時のことです。工場長がわざわざ会ってくれました。「これらの従業員は法輪大法《ファルンダーファ》を学んでから、早く出勤し遅く退勤するようになり、コツコツと働き、上司から与えられた仕事は何でも文句無しに受け入れ、利益をめぐって争うこともなくなりました。彼らがこのようにしていると、工場全体の心掛けも一変し、工場の収益状況も好転しました。あなた方の功は本当にすごいものですね、先生はいついらっしゃいますか。わたしも参加したい」と、話したそうです。われわれが法輪大法《ファルンダーファ》を修煉する主な目的は高次元に人を導くことであり、別にこのようなことをしようとは思っていません。しかし、これは社会の精神文明を促進する上で大きな役割を果すことができます。もし、誰でも内に向かって探し、誰でも自分がどうすべきかを考えるようになれば、社会が安定するようになり、人類の道徳基準が回復するに違いありません。

わたしが太原市《たいげん》で説法した時、学習者で五十代の夫婦が二人連れで受講に来ました。二人が道路を渡る時、一台の車が猛スピードで走ってきて、バックミラーが奥さんの服を引っ掛けました。彼女はそのまま十メートル以上引きずられたあと、ぱっと路上に放り出されました。車は二十メートル先にやっと止まりました。運転手が車を飛び降りて、「なぜ車を見ないで道路を渡るんだ」と、人のせいにします。けれど車内に同乗していた人が「怪我はありませんか。病院へお連れしましょう」と言ったので、運転手もやっと我に返り、「奥さん、大丈夫ですか？　怪我はしていませんか？　病院で診てもらいましょう」と、慌てて言いました。しかし、ゆっくり地面から立ち上がったその学習者は、「大丈夫です。行ってください」と言って、身体に付いた土をはたいてご主人と一緒にそこを去りました。

講習会で彼女からその話を聞いて、わたしもたいへん嬉しく思いました。われわれ学習者の心性は確かに高まってきました。彼女は「先生、わたしは今法輪大法《ファルンダーファ》を学んでいます。もし法輪《ファルン》大法《ダーファ》を学んでいなければ、わたしは、今日のことにこんなふうに対処することができなかったに違いありません」と、わたしに言いました。考えてみてください。彼女はすでに定年退職しており、物価がいまこんなに高くなっているのに、手当や福祉などの待遇は全部無くなっています。五十才を過ぎた女性が、あれほど車に引きずられたあと路上に放り出されたのです。どこか怪我をしていないかですって？　身体中怪我だらけです！　路上に倒れたまま、起き上がろうともしません。病院へ行こうって？　行きますとも。入院したら、そのまま病院に住み着いて退院しようともしない。常人ならこのようにしかねないところです。しかし、彼女は煉功者だから、そのようにはしませんでした。物事の善し悪しは人間の一念によるものであり、その一念の違いによって異なる結果がもたらされることがある、とわれわれは言います。もうお年も若くないので、常人なら怪我をしないはずがありませんね？　しかし、彼女はかすり傷さえ負っていませんでした。物事の善し悪しは人間の一念によるものだと今申しましたが、もし彼女が路上に倒れたまま、「もう駄目です。ここも駄目、そこも駄目だわ」と言ったならば、それで本当にあちこち骨折して、半身不随になっていたかも知れません。いくらお金をもらったとしても、後半生は病床での寝たきり生活では、気持ちよくしていられるでしょうか？　まわりで見ていた人は、「このおばさん、どうして運転手から金をゆすらなかったのだろう？　金をもらったらよかったのに」と、不思議に思えて仕方がないようでした。現在の人間は、道徳水準がこんなに歪んでいるのです。運転手がスピード違反をしたことは確かです。しかし、彼もわざと人にぶつけたわけではありません。彼は不注意で事故を起してしまったのではありませんか？　しかし、現在の人間は、当事者から金をゆすらなければ、まわりで見ている人さえ心のバランスが取れなくなるのです。わたしに言わせれば、現在の人間は、物事の善し悪しの分別もつかなくなっています。それは悪いことですよと注意しても、信じようとしない人がいます。人間の道徳水準まで変わってしまったため、一部の人は利益に目がくらみ、金さえ手に入れることができれば、どんなことでもやってしまいます。「自分のために計らぬ者は、天地の罰を受ける」という言葉が、すでに座右《ざゆう》の銘《めい》となってしまったのです！

　北京のある学習者が、夕食の後、子供を連れて前門大通りをぶらぶらしていると、そこで景品くじを宣伝する車を見かけました。子供は面白がって、「買って、買って」と言い出したので、彼は子供に一元を渡しました。引いてみたら、なんと二等賞に当たって、賞品は子供用の高級自転車でした。子供は嬉しくてたまらない様子でしたが、彼は「しまった」と、頭から冷や汗をかきました。「ぼくは煉功者なのだ。こんな物を求めてはならない。このような不義の財をもらうと、どれだけ徳を失うことになるだろうか？」そう考えた彼は、子供に向かって「それをもらうのをやめよう。欲しいならパパが買ってあげるから」と言いました。子供は機嫌が悪くなりました。「買ってと頼んでも、買ってくれなかったじゃないの。自分で当てたのに、もらっちゃいけないなんて」と子供は泣き叫び、ちっとも親の言うことを聞こうとしません。仕方がないので、自転車を家に持ち帰りました。家に帰った後、彼は考えれば考えるほどまずいと思い、いっそのこと代金を払おうと思いました。しかし、「抽選はすでに終わった。代金を払えば、それが彼らに山分けされるのではないか？」と考え直して、自転車の代金を自分の職場に寄付することにしました。

幸いなことに、彼の職場には、法輪大法《ファルンダーファ》の学習者が多くいました。上司も彼のやり方に理解を示してくれました。普通の職場ならば、「わたしは煉功者だ。くじで自転車が当たったが、その代金を職場に寄付したい」と申し出たら、上司から頭がおかしいのではないかと思われるかも知れません。他の人たちも「この人は煉功でおかしくなって、走《そう》火《か》入《にゅう》魔《ま》になったのではないか？」などとあれこれ言うでしょう。お話ししたように、道徳水準が歪んできています。五十年代、六十年代の頃、このようなことはごく普通であり、当たり前のことであって、誰も不思議に思う人などいませんでした。

人類の道徳水準がどんなに変化しても、この宇宙の特性である真・善・忍は永遠に変わらないものです。善人だと言われた人は本当の善人とは限らないし、悪人だと言われた人でも必ずしも本当の悪人とは限りません。なぜなら、現在では善悪を見分ける基準まで歪んでいます。宇宙の特性にかなった人だけが善人なのです。それが善人と悪人を見分けるための唯一の基準であり、この基準は宇宙の中で認められています。人類社会はこんなに大きく変化し、人類の道徳水準が大幅に退廃し、世相が日増しに悪化して、人々は私利私欲のみを計ろうとするようになっていても、宇宙は人類の変化に従って変化するものではありません。修煉者としては、常人の基準で自分を律してはなりません。常人が正しいと言っているからといって、それに従うわけにはいきません。常人が良いと言っていることは、必ずしも良いとは限らないし、常人が悪いと言っていることも本当に悪いとは限りません。道徳基準が歪んでいる現在、悪いことをしている人に「あなたは悪いことをしていますよ」と注意しても、当人はそれを信じようとしません！　修煉者としては、宇宙の特性を用いて量るべきで、そうしてはじめて真の善悪が何かを見分けることができます。

灌《かん》頂《じょう》

修煉界には灌頂《かんじょう》ということがあります。灌頂とは佛家密教の修煉方法における宗教儀式の一つです。その目的は、灌頂を受けた人を当法門の本当の弟子として認め、他の法門に入らせないことです。ところが、現在では奇怪なことに、練功するのにもそのような宗教儀式が導入されており、密教のみにとどまらず、道家の功法においても灌頂が行なわれています。すでにお話ししたように、世の中で密教の看板を掲《かか》げて、密教の功法を伝える者はみな偽物です。なぜかと言えば、唐密は我が国において姿を消してからすでに千年以上も経っており、まったく存在していないからです。一方、チベットの密教は言語上の制約で、最初から漢民族の地域において完全な形で伝えられることはありませんでした。特にそれは密教だから必ず寺院の中で秘密に修煉しなければならず、しかも必ず師から秘伝を受けて、師の指導の下で秘密に修煉しなければなりません。それができなければ、絶対に教えてはならないということになっているのです。

将来気功師になり有名人になって、金儲けがしたいという目的でチベットへ行き、チベットの密教を学びたいという人が多くいます。よく考えてみてください。真の教えを得た活《い》き佛《ぼとけ》やラマ僧はみな非常に強い功能を持っています。気功を学びに来た人が頭の中で何を考えているか、その人が何のために来たのかは、一目見れば、「この人はうちのものを学んで、気功師になって金持ちになり有名人になろうとしており、この法門の佛道修行の方法を破壊しに来たのだ」とすぐ分かります。こんなに厳粛な佛を修める法門が、気功師になって名声や利益を追求するなどという目的のために、勝手に壊されてよいものだろうか？　君の動機はいったい何ですか？　というわけで、彼に絶対に教えるはずがありませんので、こういう人が真の伝えを得ることはありません。もっとも、寺院の数が多いので、表面的なものなら少しは教えてもらえるかも知れません。もし心が歪み、気功師になって悪事を働こうとすれば、憑き物を招くことがあります。憑依《ひょうい》した動物にも功がありますが、それはチベットの密教ではありません。本当にチベットへ法を求めに行く人は、向こうへ行ったら、そのまま住み着いて帰らないでしょう。このような人が本当の修煉者なのです。

奇怪なことに、現在、多くの道家功法においても灌頂が行なわれています。道家は経絡《けいらく》を重視するのに、どうして灌頂など行なうのですか？　わたしは南方で功を伝えたことがありますが、わたしの知っているかぎりでは、とりわけ広東《カントン》において、それが結構多いようです。十数種類の目茶苦茶な功法で灌頂を教えています。何をねらっているのでしょうか？　灌頂が行なわれた後、あなたはその弟子となり、それ以後は、他の功を学んではならないということです。もし他の功を学ぶと、懲罰を受けることになります。彼らがやっているのはこういうことです。それは邪道ではありませんか？　彼らが教えているのは病気治療と健康保持のためのものであり、大衆がそれを学ぶのも健康な身体を得たいからに過ぎません。それではどうしてこんなことをやるのでしょうか？　この功をやれば、他の功を練ってはならないと言う人がいますが、ではその功で人を済度して圓満成就させることができるのでしょうか？　ただ人を誤らせるだけではないでしょうか！　ところが、このようにする人は案外多いのです。

道家はこれをやらないものだったのに、灌頂などをやりだしました。最も盛んに灌頂を行なっているあの気功師の功柱がどれぐらい高いかと言えば、わたしの見たところでは、せいぜい建物の二、三階ぐらいの高さしかありません。きわめて有名な気功師でしたが、その功は気の毒なほど堕ちています。何百ないし千人以上の人が並んでいて、彼はその人たちに灌頂を行なうというのです。彼の功は限られたものであり、それ以上高くなることはありえません。あっという間に減ってしまい、無くなってしまったのに、彼は何をもって人に灌頂を行なうのでしょうか。人を騙しているだけではありませんか？　他の空間で見れば、本当に灌頂が行なわれた後では、人間の骨が頭から足まで玉《ぎょく》のように白くなります。つまり、功や高エネルギーの物質を用いて、頭から足まで身体全体を浄化するということです。あの気功師にこれができるでしょうか？　できるわけがありません。では何のためにやっているのでしょうか？　もちろん、それは宗教をやっているとは限りません。ねらいは、彼の功を学べば彼の門人《もんじん》となり、彼の講習会に出席して彼のものを学ばなければならない、ということにあります。あなたからお金を取りたい、というのがねらいです。もし、誰も彼のものを学ばなければ、お金を稼ぐことはできなくなるでしょう。

法輪大法《ファルンダーファ》の弟子は、他の佛家法門の弟子と同じように、師が何度も灌頂をしてあげているのです。しかし、あなたにはそれが分からないようにしています。もっとも功能のある人には分かるかも知れず、敏感な人はそれを感じ取れるかも知れません。寝ている時、あるいは何かをしている時に、突然、一陣の熱い流れが頭のてっぺんから下へと全身を駆け抜けていくことがあります。灌頂を行なう目的は、高い功を加えてあげることではありません。功は自分で修煉して得るものです。灌頂はそれを加持する方法の一つであり、身体を浄化し、いっそう浄めるためのものです。灌頂は何回も繰り返して行ない、各段階においてあなたの身体を整理し、浄化しなければなりません。「修は己にありて、功は師にあり」と言われているように、われわれは灌頂という形式をことさら言わないことにしています。

また、弟子入りの儀式をやる人がいます。話がこのことに及びましたので、ついでに言っておきたいのですが、多くの人がわたしに弟子入りしようとしています。われわれの現在のこの時代は封建社会の中国とは違います。ひざまずいて叩頭《こうとう》の礼をしたら、それで弟子入りしたことになるのでしょうか？　われわれはそのような形式的なことはやりません。叩頭して佛を拝み、線香を立てて、敬虔《けいけん》な心をもちさえすれば功が伸びる、と考えている人が少なくありませんが、それはおかしい考え方です。本当の煉功とは自分自身で修めることであり、いかなるものに頼み求めても役立ちません。佛を拝んだり、線香を立てたりしなくても、本当に修煉者の基準に基づいて修煉しさえすれば、佛はそれを見ただけで喜ばれます。それに対し、悪事ばかりを働いている者が線香を立てながら拝む姿を見ると、それだけで佛は気持ちが辛くなるのです。これが道理というものではありませんか？　本当の修煉は自分自身に頼らなければなりません。今日、叩頭して弟子入りをしたのに、そこを離れるやいなや、元の木阿弥になってしまう、というのでは何になるというのですか？　したがって、われわれはそのような形式的なことは全くやりません。もしかすると、あなたがそうすることによって、わたしの名誉が汚《けが》されるかも知れません！

わたしは皆さんにこんなにたくさんのものを与えました。すべての人が着実に修煉に励み、大法《ダーファ》に従って自分を厳格に律しさえすれば、わたしはみんな弟子として導きます。法輪大法《ファルンダーファ》を修煉するかぎり、あなたを弟子として扱います。あなたが修煉しないのであれば、われわれもどうすることもできません。修煉をやめて、名ばかりを残しても何の役に立つというのですか？　一期生とか、二期生とかいって、この動作を煉るだけでわれわれの弟子になれるとでも思いますか？　実際にわれわれの心性の基準に従って修煉して、はじめて健康な身体を得ることができ、はじめて本当に高次元に向上することができるのです。したがって、われわれはこのような形式はとらず、修煉しさえすれば、あなたはわれわれの一門の中の人となるのです。わたしの法身は何でも知っています。あなたが何を考えているかも全部知っています。そして、わたしの法身は何でもできます。あなたが修煉しなければ、何も面倒を見ませんが、修煉すれば、最後まで助けてくれます。

練功している者がまだ師に会ったことがないので、ある方向に向かって叩頭して拝んだ上で、数百元の金を払えば、それで結構だという功法があります。それこそまさに「自らを欺《あざむ》き、人をも欺く」ということではありませんか？　しかし、当人は大満足なのです。それ以来、その功とその師のことを擁護《ようご》するようになり、そして、他の人に学んではならないと他の人にも教えます。本当におかしな話です。また、頭を撫《な》でるといったおまじないをやっている人もいますが、彼が頭を撫でると何の効き目があるのかはまったく分かりません。

密教の看板を掲げて功を伝える者が偽物であるだけでなく、佛教の法門の名義で功を伝える者もみな偽物なのです。皆さん考えてみてください。佛教の数千年来の修煉方法には、決まった形式があります。誰かがそれに改変を加えたとすれば、それはまだ佛教であると言えるでしょうか？　修煉方法は厳《おごそ》かに佛道を修めるためのものであり、しかもきわめて玄妙なものなので、少しでも改変を加えると、直ちに混乱してしまいます。なぜかと言えば、功の演化する過程がきわめて複雑であるのに対して、人間の感覚はまったく頼りにならないものなので、感覚に頼って修煉するわけにはいきません。和尚の宗教形式そのものが修煉方法であるがために、それに改変を加えるとその一門のものではなくなります。どの法門も大覚者によって主宰され、どの法門からも多くの大覚者が修煉して成就していきましたが、誰一人として勝手にその一門の修煉方法に改変を加えようとする人はいませんでした。それなのに、取るに足らない一介の気功師が、主《しゅ》を欺いて佛道を修める法門を変えようとするなど、彼は果してどんな威徳を持っているというのですか？　もし本当に改変を加えたとしたら、それはまだその法門のものと言えますか？　偽物の気功は見分けることができるのです。

玄関設位

「玄関設位」は、また「玄関一竅《いっきょう》」とも言います。『丹経《たんけい》』、『道蔵』、『性命圭旨《せいめいけいし》』の中に、この言葉を見つけることができます。それでは、それはどういうことでしょうか？　多くの気功師ははっきり説明することができません。なぜかと言えば、一般の気功師のいる次元では、絶対にそれが見えないし、見ることも許されないからです。修煉者がそれを見ようとすれば、慧眼通の上層以上に達することが必要です。一般の気功師はこの次元に到達することができないので、それが見えるはずはありません。修煉界ではこれまでずっと、「玄関とは何か？　その一竅《いっきょう》はどこにあるのか？　それはどのように設位するのか？」などについて、議論してきました。『丹経』、『道蔵』、『性命圭旨』を読めば分かるように、それらの本はいずれも理論をめぐって述べており、実質的なものについてはまったく教えてくれません。長々と説明したあげく、結局は人を煙《けむ》に巻くだけで、はっきり説明することができません。なぜなら、実質的なものは常人に知らせてはならないからです。

ついでに、皆さんは法輪大法《ファルンダーファ》の弟子ですから忠告しておきますが、絶対にくだらない気功書を読まないようにしてください。これは上で挙げた古書ではなく、現代人の書いた偽りの気功書のことを言っているのです。めくってみてもいけません。あなたの頭の中でほんのわずかでも、「おや、この言い方には一理がある」と思えば、その途端に本の中から憑き物が飛び出して、あなたの身体に取り付いてきます。憑き物が指図《さしず》をして、人間の名利を求める心を利用して書かせたものも少なくありません。こうした偽りの気功書はやたらに多く、憑き物とか、くだらないものについて無責任に書く人も多くいます。先ほど触れた古書、またはその他の関係する古い本でも、基本的には読まない方がよいのです。一つに専念すべきであり、心を乱してはいけないからです。

ところで、わたしは中国気功協会の責任者から次のような話を聞いて、おかしくてたまりませんでした。北京のある人がよく気功講座を受講していました。あちこちで受講して、長く聞いているうちに、気功とはこんな程度のものなのだと彼は思いました。なぜかと言うと、同じ次元にいる人は同じことしか語れないからです。彼は偽気功師と同じように、気功の内容はその程度のものか！　よしそれなら自分も、と気功の本を書こうとしたのです。皆さん考えてみてください。煉功もしない人が気功の本を書いているのです。現在の気功書はほとんど互いに写し合っていまず。その人はあれこれ書いて、玄関のところまで書いてくると、筆が進まなくなりました。玄関のことを知っている人がいるでしょうか？　本物の気功師でも、はっきりそれが分かる人は限られています。そこで、彼はある偽気功師に尋ねました。彼はもとより気功が分からないので、相手が偽気功師だと分かるはずがありません。その偽気功師のほうにしても、もし彼の質問に答えられなければ、偽物だということがばれてしまうではありませんか？　そこでその偽気功師は大胆にも、玄関一竅《いっきょう》は性器の先端部にあるという、でたらめの嘘を付きました。噴き出してしまうような話ですが、笑い事にしてはいけないのは、その本がすでに出版されていることです。気功書はこれほど馬鹿げたものになっているのです。ですからそんなものを読んでも役に立ちません。読む人に害を与えるだけです。

さて玄関設位とは何でしょうか？　世間法の修煉において、中以上のレベルに達した時、つまり、世間法の高いレベルで修煉する時、人間の身体に「元嬰《げんえい》」が生まれてきます。元嬰はわれわれの言う「嬰孩《えいがい》」とは違います。嬰孩はきわめて小さく、腕白《わんぱく》でじっとしていられません。それに対し、元嬰は動かないものであり、元神が指図しないかぎり、両手で印を結び、結跏趺坐《けっかふざ》で蓮華《れんげ》座の上にじっと坐っていて動こうとしません。元嬰は丹田に生まれ、超ミクロの世界では、針先よりも小さい時からその存在が見えます。

ついでに説明しておきたいことがあります。本当の丹田は一つしかなく、人間の下腹部に位置しています。人間の体内で、会陰《えいん》のツボより上、下腹部の下にあるのがその田《でん》です。多くの功、多くの功能、多くの術類のもの、法身、元嬰、嬰孩など、数々の生命体は、いずれもこの田に生まれるものです。

昔、一部の修道者は「上丹田《じょうたんでん》」、「中丹田《ちゅうたんでん》」、「下丹田《かたんでん》」があると主張していましたが、それは間違っています。中には、それは自分の師たちが数代にわたって伝えてきたもので、本の中にもそのように書いてある、と言う人もいます。しかし、取るに足らないものは古代から存在しており、長年伝承してきたからといって、必ずしも正しいものとは限りません。世間小道《せけんしょうどう》は、昔から常人の間で伝承されてはいるものの、それによって修煉することはできず、なんの価値もありません。上丹田、中丹田、下丹田を主張する人は、丹のできる場所であればみんな丹田だと考えています。それは笑い話にもなりません。人間の意念が一ヵ所に長く集中していれば、エネルギーがそこに固まって、丹ができるようになります。信じられなければ、腕に意念を集中させてみてください。そのまま集中していれば、時間が経つと、腕に丹ができます。これを見て、丹田はいたるところにあると言う人がいますが、なおさらおかしいことです。その考え方によれば、丹ができたのだから、そこが丹田だというわけです。しかし、それは丹ではありますが、田ではありません。もし、いたるところに「丹」ができる、または「上丹、中丹、下丹」と言うならば、それはそれで構いませんが、しかし、実際に数え切れないほどの法を生み出すことのできる田は一つしかありません。人間の下腹部のあたりの田がそれです。したがって、上丹田、中丹田、下丹田のような言い方は間違っています。人間の意念が長く一ヵ所に集中すれば、そこにおのずと丹を結ぶようになるのです。

元嬰は下腹部にあるこの丹田に生まれ、徐々に大きくなります。ピンポン玉ほどの大きさに成長した時、身体の輪郭がはっきり見えるようになり、目や鼻も備わるようになります。ピンポン玉の大きさになると彼の側《そば》には、真ん丸くて小さな気泡が生まれてきます。生まれてからは元嬰と一緒に成長していきます。元嬰が四寸くらいの身長に成長した時、蓮の花びらが一枚現われてきます。元嬰が五、六寸くらいの身長に成長した時、蓮の花びらがほとんどできあがり、一重《ひとえ》の蓮の花が現われてきます。金色《こんじき》に輝く元嬰が金色の蓮華座に坐って、とても綺麗です。これがすなわち「金剛不壊《こんごうふえ》の体《からだ》」であり、佛家では「佛体」と言い、道家では「元嬰」と言います。

われわれの法門では、二つの身体を同時に修煉し、本体も転化させなければなりません。皆さんもご存じのように、佛体は常人の間で顕現するわけにはいかないものです。せいぜいのところ、形態を現わすだけで、常人の目にはその光の影が見えます。それに対して、この身体が転化された後、常人の中にいる時は、常人と同じような姿をしており、常人の目ではそれを見抜くことができません。それは同時に他の空間に出入りすることができます。元嬰が四、五寸くらいの高さに成長した時、気泡もそれぐらいの大きさになり、まるで風船のようで透明感があります。元嬰は相変らずそこに結跏趺坐《けっかふざ》をしたままで、じっとして動きません。気泡はそれぐらいの大きさになると、丹田を離れていくことになります。すでに成長したので、瓜が熟して蔓《つる》から離れるように、上昇するようになります。上昇の過程はきわめて緩やかなものではありますが、毎日それが移動しているのが見えます。徐々に、ゆっくりと上の方へ移動して上昇していきます。念入りに体験し観察すれば、その存在に気づくことができます。

気泡が人間の膻中《だんちゅう》というツボまで上昇してくると、そこにしばらく留《とど》まります。なぜなら人体の精華の多くが（心臓もここにあります）、この気泡の中で一式形成され、精華で気泡を充《み》たさなければならないからです。やがて気泡は、また続けて上昇します。それが首を通過する時は、息詰まるような感じがし、血管が締め付けられ詰まったような感じになって辛い思いをしますが、一日か二日ぐらいで治ります。この後、頭のてっぺんに到達します。われわれは通常これを「泥丸《でいがん》に上がる」と言っています。泥丸に到達したと言いますが、実はそれが大脳と同じ大きさなので、この時、頭が張るような感じがします。泥丸は人間の生命にとってきわめて大切な場所なので、これも気泡の中で精華を作らなければなりません。その後、気泡は天目の通路から外へ突き出てきますが、その時は大変辛いのです。気泡が完全に突き出てくるまで、天目が張って痛くてたまらないし、太陽というツボも破裂しそうな感じがして、目が落ち窪んでしまいます。突き出てきた後、額の前にぶらさがりますが、これが玄関設位なのです。

天目が開いた人でも、この時になると見えなくなります。なぜなら、佛道両家《ぶつどうりょうけ》の修煉においては、玄関の中のものを早く生成させるために、門を閉じてしまうからです。表には観音開きの大きな門があり、裏にも観音開きの門がありますが、いずれも閉じてしまいます。北京の天安門と同じように、両側に観音開きの門がそれぞれ二つずつあります。それを一日も早く形成させ充実させるために、きわめて特殊な場合でないかぎり、それらの門は開かないことになっています。というわけで、天目が見える人でもこの時になると見えなくなり、見せてもらえなくなるのです。ところで、なぜそこにぶらさがるのでしょうか？　われわれの身体の百脈がその場所で交差していますので、そうすれば、百脈は全部玄関を通って一回りをしてから出ていかなければなりません。目的は、玄関の中でもう少し基礎作りをして一式のものを生成させるためです。人体そのものが一つの小さな宇宙であり、それは小さな世界を形成することになるので、人体の精華は漏れなくその中で生成させなければなりません。ただし、それはただ一式の設備を形成するだけにとどまり、まだ完全にそれを運用することはできません。

奇門功法で修煉する場合、玄関は開くようになっています。その玄関は外に突き出てきた時、筒状の形をしていますが、そのうち徐々に丸くなっていきます。ですから、両側の門は開いているのです。奇門功法で修煉しているのは佛《ぶつ》でもなければ道《どう》でもないので、自分で自分を守ります。佛道両家では師がいくらでもおり、みんなが守ってくれます。自分で見る必要はなく、問題が出る恐れもありません。しかし、奇門功法の場合は、そういうわけにはいきません。彼らは自分で自分を守らなければなりませんので、見える状態を保つ必要があるわけです。ただし、その時、天目でものを見ると、まるで望遠鏡の筒を通して見ているのと同じような感じがします。一式のものが全部生成された後、約一ヵ月ほどすると、玄関は頭の中に戻っていきます。頭の中に戻った後は、玄関換位《かんい》と言います。

戻る時も、頭が張りつめるような感じがして大変辛いのです。今度は玉枕《ぎょくちん》というツボから突き出てくることになります。突き出てくる時、頭が割れんばかりの感じで、その辛さは並大抵のものではありません。ぱっと外に出てしまうと、直ちに楽になります。出てきたあと、それはきわめて深い空間にぶらさがり、きわめて深い空間にいるその身体形式に存在するのです。ですから、寝る時に当たるようなことはありません。しかし、玄関が初めて設位する時は、目の前にそれを感じることができます。それが他の空間に存在しているにもかかわらず、目の前がいつもぼんやりしていて、何かによって遮《さえぎ》られているかのようでちょっと辛いものです。玉枕というツボは大変重要な関所《せきしょ》なので、後ろでやはり一式のものを作ったあと、また戻っていきます。このように、玄関一竅《いっきょう》とは実は「一竅」、つまり一つのツボではなく、何回もその位置が変わります。玄関は泥丸に戻った後、降りはじめ、身体の中を降下し、命門《めいもん》というツボまで降りてきます。命門というツボで、また外に突き出てくることになります。

人の命門はきわめて肝心かつ主要なツボです。道家はこのようなツボのことを竅《きょう》と言い、われわれはそれを関《かん》と言っています。主要な関所なので、まるで鉄の門のようで、幾重にも重なっている鉄の門みたいなものです。皆さんがご存じのように、身体は幾重にも重なったものです。肉体の細胞はその一重の層であり、その中の分子はもう一重の層であり、原子、陽子、電子、さらに無限に小さく、小さく、小さくなっていきますと、ごく小さな微粒子にまで至るのですが、どの一つの面においても門が設けられています。だからこそ、おびただしい功能、おびただしい術類のものは、いずれもその一つ一つの門の中に閉じ込められているのです。他の功法で丹を煉る場合、丹が爆発する時、まず命門を爆発によって破らなければなりません。命門を破らなければ、功能が放出できません。このように玄関は命門というツボで一式のものを生成した後、また、戻っていきます。戻ってから、下腹部に帰る途《と》につきます。これを玄関帰位《きい》と言います。帰位した後、元の位置に戻るというわけではありません。その時、元嬰はかなり大きく成長しています。気泡は元嬰を包むようにして覆い被さり、元嬰の成長に合わせて気泡も成長していきます。道家では元嬰が六、七才くらいの子供のように成長した時、身体から離脱させます。それを元嬰出世と言います。人間の元神に支配されて、彼は外に出て活動することができるようになります。人間の身体はそこでじっとしていて動かないのですが、元神が出てきます。佛家では通常、元嬰が修煉して本人と同じくらいの大きさになった時、危険がなくなるとされています。通常、その時、人体から離れることが許され、体から抜け出してくることができます。この時、元嬰は本人と同じくらいの大きさになっていますので、覆いも大きくなります。覆いは体外にはみ出るほど大きくなりましたが、それがすなわち玄関です。元嬰がこんなに大きく成長したのですから、覆いも当然体外にはみ出てくるわけです。

皆さんは寺の佛像を見たことがあるでしょう。佛像は必ず輪の中にいます。特に絵画《かいが》において、佛像のまわりに必ず輪があって、輪の中に佛が坐っています。このような佛像はきわめて多く、特に古い寺院の絵画の佛像はみなそうです。しかし、どうして輪の中に坐っているのか、誰もそれをはっきり説明できません。実を言うと、それはほかならぬ玄関なのです。ただ、この時、それはすでに玄関とは言わず、世界と呼ばれるようになりました。かといってまだ名実ともに「世界」とは言えません。それはただ一式の設備を持っているだけに過ぎません。あたかも工場に設備があるだけで、まだ生産する能力がないのと同じで、エネルギーや原料があってはじめて生産することができます。数年ほど前に、多くの修煉者が「わたしの功は菩薩よりも高い」、「わたしの功は佛よりも高い」と話していました。それを聞いた人は、どうもあやしげな話だと思ったかも知れませんが、実際のところ、功は確かにこの世間においてきわめて高くまで修煉しなければなりません。別に何もあやしげなことではないのです。

それでは、どうして佛よりも高く修煉することができるというような情況が出現するのでしょうか？　表面的に理解してはなりません。その人の功は確かに高いのです。きわめて高い次元まで修煉して、功を開き悟りを開くようになった時、功がきわめて高いことは確かです。しかし、功を開き悟りを開く直前の瞬間になって、その人の功の八割がその人の心性の基準と共にもぎ取られてしまいます。そのエネルギーを用いてその人自身の世界を充実させるのです。皆さんもご存じのように、修煉者の功、特にその人の心性の基準も加えたものは、その人が一生において数え切れないほどの苦痛に耐えて、きわめて困難な環境の中で試練を受け、修煉することによってできあがってきたものなので、この上なく貴重なものです。これほど貴重なものの八割も出して自らの世界を充実させるのですから、将来修煉を成就した時、欲しいものは何でも手に入り、やりたいことは何でもやれるようになります。彼の世界の中には何でもあります。それは彼の威徳であり、苦しみを嘗めつくして得たものです。

彼のこのようなエネルギーは、いかなるものにも任意に変化することができます。ですから佛にとって、欲しいもの、食べたいもの、遊びたいものは何でもあります。それは当人が自分で修煉してできたものであり、すなわち佛位と言われるものです。これがなければ、修煉は成就できません。この時になれば、それを自分の世界と言うことができます。当人は残りの二割の功を持って、圓満成就して得道するのです。二割しか功が残っていないのにもかかわらず、身体に鍵がかかっておらず、あるいは身体を持たなくなり、あるいは身体を持っていても、それはすでに高エネルギーの物質によって転化されています。この時、彼は神通力を大いに顕わし、この上ない威力を発揮します。それに対し、常人の中で修煉している間は、通常鍵がかかっているので、それほど大した力はなく、功がどんなに高くても制限が加えられていたのです。しかし、この時になると、まったく違います。

第五講

法輪《ファルン》の図形

法輪大法《ファルンダーファ》のマークは法輪《ファルン》です。功能のある人には法輪《ファルン》が回っているのが見えます。われわれの小さな法輪《ファルン》バッジも同じく回っています。われわれは真・善・忍という宇宙の特性に従って修煉を指導し、宇宙の演化する原理に従って修煉しているので、われわれの修煉する功はきわめて大きいものです。ある意味では、この法輪《ファルン》図形は宇宙の縮図と言えます。佛家では十方世界を一つの宇宙概念と見なしており、四方八方、八つの方位があり、さらに上下に一本の功柱が存在しています。それが見える人もいるかも知れません。したがって、上下を加えれば、ちょうど十方世界となります。それはこの宇宙を構成し、宇宙に対する佛家の概括的な見方を代表しています。

もちろん、この宇宙にはわれわれのいる銀河系も含めて数え切れないほどの恒星系が存在しています。宇宙全体が運動しており、宇宙全体におけるすべての恒星系も運動しています。したがって、この図形の中の太極と小さな卍符《まんじふ》も回転し、法輪《ファルン》全体も回転し、真ん中の大きな卍符も回転しています。ある意味で言えば、これはわれわれの銀河系を象徴しているもので、そして、われわれは佛家に属しているものなので、図形の真ん中が佛家の符号になっています。これは表面から見た場合のことです。それぞれの物質には、みな他の空間における存在形式を持っています。

他の空間におけるその演化の過程と存在形式はきわめて豊富できわめて複雑なものです。この法輪《ファルン》図形は宇宙の縮図であり、他の各空間においても、その存在形式と演化の過程が存在しています。ですから、わたしはそれは一つの世界だと言います。

法輪《ファルン》が時計回りに回転する時、宇宙の中のエネルギーを自動的に吸収することができ、逆時計回りに回転する時、エネルギーを放出することができます。ですから、内回り（時計回り）は自分自身を済度し、外回り（逆時計回り）は他人を済度するということが、われわれの功法の特徴です。「われわれは佛家なのに、どうして太極があるのか、太極は道家のものではないか？」と尋ねる人がいます。それは、われわれの煉っている功がきわめて大きいもので、宇宙全体を煉っているのに等しいからです。考えてみてください。この宇宙には佛家と道家があり、どちらを排除しても、完全な宇宙を構成することにはならず、完全な宇宙と言うことはできません。そのため、われわれの功法には道家的な部分もあります。「それなら、道家だけでなく、他にキリスト教や儒教などもあるのではないか」と尋ねる人がいます。実を言うと、儒教はきわめて高い次元まで修煉したあと、道家に帰属することになります。それに対し、西洋の多くの宗教は高い次元まで修煉したあと、佛家に帰属することになり、佛家の体系のものとなります。結局はこの二つの体系しかありません。

それでは、なぜ太極図には上が赤で下が青のものと、上が赤で下が黒のものと二つずつあるのでしょうか？　一般には、太極が黒と白という二つの物質からなるとされており、言わば陰気と陽気なのです。これは、きわめて浅い次元の認識です。異なる空間にはそれぞれ異なる現われ方があります。最も高い次元に現われた太極がいまのような色なのです。われわれが一般に認識している道《どう》の色は、上が赤で下が黒です。例を挙げて説明すると、天目が開いた人は、肉眼で見て赤であったものが、一層だけ異なる空間で見ると緑になっており、黄金色《こがねいろ》は他の空間で見れば紫になるということに気づきます。そこにこのような差があり、つまり異なる空間において色もさまざまに変わるということです。上が赤で下が青の太極は先天大道《せんてんだいどう》のもので、それには奇門修煉の法門も含まれています。四隅にある小さな卍符は佛家のもので、真ん中のそれと同じように、いずれも佛家のものです。この法輪《ファルン》は色が鮮やかなので、われわれはそれを法輪大法《ファルンダーファ》のマークとしました。

われわれが天目からこの法輪《ファルン》を見る時、必ずしもこの色とは限らず、法輪《ファルン》の地色《じいろ》が変わることがあります。しかしその図案は変わることがありません。わたしがあなたの下腹部に植えつけた法輪《ファルン》が回転する時、天目から見れば、それは赤かも知れないし、紫かも知れないし、緑かも知れないし、あるいは無色かも知れません。赤、橙《だいだい》、黄、緑、青、藍《あい》、紫と、地色が絶えず変化しているので、あなたが見た色は別の色になるかも知れません。しかし、法輪《ファルン》の中の卍符や太極の色と図案は変わるものではありません。われわれはこの図案の地色が比較的綺麗だと思いましたので、それに決めました。功能のある人は、この空間を通して多くのものを見ることができます。

「この卍符はヒトラーのものによく似ているではないか」と、言う人がいます。言っておきますが、この符号は本来思想的なものに結びつくようなものではありません。「もし、卍符の角《かど》がこちらの方に向いていれば、ヒトラーのものになります」と、言う人がいます。問題はここにあるのではなく、この卍符はどちら側へも旋回しているのです。そして、この図案が人類社会で一般に認識されるようになったのは、二千五百年ほど前の釈迦牟尼の時代でした。それに対し、第二次世界大戦から今日までまだ数十年しか経っておらず、ヒトラーはただそれを盗用したに過ぎません。しかし、ヒトラーの色はわれわれのと違って黒で、しかも卍符の角が上に向いて立っています。あくまで法輪《ファルン》の表面形式についてお話ししましたが、法輪《ファルン》についての説明はこれぐらいにします。

さて、この卍符を、われわれ佛家では何と見ているのでしょうか？　吉祥如意《きつしようによい》だと言う人がいますが、それは常人の解釈です。卍符は佛の次元を示すもので、佛の次元に到達しなければ、それを持つことができません。菩薩と羅漢はそれを持っていません。しかし、大菩薩、四大菩薩《しだいぼさつ》はみなそれを持っています。われわれが見たところでは、それらの大菩薩は一般の佛の次元を遥かに超えており、中には如来よりも次元が高いものもあります。如来の次元を超えた佛は数え切れないほど多くいます。如来は卍符を一つしか持っていませんが、如来以上の次元に到達すれば、卍符が多くなります。如来より倍ぐらい高いのは、卍符を二つ持っています。それよりもっと高いのは、二つ、四つ、五つの卍符を持ちますが、多い場合は、身体中に卍符を持っています。頭や肩、膝などにも卍符が現われ、それが一杯になると、掌《てのひら》や指の腹、土踏まず、足指の腹などにも現われてきます。次元が絶えず向上していくにつれて、卍符がどんどん増えていきます。このように、卍符は佛の次元を示し、次元の高い佛ほど卍符を多く持っているのです。

奇門功法

佛家と道家の功法のほかに、もう一つ「奇門功法」というのがあります。彼らは「奇門修煉」と自称しています。一般常人の間では修煉功法について、中国の古代から現在に至るまで、佛家と道家の功法こそ正統な修煉方法だという認識を持っており、それを正法門《しょうほうもん》修煉と呼んでいます。これに対して奇門功法はこれまで世間に公開されたことがないために、その存在を知っている者が限られており、それも芸術作品でしか聞いたことがないというのがほとんどでした。

奇門功法は実在しますか？　実在します。わたしが修煉していた時、とりわけ後半の数年間に、三人の高いレベルに達した奇門功法の人に会い、その一門の精華を教えてもらいました。きわめて独特で、素晴らしいものでした。その功法がきわめて独特なので、修煉して得たものは非常に変わっており、一般の人には理解されません。しかも、「佛《ほとけ》に非《あら》ず、道《どう》にも非ず」という言い方をし、つまり佛《ほとけ》も修めなければ、道《どう》も修めないというのです。佛も修めなければ道も修めないというから、人々はそれを傍門左道《ぼうもんさどう》と呼んでいますが、彼らは、自分では奇門功法と言っています。傍門左道という呼び方には、貶《けな》す意味がありますが、否定的な意味はなく、つまりそれを邪法と断じているわけではないことは間違いありません。字面《じづら》から理解しても、それは邪法の意味ではありません。昔から、佛家と道家の功法は正法門の修煉と見なされています。それに対して、この功法は人々によってまだよく認識されていない間、人々はそれを傍門すなわち正門《せいもん》のわきにある門と呼びました。つまり、正法門ではないと言います。それでは、左道とは何でしょうか？

「左《さ》」は不器用の意味で、不器用な道《どう》だと言っているのです。中国の古語においては、「左《さ》」が不器用の意味を表わすことがしばしばあります。傍門左道にはそのような意味があります。

なぜ、それが邪法ではないと言えるのでしょうか？　それは、この功法も厳しく心性を要求し、宇宙の特性に従って修煉し、この宇宙の特性、宇宙の規律に反しておらず、悪事も働かないからです。それを邪法とは言えません。佛家と道家が正法《しょうぼう》とされるのは、宇宙の特性が佛家と道家の修煉方法にかなったからではなく、佛家と道家の修煉方法が宇宙の特性にかなっているからです。奇門功法の修煉も、この宇宙の特性にかなっていれば邪法ではなく、同様に正法だと言わなければなりません。なぜなら、宇宙の特性こそ正邪と善悪を量る基準にほかならないからです。奇門功法が宇宙の特性に従って修煉するからには、それも正道《しょうどう》ということになります。ただ奇門功法の要求と特徴が、佛家と道家のそれと違うだけです。奇門功法は広く弟子をとることをせず、伝授の範囲はきわめて限られています。道家は功法を伝授する場合、大勢の弟子を教えますが、本当に伝える弟子はただ一人しかいません。それに対し、佛家では広く衆生を済度することを重んじますので、誰でも修煉することができます。

一方、奇門功法は伝承上、二人の弟子をとってはならず、相当長い時間をかけて一人の弟子だけを選定し、功法を教えることになっています。ですからこの法門のものは、昔から常人に見られてはいけないものとされています。気功ブームの最中に、わたしは、この功法においても少数の人が、世間に出て功を教えているのを見たことがあります。しかし、教えているうちに、彼らはだんだんうまくいかないことに気づきました。というのは、一部のことは教えてはならないと師によって禁じられているからです。功法を広げたければ、弟子を選ぶわけにはいかなくなります。

学びに来る者は、心性の高さがまちまちです。いろんな考えをもって学びに来るので、どのような人間もいます。ですから、弟子を選んで功法を伝えるというわけにはいきません。こういうところからも分かるように、奇門功法はきわめて特殊なものであり、多くの危険を伴っているので、普及には向いていません。

佛家では佛道を修煉し、道家では真人を修煉しますが、奇門功法で修煉し成就したら何になるのか、と思う人がいるかも知れません。決まった宇宙、世界の範囲を持たない仙人になります。皆さんがご存じのように、如来佛、釈迦牟尼には娑婆《しゃば》世界があり、阿弥陀佛には極楽世界があり、薬師佛には瑠璃世界があるというように、それぞれの如来と大佛にはみな自分の世界があります。大覚者は誰もが自分の作った天国を持っており、その天国の中で、大勢の弟子が暮らしています。しかし、奇門功法の場合は、決まった宇宙範囲を持っていないために、あちらこちらをさすらう仙人になります。

邪法を練る

邪法を練るとは何のことでしょうか？　それには次のような幾つかの形式があります。まず、もっぱら邪法を練る者がいます。どんな時代にもそれを教える者がいるからです。なぜそれを教えるかと言えば、その人が常人の中での名誉、利益、金儲けなどを追求し、そういうものにこだわっているからです。当然のことながら、このような人は心性が高くないので、功を得ることができません。彼は何を得るのでしょうか？　業力です。人間の業力が大きくなった時には、一種のエネルギーを形作ることもあります。しかし彼にはなんの次元もなく、煉功者に比べることはできません。とはいえ常人よりは力があって、常人を制約することができます。というのは、そういうものもエネルギーの現われですので、密度が高い時には、人体の功能を強化するという役割を果たすことができます。ですから、昔からそういうものを教える人がいます。「悪い事をしたり人を罵ったりすれば、功が伸びる」と本人が言いますが、それは功を伸ばすのではありません。悪いことをすると、黒い物質――業力を得るから、実際は黒い物質の密度を強化するに過ぎません。この業力によって、もともと身体に持っていたわずかな功能を強化して、小さな功能を生み出すことはできますが、大したことはできません。この人たちは、悪い事をすれば功が伸びる、と考えていますので、そういう言い方をするのです。

　また「道《どう》が一尺《いっしゃく》高ければ、魔は一丈《いちじょう》高くなる」と言う人がいます。それは常人の邪説で、どんな時になっても魔は道《どう》より高くなることはありえません。人類の知っているこの宇宙は、数え切れない宇宙の中の小宇宙の一つに過ぎず、われわれはそれを宇宙と略称しています。この宇宙は、一定の久しい年代を経るたびに、宇宙的な大災難を起こします。この災難によって、宇宙の中のすべてのもの、天体も含めて、すべての生命が絶滅することになります。宇宙の運動には規律があり、われわれの今回の宇宙ではただ人類だけが悪くなったわけではありません。多くの生命体にはすでにある状況が見えていますが、現在のこの宇宙空間について言えば、遥か以前に大爆発が起きているのです。現在、天文学者にそれが見えないのは、現有する最大の望遠鏡で見ても、見える光景が十五万光年以前のことであるためです。現在の天体変化を見ようとするには、十五万光年後でなければなりません。それは気が遠くなるような先のことです。

現在、宇宙全体にすでに非常に大きな変化が発生しています。このような変化が発生する度に、宇宙の中の生命は例外なく、完全に滅びる状態に瀕します。このようなことが発生する度に、宇宙の中にそれまで存在していた特性およびその中の物質は、すべて爆発によって一掃されなければなりません。ほとんどのものはその爆発で抹消《まっしょう》されますが、しかし毎回のように、生き残りがあります。新しい宇宙がきわめて高い大覚者たちによって再建された時、その中には爆発から生き残った者がいます。大覚者たちは、自分自身の特性と基準に基づいて新しい宇宙を再建するので、前回の宇宙の特性との間に違いがあります。

爆発から生き残った者は、前回の宇宙の特性と理に従ってこの宇宙の中で動きます。新しく作られた宇宙は、新しい宇宙の特性と理に従って運行します。そこで、爆発から生き残った者は宇宙の理を妨げる魔となります。しかし、彼らはそれほど悪いものでもありません。彼らは前回の宇宙の特性に従って動いているに過ぎません。これが人々の言う天魔なのです。しかし彼らは常人を脅《おびや》かすわけでもなく、人にはまったく危害を与えず、ただ自分の理に従って行動しているだけです。昔は、こういうことは常人に知らせてはいけなかったのです。わたしに言わせれば如来の次元より遥かに高い境地の佛はいくらでもいますので、そのような魔は物の数ではありません。佛たちと比べてみれば、ごく小さい存在に過ぎません。老、病、死も一種の魔ですが、それも宇宙の特性を守るためにあるものです。

佛教では六道輪廻を説きますが、その中に阿修羅《あしゅら》のことが出てきます。それはほかでもない異なる空間にいる生物《いきもの》ですが、しかし人間の本性は備わっていません。大覚者から見ると、それはある程度の功を持っています。ここ数年来、それはある程度きわめて低級、きわめて無能なものですが、常人にとって、大変怖い存在です。それはある程度のエネルギーを持っており、常人を獣《けもの》と見なしているので、好んで人間を食べます。ここ数年来、阿修羅も世に出てきて功を教えています。それは何ほどの者でもありません。それは人間らしい姿を持っているはずがあるでしょうか？　それから学ぶと、あちらへ行って、それらの同類になるしかありません。恐ろしいことです。一部の人が練功する時、心が正しくないので、それの考え方にかなってしまい、するとそれが教えにやってきます。「一正が百邪を圧する」と言うように、求めさえしなければ、誰もあなたを動かすことができません。邪念を起こして、良くないものを追求すれば、それが助けに来て、あなたの修煉が魔道に入り込んでしまうという問題が起きます。

もう一つは、無意識に邪法を練る場合があります。無意識に邪法を練るとはどういうことでしょうか？　無知の状況の下で、邪法を練っているということです。これはよく見られることで、そういった例はいくらでもあります。先日お話ししたように、多くの人は練功する時に、正しくない考えをもっています。站椿《たんとう》をする時、手足が震え出すほど疲れているにもかかわらず、頭の中は休んでおらず、さまざまなことを考えています。「物価が上がりそうだから、少し買い溜《だ》めしておかなくちゃ。練功が終わったらすぐ買いに行こう。値上がりしたら大変だから」とか、「勤め先では今住宅を割り当てているが、俺の分はあるのだろうか？　担当者は俺と仲が悪いのだ。あいつは絶対割り当ててくれない。もし住宅が割り当てられなければ、俺は絶対喧嘩してやる……」とか、ありとあらゆる事が浮かんで来て、考えれば考えるほど怒りがつのるばかりです。先日お話ししたように、家庭のことから国の政治にまで、気に入らなくなると、抑えきれずに怒りがこみ上げてきます。

煉功するには、徳を重んじなければなりません。良いことを考えることができないにしても、悪いことは考えてはなりません。いちばん良いのは、何も考えないことです。というのは、低次元で煉功する時、基礎作りをしなければなりませんが、人間の意識活動が一定の役割を果たしているから、この基礎はきわめて重要な役割を担《にな》います。考えてみてください。功の中に何かを加えてしまいますと、練功しても良いものが得られると思いますか？　そんなものは黒いものにきまっているのではありませんか？　どれだけ多くの人が、そのような意識を持って練功しているでしょうか。どうしてあなたは長く練功しても病気が治らないのですか？　一部の人は、練功場でそれほど悪いことは考えていないものの、功能を追求したり、あれこれと雑多なものを求めたりして、さまざまな心態と強い欲望をもって練功しています。その人たちは実際は無意識のうちに邪法を練っています。しかも、それは邪法だと忠告してあげても、「俺はあの大気功師に教わっているのだ」と言って機嫌を悪くします。しかし、その大気功師は徳を重んじるようにと教えたはずですが、果してその通りにしたでしょうか？　練功する時、良くない意念ばかり加えたなら、その練功から良いものが出て来るでしょうか？　ここが問題です。これは無意識のうちに邪法を練る部類に入るもので、きわめて多く見られます。

男女双修

修煉界には男女双修という修煉方法があります。皆さんはチベット密教の修煉方法の中で、佛像の彫刻や画像の中で、男体《なんたい》が女体《にょたい》を抱《だ》いて修煉しているのをご覧になったことがあるかも知れません。男体は、時には佛の姿をしており、裸体の女性を抱いています。時には佛の変身した牛《ぎゅう》頭馬面《とうばめん》の金剛像の姿になっていることもありますが、それも裸体の女性を抱いています。どうしてこのようなことがあるのでしょうか？　まずこの問題から説明しましょう。この地球上で、儒教の影響を受けているのは中国だけではありません。数世紀前の古代では、人類全体の道徳的観念はほぼ同じでした。したがって、そのような修煉方法は、この地球固有のものではなく、他の星から伝えられてきたものです。しかし、この方法で修煉できることは確かです。この修煉方法が中国に伝えられた当時、男女双修と秘密の煉功という内容があったため、中国人に受け入れられませんでした。唐の会昌年間に漢民族地域の皇帝によって禁止されてしまいました。当時、この修煉方法は唐密と呼ばれ、漢民族の地域で伝播することが禁じられました。しかし、それはチベットという特殊な環境、特殊な地域で伝えられてきました。では、どうしてそのような方法で修煉するのでしょうか？　男女双修の目的は、陰を採って陽を補い、陽を採って陰を補い、互いに補いながら修煉し、陰と陽の均衡《きんこう》に達するためです。

周知のように、佛家だろうと、道家だろうと、とりわけ道家の陰陽学の説によれば、人体にはもともと陰と陽があります。人体に陰陽があるからこそ、さまざまな功能、元嬰、嬰孩、法身などの生命体を、修煉して得ることができます。陰と陽があるからこそ、さまざまな生命体を修煉して得ることができるのです。男身にせよ女身にせよ同じく丹田というところで生成できると言われていますが、この言い方はとても理にかなっています。道家ではよく上半身を陽、下半身を陰と見なしています。また、身体の背面を陽、前面を陰と見なしたり、身体の左側を陽、右側を陰と見なしたりすることもあります。中国では男は左、女は右という言い方がありますが、それもここから来たもので、理にかないます。人体にはもともと陰と陽があり、陰陽の相互作用によって、自ら陰と陽の均衡に達することができ、数々の生命体を生み出すことができるのです。

したがってこの点からすると、男女双修の修煉方法を採らなくても、同様にきわめて高い次元まで修煉することができるということは、明らかです。男女双修の修煉方法を採った場合には、うまく制御できなければ、魔道に陥って邪法になりかねません。きわめて高い次元で、密教が男女双修の修煉方法を採り入れようとするためには、その和尚やラマ僧が、修煉を経てきわめて高い次元に到達した者でなければなりません。その時、彼は師の指導の下でこの修煉をするわけですが、心性がきわめて高いので、邪道に入らないように制御することができます。しかし、心性が低い者は、絶対にこの方法を採用してはなりません。採用すると、間違いなく邪法に入ってしまうことになります。なぜなら、その人の心性には限りがあり、常人の境地において、欲望が取り除かれておらず、色欲の心が取り除かれていません。心性の尺度がそれくらいしかないので、用いると、間違いなく邪道に入ってしまいます。ですから、勝手に低い次元で伝えると、邪法を伝えることになると言っているのです。

近年、男女双修を伝える気功師も少なくありません。奇怪なことに、道家にも男女双修の修煉方法が現われました。それも現在ではなく、早くも唐の時代から始まっています。道家にどうして男女双修の修煉方法が現われたのでしょうか？　道家の太極学の説によれば、人体は小さな宇宙で、おのずから陰と陽があります。本当の正伝大法《しょうでんたいほう》はいずれも久しい年代を経て伝わってきたもので、勝手に改変を加え、勝手に何かを混入したりすると、その法門を乱すことになり、それによって修煉の圓満成就を妨げることになります。したがって、もともと男女双修の修煉方法を持たない功法の場合は、絶対にそれを修煉してはなりません。それを用いれば、歪みが生じ、問題が起こることになります。特にわれわれ法輪大法《ファルンダーファ》の法門には男女双修がないので、その方法は採りません。これがこの問題に対するわれわれの見解です。

性命双修

性命双修の問題はすでにお話ししました。性命双修とは、心性を修煉するほかに、同時に命《めい》も修めるということ、つまり本体を変えるということです。本体を変える過程において、人間の細胞が次第に高エネルギーの物質によって取り替えられ、その際に老衰が緩和されることになります。身体が若者の方向に少しずつ逆戻りし、少しずつ転化され、最後には、その身体が高エネルギーの物質によって完全に取り替えられた時、この人の身体は完全に別の物質の身体に転化されます。その身体はお話ししたように、五行を抜け出た、五行の中にいないものとなりますので、不壊《ふえ》の身体になります。

寺院での修煉は、ただ心性を修めるだけで、手法を重視せず命《めい》を修めることはしないで、涅槃を重んじます。釈迦牟尼の伝えた方法が涅槃です。実は、釈迦牟尼自身には奥深い大法《たいほう》があり、本体を完全に高エネルギーの物質に転化して持っていくことができたのです。しかし、この修煉方法を残すために、彼は涅槃に入ったのです。釈迦牟尼はどうしてこのように教えたのでしょうか？　それは最大限に人間の執着心を放棄させるためです。何もかも放棄して、最後には身体さえも放棄して、あらゆる心を全部無くしてしまうのです。このように、人々に最大限に放棄させるために、釈迦牟尼は涅槃の道を選びました。ですから歴代の和尚はみんな涅槃の道を歩みました。涅槃とは、和尚が死んだ後、肉身を捨てて、その元神が功を持って天国に上ったということです。

道家は命《めい》を修めることに重点を置いています。弟子を選び、衆生を広く済度することを説かず、相手にするのはきわめて良い人ばかりですので、道家は術類のものを重視し、いかに命《めい》を修めるかを重視しています。しかし、佛家という特定の修煉方法、とりわけ佛教の修煉方法においては、それを重んじるわけにはいきません。かといって一切重んじないというわけではなく、一部の奥深い佛家の大法《たいほう》でも重んじることがあります。われわれの法門もそれを重んじています。われわれ法輪大法《ファルンダーファ》の法門では、本体も要るし、元嬰も要りますが、この二つには違いがあります。元嬰も高エネルギーの物質から構成された身体ですが、それはわれわれのこの空間で勝手に顕現するわけにはいきません。この空間で長期的に常人と同じ姿を保つためには、必ず本体が必要です。したがって、本体は転化された後、その細胞が高エネルギーの物質によって取り替えられたにもかかわらず、その分子の配列順序が変化していないために、見た目では常人の身体とほとんど同じです。しかし、やはり違いがあります。つまりその身体は他の空間に出入りすることができるのです。

性命双修の功法では、見た目には実際の年齢とずいぶんかけ離れて見え、外見からは人に若い感じを与えます。先日、ある人から「先生、わたしは何才に見えますか？」と言われました。実際にはまもなく七十才になる女性でしたが、一見四十代ぐらいにしか見えません。皺《しわ》がなく、顔がつやつやして白く、白に赤みがさしていましたので、どう見ても七十才近くには見えません。われわれ法輪大法《ファルンダーファ》を修煉する人にはこのようなことが現われるのです。これは冗談ですが、若い女性はどうしても美容に気を使い、肌の色をより白くつやのあるものにしようとしますが、実は、性命双修の功法を本当に修煉すれば、おのずとそうなりますので、手入れをする必要もないことを保証します。このことについては、これ以上例を挙げないことにします。以前は、さまざまな職業で年配の人が多かったので、みんながわたしのことを若者扱いしていました。今は嬉しいことに、どの職業でも若い人が多くなりました。実は、わたしはすでに四十三才です。そろそろ五十才に近づこうというのですから、もう若くはありません。

法身

佛像にはなぜ一つの場があるのでしょうか？　多くの人はそれを解釈することができません。「佛像に場があるのは、和尚が佛像に向かって読経《どきょう》するためにできたものだ」、つまり和尚が佛像に向かって修煉することによって生じたものだ、と言う人がいます。しかし、和尚の修煉であろうと、他の誰かの修煉であろうと、そのエネルギーは不規則に散らされていき、一定の方向はとりませんから、佛堂全体の床、天井、壁などにも、全部均等な場があるはずです。どうして佛像の場だけが特に強いのでしょうか？　特に山奥やどこかの洞窟の中の佛像、あるいは岩に彫刻された佛像には、たいてい一つの場があります。その場はどうしてできたのでしょうか？　人々はあれこれと解釈しようと試みますが、いずれの解釈も意味をなしません。実は、佛像に場があるのは、その佛像に覚者の法身がいるからです。覚者の法身がそこにいるので、その佛像にエネルギーがあるわけです。

釈迦牟尼にせよ、観音菩薩にせよ、もし歴史上確かにそういう人物がいたならば、考えてみてください、彼らが修煉していた時は、彼らも煉功者ではありませんでしたか？　人間が出世間法よりさらに高い一定の次元まで修煉した後、法身が生まれることになります。法身は人間の丹田という部位で生まれ、法と功から構成され、他の空間で現われるものです。法身はその本人のきわめて大きな威力を備えていますが、法身の意識と思想は主体によって制御されています。一方、法身自身は独立した、完全な、正真正銘の個体の生命でもありますので、自分自身で独立していかなることをもなし遂げることができます。法身のやることは人の主意識のやりたいこととまったく同じです。あることは、本人がやっても、法身がやっても、同じようにやるのです。これがわれわれの言う法身です。わたしが何かをしようとする時、例えば、真に修煉する弟子のために身体を調整することなどは、みなわたしの法身が実際にやるのです。法身は常人の身体を持っておらず、他の空間で姿を現わしているからです。そして、その生命体は固定して変わらないものではなく、大きく変身したり小さく変身したりすることができます。大きく変身した時は、法身の頭の輪郭すら見えないほど大きいのですが、小さく変身した時は、細胞よりも小さいのです。

開眼《かいげん》

工場で造りあげた佛像は一つの芸術品に過ぎません。開眼《かいげん》とは、すなわち佛の法身を一体、佛像にお招きして、それから佛像を常人の中での有形の身体として祀《まつ》るということです。煉功者に敬う心があれば、修煉する時、佛像上の法身が彼を見守ったり、身の安全を守ったりして、彼のために法を護持してくれます。これが開眼の本当の目的です。正式の開眼儀式に正念《しょうねん》を発するのでなければ、あるいはきわめて高い次元の大覚者、またはきわめて高い次元で修煉し、そういう力を備えた人でなければ、それを行なうことができません。

寺院では佛像は開眼しなければならず、開眼していない佛像は御利益《ごりやく》がないと言います。現在、寺院に和尚はいますが、本当の大法師《だいほうし》はみな世の中にはいなくなりました。「文化大革命」の後、真の伝授を受けていない小僧たちが住職になり、多くのことについての伝承が途絶えてしまいました。和尚に「なぜ開眼するのですか?」と聞けば、「開眼すれば、佛像は御利益がある」と答えますが、しかし具体的にどのように御利益があるのかについては、はっきり答えられません。彼らはただ儀式を行なうだけです。佛像の中に一巻の小さな経文を入れて、紙で封をした後、それに向かって読経します。それが開眼だと言うのです。果してそれで開眼することができるのでしょうか? それは彼らがいかに読経するかによります。釈迦牟尼は正念を重んじています。自分が修煉しているその法門の世界を本当に震動させるほど、一心不乱に読経して、はじめて覚者を招くことができます。その覚者の法身の一つが佛像に降りてはじめて開眼する目的が達成されることになります。

読経しながら、「開眼した後、いくらもらえるだろうか」と考える和尚もいれば、「誰それが俺にひどいことをした」と考える和尚もいます。彼らの間でも、互いに腹を探り合って暗闘しているのです。末法の時期の現在においては、このような現象を否認するわけにもいきません。ここで佛教を批判しているわけではありませんが、末法の時期に、一部の寺院が不浄であることは事実です。彼らが頭の中でそういうことを考え、そんな良くない念をもっているようでは、どうして覚者が来てくれるでしょうか？ 開眼という目的が達成できるわけもありません。もっとも例外がないということではなく、わずかではありますが良い寺院と道観もあります。

わたしはある都市で一人の和尚を見かけました。その手は真っ黒でした。経文を佛像に詰めた後、糊《のり》で封をし、口の中でぶつぶつと呟《つぶや》いただけで、開眼を済ましたというのです。つづいてもう一体の佛像を手に取って、またぶつぶつ呟きました。佛像を一体開眼するたびに、四十元取ります。今の和尚はこういうことさえも商品化してしまい、佛像の開眼で金儲けをしているのです。わたしが見ると、開眼なんかしていません。開眼できるわけもありません。今の和尚は驚いたことにこの程度のことをしているのです。わたしがほかにもう一つ見たものは何かと言いますと、ある寺院に、居士《こじ》と思われる人がいて、佛像を開眼すると言って、一枚の鏡を持って太陽に向け、太陽の光を佛像の身体に反射させるだけで、開眼したと言うのです。ここまで馬鹿々々しい事が行なわれるようになっています！ 佛教がここまで来てしまった現在、このような現象はごく普通に見られます。

南京《ナンキン》で造られた銅の大佛像が、香港の大嶼山《だいしょさん》に立てられました。とても大きな佛像です。全世界からたくさんの和尚が来て、その佛像を開眼することになりました。その中の一人が、鏡を太陽に向けて、その光を佛像の顔に反射させるだけで開眼をしたと言うのです。あのように盛大な式典で、あのように厳かな場面で、こうした馬鹿げたことをするなど、わたしは本当に悲しく思いました！　なるほど釈迦牟尼の言うように、末法の時期になると、和尚自身も済度し難いものですから、他人を済度することはさらに難しいことです。それに、多くの和尚は自分の立場から佛経《ぶっきょう》を解釈し、また「王母《ワンム》娘娘経《ニャンニャンきょう》」のようなものさえ寺院の中に入り、佛教の経典にないものまで寺院に入りましたので、寺院の中は大変混乱して、乱脈をきわめています。言うまでもなく、本当に修煉する和尚もおり、立派な人もいます。開眼とは、実はほかでもなく覚者の法身を佛像にお招きすることで、法身が佛像に降りれば開眼したということになります。

そういうことなので、開眼されていない佛像は祀《まつ》ってはなりません。祀ったら、きわめて深刻な結果をもたらすことになります。どのような深刻な結果になるのでしょうか？　現在までに人体科学が発見したところによれば、人間の意念、大脳の思惟は一種の物質を生じさせることができます。きわめて高い次元から見れば、それは確かに物質の一種です。しかしこの物質は、現在までの研究で発見されているような脳波電流の形のものではなく、完全な大脳の形式をもったものです。普段、常人が物事を考える時に発した人脳形態のものは、エネルギーを持っていないために、発せられた後、間もなく散ってしまいます。しかし、煉功者のエネルギーはずっと長く保たれます。佛像は工場で造られた当初から思惟を持っているわけではありません。開眼されていない佛像を、寺院に持っていったからといって、開眼の目的が達成できるとは限りません。偽気功師や邪道の人に開眼を頼んだ場合、狐やイタチが佛像に乗り移ってしまうので、もっと危険です。

さて、開眼されていない佛像を拝むことは、大変危険です。どれほど危険でしょうか？　すでにお話ししたように、人類は今日のような段階まで来てしまって、すべてのものが退廃しており、社会全体、宇宙全体のすべての事が引きも切らずに退廃しています。常人の中のすべてはみな自分自身がもたらしたことです。正法《しょうぼう》を求め、正しい道を歩もうとしても、さまざまな方面から妨害されますので、難しく、佛に祈ろうとしても、どこに佛がおわしますか？　求めようとしても難しいのです。これが信じられなければ、明らかにしてあげましょう。開眼していない佛像を、最初に誰かが拝むと、大変なことになります。現在、佛を拝む人の中に、真に心の中で佛に祈って正果《しょうか》を得ようとする人がどれくらいいるでしょうか？　このような人はあまりにも少ないのです。大多数の人は何のために佛を拝むのでしょうか？　厄払《やくばら》い、厄除《やくよ》け、金儲け、といったことを求めているのです。それらは佛教の経典にあるものでしょうか？　そんなものはどこにもありません。

金を求める人が佛を拝む場合、佛像に向かって、あるいは観音菩薩像または如来佛像に向かって「どうか、金儲けができますようによろしくお願いします」と言ったとします。するとそれによって一つの完全な意念が形成されます。その意念は佛像に向かって発せられたものですから、すぐにその佛像に乗り移ってしまうのです。他の空間にあるその身体は大きく変身したり、小さく変身したりすることができますので、佛像に乗り移れば、この佛像は一つの大脳を持つようになり、思惟を持つようになります。しかし、身体はありません。他の人も拝みに行きます。拝んでいるうちに、佛像に一定のエネルギーを与えてしまいます。特に煉功者の場合はいっそう危険で、拝むと次第にエネルギーを与えるので、やがてこの佛像が有形の身体を形成するようになります。

ただし、この有形の身体は他の空間で形成されたのです。形成された後、それは他の空間にいて、宇宙の中の理を少し知っているので、人間の手助けを少しばかりすることができます。それで少しばかりの功を持つことができますが、しかし、人間を助けるには、条件と代償があります。他の空間では、それが思うままに動き、思うままに常人を操ることができます。この有形の身体は佛像の姿とそっくりなので、偽物の観音菩薩、偽物の如来佛を礼拝によって作ってしまったことになります。それは人間の礼拝によって作られたもので、佛像の姿とそっくりで、佛の姿をしています。偽物の佛、偽物の菩薩の思惟はきわめて悪質で、金を求めようとするものです。それは他の空間で生まれ、思惟を持ち、少しばかり理を知っているので、大した悪事は敢《あ》えて働こうとしないのですが、小さい悪事を行なうことがあります。人間を助ける時もあります。人間を助けなければ、まったくの邪道となり、抹殺されなければならないからです。どのように人間を助けるのでしょうか？　ある人が「佛様、お願いします。どうか、助けてください。家族が病気になりました」と拝みました。よし、助けてあげよう、と請け合い、まず賽銭箱《さいせんばこ》の中にお金を入れさせます。金が目当てです。賽銭箱の中にたくさんお金を入れれば、病気が早く治るようにしてくれます。彼には一定のエネルギーがあって、他の空間で常人を制御することができるわけです。とりわけ功のある人が拝みに行ったら、もっと危険です。その煉功者は何を求めているのでしょうか？　金を求めているのです。考えてみてください。煉功者が金を求めて、何をするのでしょうか？　家族のために厄払いを求めたり、病を治すことを求めたりすることさえも、家族への情に対する執着なのです。他人の運命を左右しようとしても、人間にはそれぞれ定められた運命があります！　もし「どうか金持ちになれますように」と言って拝むと、喜んで助けてくれます。

あなたが金を求めれば求めるほど彼は喜びます。等価交換ですので、彼もあなたから多くの物を取ることができるわけです。賽銭箱には、他の人が入れたお金がいくらでもあります。彼はあなたに得させます。どのように得させるのでしょうか？　街に出かけて財布を拾ったとか、職場で奨励金をもらったとか、とにかく何とかしてあなたにお金を得させるのです。しかし、無条件であなたを助けるわけにはいかないでしょう？「失わないものは得られず」と言われているように、彼には功がないので、あなたから功を取ったり、あるいはあなたが修煉して得た丹を取ったりします。彼はこういうものを欲しがるのです。

これらの偽物の佛は、時には非常に危険な場合があります。天目が開いた多くの人は、佛が見えたと思い込んでいます。ある人が「今日は寺にたくさんの佛が来た」とか、「この佛は何々という名前で、たくさんの佛を連れてきた」とか、「昨日来た佛たちはこれこれの様子だった」とか、「今日来た佛はこれこれの様子だった」とか、「間もなく帰って行った」とか、「また来た」などと言っていましたが、それらは何でしょうか？　ほかでもなくみなこの類いのものです。それらは本物の佛ではなく、偽物の佛です。この類いのものが相当多いのです。

もし寺院の中にこのような情況が現われれば、なお危険です。和尚がそういう偽物の佛を拝むと、その和尚が制御されることになります。「わたしを拝んでいるだろう？　はっきりと拝んでいるじゃないか！　よし、修煉したいのか？　ならば、わたしが面倒を見てあげよう。どのように修煉するかについてはわたしが教えてあげる」などと、かれらが修煉の段取りを考えてくれます。そういう形で修煉して成就したら、あなたはどこへ行くでしょうか？　かれらが面倒を見た者は、上のどの法門にも受け入れてもらえません。かれらが修煉の段取りを考えた以上、将来もかれらが面倒を見つづけることになります。それでは無駄に修煉したことになるではありませんか？　ですから、現在の人類は、修煉して正果を得ようとしても難しいと言っているのです。この現象は、かなり普遍性のあるものです。多くの人が名山や大河で佛光を見たと言っていますが、それらはほとんどこの類いのものです。かれらはエネルギーがあるので、顕現することができます。それに対し、本当の大覚者は軽々しく顕現することはしません。

昔、地上佛《ちじょうぶつ》、地上道《ちじょうどう》といわれるものは比較的少なかったのですが、しかし、今はとてもたくさんあります。かれらが悪いことをした時、上の佛がかれらを撲滅しようとします。撲滅されそうになったら、かれらは佛像に逃げ込んでしまいます。常人の理に、一般の大覚者はめったに干渉しません。次元の高い覚者ほど、常人の理を壊さず、まったく干渉しません。突然雷を落して、佛像を打ち砕いてしまうようなことをするわけにはいきません。そんなことはしません。ですから、佛像に逃げ込んでしまえば、それ以上は追求しません。このように、撲滅されそうになると、かれらにはそれが分かるので逃げてしまいます。したがって、あなたが観音菩薩を見たとしても、それは果して観音菩薩でしょうか？　あなたの見た佛は、佛なのでしょうか？　必ずしもそうとは言えないのです。

多くの人がきっと「わが家の佛像はどうすればよいのだろうか？」ということに考え及んだでしょう。そして、わたしのことを思い出した人が多くいるかも知れません。学習者の修煉を助けるために、こうすればよいということを教えましょう。わたしの本（本の中にはわたしの写真があるから）あるいはわたしの写真を持って、手に佛像を捧《ささ》げ、大蓮華《だいれんげ》手印を結び、それからわたしに祈るように「先生、どうか開眼を宜しくお願いします」と言えばよいのです。三十秒くらいで問題は解決してしまいます。よく聞いてください。これは修煉者だけに限ります。親戚や友人のために開眼してあげようと思っても、全然効きません。わたしは修煉者の面倒しか見ません。「先生の写真を親戚や友人の家に置いて、魔除けに使いたい」と言う人がいます。わたしは常人のための魔除けではありません。それは師に対する最大の不敬です。

地上佛や地上道については、もう一つの情況があります。中国の古代では、多くの人が、人が足を踏み入れない山奥で修煉していました。どうして今はいなくなったのでしょうか？　実はいなくなったのではなく、常人に分からないようにしているだけに過ぎず、少しも減っていません。これらの人はみな功能を持っています。ここ数年、これらの人がいなくなったわけではなく、みんな健在です。現在、世界中にまだ数千人いますが、わが国には比較的多く、ほとんどの人が名山や大河にいて、一部の高山《こうざん》にもいます。その人たちは功能で洞窟の入口を塞いでおり、彼らの存在は見えないのです。その人たちの修煉は比較的遅いもので、やり方はそれほど器用ではありません。彼らは修煉の核心を掴《つか》むことができません。それに対してわれわれの功法は人心を真っ直ぐに指し、宇宙の最高の特性に従って修煉し、宇宙の形式に従って修煉しているので、当然功が速やかに伸びます。修煉の法門はピラミッドの形をしており、真ん中だけが大道《だいどう》なのです。周辺の小道は、修煉しても心性が高くなるとは限りません。高い次元に到達しないうちに功を開くことがあるかも知れませんが、本当に修煉する大道と比べれば、ずいぶんかけ離れています。

彼らも、弟子をとって伝承しています。彼らの法門は高さが限られており、心性の高さもその程度しかないので、その弟子たちはせいぜいその高さに向けてしか修煉できません。周辺の小道であればあるほど、こだわりが多く、修煉方法も複雑で、核心を掴んで修煉することができないのです。修煉というのは、主に心性を修煉することですが、彼らはまだこのことが分かっておらず、苦しみに耐えさえすれば修煉できると思い込んでいます。ですから、その人たちは、非常に長い年月をかけて、何百年、何千年修煉しても、ほんのわずかしか功が伸びません。実際のところ、彼らの功は、苦しみに耐えることによって得たものではありません。ではどのようにして修得したのでしょうか？　人間は若い頃には執着心が多く、もてあまします。しかし年をとり、月日が経つにつれて、前途に希望がなくなるので、その執着心もおのずと放棄するようになり、すり減って無くなってしまうものです。これと同じような方法をそれらの小道も採っているのです。彼らは、座禅や定力、苦しみへの忍耐だけに頼って修煉していても功が伸びる、ということは分かります。しかし彼らは、自分の常人としての執着心がかなり長く苦しい年月の中で少しずつ削り取られたに過ぎないこと、それが次第に削り取られたことによってはじめて功が伸びたのだ、ということが分かりません。

これに対して、われわれはねらいを定めて、本当にその心を指摘し、その心を取り除くわけですから、修煉がきわめて速いのです。わたしは各地で、そういう人によく会いました。いずれも長年修煉している者ばかりでした。彼らは「誰もわれわれがここにいることを知らない。われわれはあなたのやることには一切邪魔はしない」と言いました。これは良いほうです。

良くない者もいます。良くない者は処理しなければなりません。例を一つ挙げましょう。わたしが初めて貴州《きしゅう》へ行って功を教えた時のことです。講習会の最中に、ある人が訪ねて来ました。「自分はなにがしという師の孫弟子だが、師は長年修煉しており、あなたに会いたがっている」と、言ってきたのです。見ると、その人は非常に良くない陰気を帯びており、顔色が非常に悪いのです。

わたしは時間がないから会わないと断わりました。すると、その師である爺さんは機嫌が悪くなって、わたしの妨害をしはじめました。毎日のように妨害をしに来ました。わたしは人と闘うことが嫌いな上、彼とは闘うまでもありません。彼が良くないものを持ってきても、わたしはそれをきれいに片付けてから、説法を続けていました。

昔、明《みん》の時代に、ある修道者がいましたが、修道する時、蛇に取り付かれてしまいました。結局この修道者は成就できずに死にましたが、蛇が修道者の身体を占有し、修行して人間の姿を持つようになりました。この蛇が修行して得た人間の姿こそ、ほかでもない、あの時訪ねてきた人の師です。彼は本性が変わらないので、また大蛇に化けてわたしの妨害をしました。あまりにもひどすぎたので、わたしはそれを手に掴んで、「化功《かこう》」というきわめて強い功を使って、その下半身を水に溶かしました。彼の上半身だけが逃げ帰りました。

ある日、貴州の法輪大法《ファルンダーファ》勉強会の責任者が、「師が会いたい」ということで、彼の孫弟子に呼ばれて行きました。彼女が洞窟の中に入ってみると、洞窟の中は真っ暗で何も見えません。一つの影がそこに坐っており、目から緑の光を放っています。その影が目を開けると、洞窟の中が明るくなり、目を閉じると洞窟の中はまた真っ暗になります。彼は方言で「李洪志がまた来られるのか。この次はわれわれは誰もこの前のようなことをしない。わしが悪かった。李洪志は人を済度するために来られた方じゃ」と話しました。「どうしてお立ちになりませんか。足はどうなさいましたか?」と孫弟子が尋ねたら、「わしはもう立ち上がれない。足を怪我したのじゃ」と答えました。どうして怪我をしたのか、と聞いたら、彼はわたしの妨害をした時の一部始終を話しました。一九九三年北京での東方健康博覧会の時、彼はまた妨害をしに来ました。この人はたびたび悪いことをし、わたしが大法《ダーファ》を伝えるのを妨げるので、わたしはとうとう彼を徹底的に始末しました。その後、彼の兄弟弟子たちがみな手を出そうとしましたが、その時、わたしが二言三言言ったら、全員震え上がりました。どういうことなのかが分かり、怖くなって、誰一人として手を出せる者はいませんでした。その人たちの中には、長年修行しているのに、まだまったくの常人である人もいます。これは開眼の話のついでに挙げた例です。

祝由科《しゅくゆうか》

祝由科《しゅくゆうか》とは何でしょうか？　修煉界では、功法を教えるにあたって、それを修煉の範疇内のものとして教えている人も多くいますが、実際は、これは修煉範疇内のものではありません。それは、秘訣や呪文や技の伝承です。お札《ふだ》を書いたり、香を焚《た》いたり、紙銭《しせん》を焼いたり、呪文を唱えたりするなどの形式をとり、それも病を治すことができますが、その治し方はとても独特なものです。一つ例を挙げましょう。誰かの顔に吹き出物ができたとします。筆に辰砂《しんしゃ》を付けて地面に円を描き、円の中に一つの十字を書きます。患者をその円の中に立たせた後、呪文を唱え始めます。それから、筆に辰砂を付けて患者の顔に円を描きます。描きながら呪文を唱えます。しばらく描いてから、吹き出物に点を打つと、呪文も唱え終り、「治った」と言うのです。触ってみると、その吹き出物は確かに小さくなり、痛みも消え、効き目があります。このような小さな病は治せますが、大きな病気の場合は、効かなくなります。腕が痛い時はどのように治すのでしょうか？　口の中で呪文を唱えながら、あなたに腕を伸ばさせます。この手の合谷《ごうこく》というツボに息を一口吹いて、その息をもう一方の手の合谷から出るようにします。すると、確かに一そよぎの風を感じます。触ってみると、痛みがだいぶ和らいでいます。そのほか、紙を焼いたり、お札を書いたり張ったりするような形式もありますが、祝由科とは、このようなことをやるものです。

道家の世間小道では、命《めい》を修めることをせずに、卦《け》をたてたり、風水を見たり、厄《やく》を払ったり、病気を治したり、といったことばかりをしています。世間小道ではよくそれらを用います。病気を治すことはできますが、用いた方法はあまり良くありません。それが何を利用して病気を治したかについては、ここでは話しませんが、きわめて低い、きわめて良くない信息をもっているので、大法《ダーファ》を修煉する人はそれを用いてはなりません。古代中国では、病気を治す方法を科目ごとに分類しました。例えば、接骨、針灸《しんきゅう》、按摩《あんま》、推拿《すいな》、点穴《てんけつ》、気功治療、薬草治療などなど、多くの科目に分けています。それぞれの病気の治療方法を一つの科と呼びますが、この祝由科は第十三科に入れられているため、正式な名前は「祝由十三科」と言います。祝由科は修煉の範疇に属するものではありません。それは修煉して得た功ではなく、術類の一種です。

第六講

走火入魔《そうかにゅうま》

修煉界には、走火入魔《そうかにゅうま》という言い方があり、大衆に与える影響も非常に大きなものがあります。特に、一部の人に大袈裟《おおげさ》に取り上げられたので、人々は怖くなって煉功できなくなっています。気功をやると走火入魔になってしまうかも知れないと聞かされ、怖くなって煉功を敬遠してしまいます。実は皆さんにはっきり言っておきますが、走火入魔など根も葉もないことです。

一部の人は、自分自身の心が歪んでいるため、憑き物を招いてしまいました。自分の主意識が自分自身を制御できなくなったのに、それが功だと思い込んでいます。身体が憑き物によって操られているので、錯乱状態になり、喚《わめ》いたり叫んだりします。周囲の人はそれを見て、煉功をやればこんなふうになるのか、と怖くてやる気になれません。多くの人はそれが功だと思っているようですが、それが煉功などと言えるのでしょうか？　それは次元の最も低い、病気治療と健康保持の状態に過ぎません。一方、それはまたとても危ないものでもあります。もしあなたがその状態に慣れ、いつまでも主意識が自分自身を制御できなければ、自分の身体が副意識、あるいは他の空間からの信息や憑き物の類いによって支配され、危険な行動をしかねないばかりでなく、修煉界に与えるダメージも計り知れません。こういうことは人間の心の歪みや、自己顕示に執着することから生まれたもので、走火入魔などではありません。一部のいわゆる気功師という人たちも、どういうわけか、走火入魔のことを口にします。本当のところ、煉功をして走火入魔になることはありません。多くの人は芸術作品か何かの武侠《ぶきょう》小説の中でこの言葉を知っているかも知れませんが、古文書《こもんじょ》や修煉の本のどこを見ても、そんなことは書かれていません。走火入魔などどうしてありえますか？　そんなことは起こるわけがありません。

一般の人が走火入魔と見ているものには、幾つかの形がありますが、先ほどお話ししたのもその一つで、自分の心が歪んでいて、いわゆる気功態を求めたり、自己顕示をしようとしたりする、さまざまな心理状態があるため、憑き物を招いてしまったのです。一部の人は直接功能を求め、あるいは偽物の気功を習ってしまったため、気功を練習すると、いつも何もかも分からなくなるまで自分の主意識を緩め、身体を人に預けてしまい、副意識あるいは他からの信息に身体を牛耳《ぎゅうじ》られてしまって、錯乱状態に陥り、わけの分からない行動をします。「ビルから飛び降りろ」と言われれば、飛び降りるし、「水に飛び込め」と言われれば、飛び込んでしまうのです。生きつづける意志がないかのように、自分の身体まで人に預けてしまいます。それは走火入魔ではなく、練功において誤って邪道に入ってしまったのであり、最初から意識的にそうしたからそうなったのです。多くの人は、煉功とは身体をふわふわさせることぐらいに勘違いしていますが、本当のところ、そんな状態で本当に煉功したら、深刻な結果を招いてしまいます。それは煉功ではなく、常人の執着心と求める心がもたらしたものです。

もう一つの状態は、煉功する時、気がどこかで塞がって行き詰まったり、頭のてっぺんにとどまってしまったりすると、人は怖くなってしまいます。人間の身体は一つの小宇宙ですので、特に道家の功法では、関を通過する時に、そういう厄介なことが起こるものです。うまく通過できなければ、気がそこにとどまってしまいます。頭のてっぺんだけではなく、他の場所でも同じように起こりますが、最も敏感な場所は頭のてっぺんです。頭のてっぺんまで上がってきた気が、下《お》りようとしても関を通過できない時は、頭が重く感じられたり、割れそうに感じたり、まるで厚い気の帽子でもかぶっているかのような感じがしたりするのです。しかし、気というものは何の制約力もなく、人に面倒なことをもたらすはずがないので、病気などを引き起こすことはありえません。気功の真相を知らない者が、神秘めかしてでたらめにしゃべったため、たいへんな混乱を招いてしまいました。気が頭のてっぺんにとどまり、下りられなければ、走火入魔に陥るのではないか、おかしくなるのではないかと思い、その結果、多くの人が恐怖を覚えてしまっています。

　気が頭のてっぺんにのぼって下りないのは、一定期間の状態に過ぎません。中には長い間、半年経っても下りない人もいますが、そんな時、本物の気功師に頼めば、気は下ろしてもらえるものです。とすれば、煉功の時、関を通過できず気を下ろせない場合、いまの次元にとどまりすぎているのではないか、もっと心性を向上させるべきではないか、と心性から原因を探すべきです！心性が本当に向上すれば、気は自然に下りてくるはずです。あなたは功の変化にばかり夢中になって、心性の変化を重んじないかも知れませんが、心性の向上がなければ、全体的な変化はありえません。気が本当に身体のどこかに詰まっていても、大したことは何も起こりません。たいていの場合は、自分が気にしているせいで、あるいはまた、気が頭のてっぺんに塞がっていれば、おかしくなるとか言う偽気功師の話を信じるから、怖くなってしまうのです。しかし、怖いと思うこと自体が、本当に面倒なことを招いてしまうかも知れません。なぜかと言いますと、怖くなれば恐怖心が生まれますが、それはほかでもない執着心ではないでしょうか？　執着心が現われれば、それを取り除かなければならないのではないでしょうか？　怖くなればなるほど、本当に病気にかかったような気がしますが、その心こそ取り除かなければならないものです。そこから教訓を学ぶことによって、あなたは恐怖心を根絶し、高まってくるのです。

煉功者はこれからの修煉においても、決して楽ではありません。多くの功が身体に現われてきますが、いずれも強烈なもので、しかも身体の中を動き回りますので、あれこれ具合が悪いと感じるかも知れません。具合が悪いと感じるのは、常に病気にかかるのを恐れているせいです。本当のところは、身体の中にそれほど強烈なものまで現われてきたのであって、現われたものはみな功や、功能ばかりで、さらに多くの生命体もあります。それらのものが動き出すと、身体が痒《かゆ》くなったり、痛くなったり、辛く感じたりするのです。その上、末梢《まっしょう》神経の感覚も敏感で、いろいろな状態が現われてきます。身体が高エネルギー物質によって取り替えられるまでは、ずっとそういう状態が続きますが、それはもともと良いことです。しかし、修煉者でありながら、いつまでも自分を常人と見なし、いつも病気ではないかと気になっているようでは、どうやって修煉できるのでしょうか？　煉功の中で劫難《ごうなん》がやってきたのに、相変わらず自分を常人と見なしているようでは、その時点で心性が常人に堕ちたと言えます。少なくともこの問題に関しては、常人の次元に堕ちてしまったのです。

真の煉功者としては、高い次元に立って物事を考えなければならず、常人の考え方で物事を考えてはいけません。病気だと思えば、本当に病気を招いてしまうかも知れません。なぜなら、病気だと思った時、あなたの心性は常人と同じ高さになったからです。煉功と本当の修煉の場合、特に先程述べた状態では、病気に至ることはありません。皆さんもご存じのように、本当に病気になった時でも、七分《しちぶ》は精神的要素によるもので、三分《さんぶ》が病気です。たいていの場合は、精神的に先に参って、重圧を背負ってしまうために、病状が急激に悪化してしまうのです。こういうことはよくあります。例を一つ挙げましょう。昔、ある人がベッドに縛《しば》り付けられて、腕を持ち上げられ、血を流してやると脅《おど》かされました。それから彼に目隠しをして、腕にちょっと傷をつけて（実際は血が全然出ていない）、そして蛇口をひねり、水の滴《したた》る音を聞かせますが、本人は、自分の血が流れているように錯覚し、しばらくすると死んでしまいました。本当は、血など流しておらず、水道の水を流しただけですが、精神的な原因がその人を死なせたのです。ですから、あなたがいつも病気のことを気にしていれば、本当に病気を招いてしまうかも知れません。なぜなら心性が常人の次元に堕ちてしまったからで、常人なら、病気になるのは当然のことです。

煉功者としてあなたがいつも病気のことが頭から離れなければ、それは、求めること、病気を求めることにほかならず、そうなると病気が本当に身体の中に侵入してきます。煉功者としては心性が高くなければなりません。いつも病気ではないかと怯《おび》える必要はありません。病気を恐れるのも執着心で、同じように修煉者に面倒なことをもたらします。修煉においては、業を消去しなければなりません。業を消去するには苦痛を伴いますので、心地よく功が伸びることはありえません！　さもなければ、修煉者の執着心をどうやって取り除けるでしょうか？　佛教の物語を一つお話ししましょう。昔、ある人が一生懸命修煉して、やっと羅漢になれるところまで成就しました。もうすぐ正果《しょうか》を得て、羅漢になれるのだと思うと、これを喜ばずにいられるでしょうか？　やっと三界《さんがい》から抜けられるのです！　しかし、喜ぶこともまた執着心で、歓喜心なのです。羅漢は無為であるべきで、心が動じてはいけません。結局その人は堕ちてしまい、それまでの修煉が無駄になってしまいました。無駄になったからやり直すしかないので、一から修煉し直し、ずいぶん苦労をして、また上がってきました。ところがその人は、今度は心の中で「喜んではいけない。喜ぶとまた堕ちてしまうから」と言って、怯えました。怯えた途端、また堕ちてしまったのです。怯えるのも執着心の一つです。

それから、精神病にかかった人のことも、よく走火入魔だと言います。わたしに精神病を治してほしいと期待している人がいます！　わたしに言わせれば、精神病は病気ではありません。それに、わたしにはそんなことをする暇もありません。どうしてでしょうか？　精神病患者には病毒がなく、身体に病変が起こっているわけでもなく、潰瘍《かいよう》もありません。わたしに言わせれば、それは病気ではないのです。精神病とは、人の主意識が弱すぎることです。どれほど弱いのでしょうか？　自分自身を制御できない人がいますが、精神病患者の主元神がほかでもないその状態にあるのです。自分の身体を制御する意志すらなく、いつもうろうとしていて、元気が出ません。そうなると、副意識や他の空間からの信息がすぐ邪魔に入ろうとします。各空間にはさまざまな次元があり、さまざまな信息が主元神の邪魔をしようとします。まして、主元神が前世に悪いことをしているかも知れないような場合には、債権者が彼の命をねらいに来ることもあります。どんなことでも起こりうるのです。精神病とはこのようなことです。どうやったら治してあげられるでしょうか？　わたしに言わせれば、本当の精神病はこのようにして生じるのです。それでは、どうしたらよいでしょうか？　元気を出すようにと言い聞かせるのも一つですが、それは非常に難しいことです。精神病院の医師が電気棒を手にして、ちょっと振って見せただけで、患者は怖くなり、でたらめを一言も言わなくなります。それはどういうわけかと言いますと、その時、感電を恐れている主意識が元気を取り戻したからです。

修煉の門に入った人の多くは、喜んで修煉を続けていこうとするものです。佛性は誰もが持っているし、修道する気持ちも誰にでもあります。ですから、いったん功を学んだら、一生修煉し続ける人が多いのです。高い次元へ修煉できるかどうか、法が得られるかどうかは別にして、とにかく求道《きゅうどう》の気持ちがあって、修煉しようとするのです。まわりの人は彼が練功していることを知っており、職場の人たちも、町内の人たちも、隣近所の人たちもみな知っています。ところが、考えてみてください。数年前までは、誰が真の修煉をしていたでしょうか？　誰もしていませんでした。本当に修煉して、はじめて人生の道が変わります。ただの常人で、単に病気治療と健康保持の目的で練功しただけなら、誰が彼の人生の道を変えてくれますか？　常人であれば、その人がいつ病気になり、いつ面倒な事に巻き込まれ、いつ精神病にかかり、あるいは死んでしまうかは、みな定められています。常人の一生はそんなものです。人によっては、はた目には公園で練功しているように見えても、実際のところは本当に修煉しているとは限りません。高い次元をめざして修煉しようと思っても、正法《しょうぼう》を得られなければ無理なことです。ただ単に高い次元をめざして修煉しようという気持ちがあるだけなら、まだ低い次元で病気治療と健康保持をやっているだけの練功者に過ぎません。こういう人の人生の道を変えてあげようとする者など誰もいないので、病気になるのは当然のことです。また徳を重んじなければ、病気も治りません。ただ練功しているからといって、どんな病気にもかからないなどというわけではありません。

人は本当に修煉をし、心性を重んじ、真に修煉して、はじめて病気を取り除くことができるのです。煉功は体操と違って、常人のものを超えているので、もっと高い次元の理と基準を持って煉功者を律しなければなりません。そこまで実行できてはじめて目標に到達することができます。しかし、多くの人はそのことさえ実行しておらず、依然常人にとどまっているので、病気になるべき時になれば避けられません。ある日、突然、脳血栓で倒れたり、あれこれの病気にかかったり、あるいは急に精神病になるかも知れません。まわりの人はみなその人が練功をやっていることを知っているので、精神病にでもなろうものなら、練功などやったから走火入魔になったとすぐ非難され、レッテルを貼られてしまいます。よく考えてみてください。そういうやり方は正しいのでしょうか？　部外者はもちろんのこと、われわれの内部の者、多くの煉功者でさえも、その本当のわけをほとんど知らないのです。もし、その人が自分の家で精神病にかかったらまだしもですが、それでもまわりの人は、練功をやったのでこうなったのだ、と決めつけるでしょう。もし、その人がたまたま練功場で精神病になったりしたら、それは大変なことになります。すぐにレッテルを貼られてしまい、剥《は》がそうと思っても剥がせないでしょう。練功をやって走火入魔になったと、新聞にも載せられてしまいます。一部の人は事実を無視して、気功を批判しています。「ほら、さっきまで元気に練功をやっていたのに、あっという間にこうなってしまった」と言うのです。常人としては、起こるべきことは必ず起こります。他の病気にかかったり、面倒なことに遭ったりするかも知れません。それらのことも一律に練功のせいにするのは、理不尽ではありませんか？　医者になったからといって、一生病気にかかることはない、などのような言い方をしていますか？　物事をそんなふうに考えていいのですか？

このように、多くの人は気功の真相も、その中の理も知らないのに、でたらめを言っています。

そして、一度何か問題が起これば、あらゆるレッテルを気功に貼ろうとします。気功が社会に普及してからまだ日が浅いのですが、多くの人は固定観念にしがみつき、どうしてもそれを認めようとせず、気功を中傷したり、排斥しようとしたりしています。どういう心理状態なのか知りませんが、気功のことを毛嫌いして、まるで気功がその人にとって何か不都合でもあるかのように、気功といえばすぐ唯心的だと決めつけたりします。気功は科学、もっと高いレベルの科学です。固定観念にとらわれた、視野の狭い人たちに、それが分からないだけです。

そのほかにもう一つ、修煉界で「気功態」と呼ぶ現象があります。気功態の人は精神がもうろうとしていますが、走火入魔ではなく、非常に理性的です。まず気功態とは何かについて説明しましょう。みなさんご存じのように、煉功には、根基のことが問われます。世界のどの国にも宗教を信仰する人がいて、中国には何千年の間ずっと佛教や道教の信仰があり、善には善の報《むく》いがあり、悪には悪の報いがあると信じられています。もちろん、信じない人もいます。特に「文化大革命」の間、それらのものはすべて迷信だと言って批判されていました。一部の人は、自分に理解できないもの、本で習ったことのないもの、現代科学で解明されていないもの、あるいはまだ認識されていないものを、一様に迷信だと決めつけてしまいます。このような人は数年前まで非常に多かったのですが、今ではわりに少なくなっています。その人たちが認めようと認めまいと、一部の現象がすでにわれわれのこの空間に紛《まぎ》れもなく現われているからです。敢えて直視しようとしない人がいても、それはすでに多くの人々によって明らかにされており、人々はいろいろと聞いたり見たりして、煉功についての様子が多少分かるようになりました。

気功と聞くと、すぐ内心で嘲笑《ちょうしょう》し、迷信だ、馬鹿げていると思うような、頑なな人がいます。

あなたが気功のさまざまな現象を聞かせると、あなたのことを、なんて愚かな者だとさげすむのです。このような人はもとより頑固ですが、根基が良くないとは限りません。根基が良ければ、煉功しようと思い立つと、天目が高い次元まで開き、功能も持つようになるかも知れません。彼は気功を信じませんが、病気にならないという保証はどこにもありません。病気にかかったら、彼は病院へ行くでしょう。西洋医学で治らなければ、漢方に行きます。漢方でも駄目で、民間の秘伝の治療法も試しつくしたあげく、最後にふと気功を思い出すかも知れません。運試しに一度気功の世話になってみようと思って、いやいやながらやってきます。根基がかなり良いので、功を始めたら速やかに向上します。そこで、どこかの師がこの人のことが気に入り、別の空間にいる高い次元の生命体がちょっと手を貸してくれます。するとその人は直ちに天目が開き、あるいは半ば悟りの状態に達するかも知れません。天目が高い次元まで開き、急に宇宙の一部の真相が見えるようになり、功能まで持つようになります。そういうことを見てしまって、その人の頭がそれを受け入れられると思いますか？　その人はどんな心理状態に陥ると思いますか？　これまで迷信だ、絶対に不可能だと思っていたこと、人が口にするだけで馬鹿にしていたことが、今紛れもなく目の前に現われており、紛れもなく体験してしまいました。そこで、頭が受け入れず、精神的なストレスが過度に大きくなり、自分の言うことも人に分かってもらえなくなります。思考の論理性は失われていませんが、ただ両方の関係を正しく対処できないだけです。彼は人類のやっていることが間違っており、あちらでのやり方がたいてい正しいということに気づきました。かといって、あちらの理に従って行動すれば、まわりの人から間違っていると言われます。人々は理解できないので、彼のことを練功をやっているがために走火入魔になったと決め付けるのです。

実は走火入魔などではありません。われわれのほとんどの人には、煉功する時にこういう現象は現われません。一部の頑なな人にしか、このような気功態は現われません。ここにいる皆さんの中に、天目が開いた人が大勢いますが、別の空間のものが確実に見えても、まったく驚くことがなく、素晴らしいと思っており、大脳もショックなどを受けたりせず、気功態が現われることもありません。気功態が現われた場合、人はきわめて理性的で、言うことは哲理に富み、論理性があります。しかし、彼の言うことはなかなか常人に信じてもらえません。彼は突如として、亡くなった誰それに会ったとか、その人は彼に何を言ったとか、言いますが、常人にそんな話が信じられますか？　そのうち彼も、そんなことは心の中にしまっておくべきで、しゃべってはいけないと分かるようになります。こうして両方の関係をうまく対処できるようになれば、良くなります。たいていの場合、このような人には功能が伴っていますが、これも走火入魔ではありません。

ほかに「真瘋《しんぷう》」というのもありますが、めったに見られないことです。ここで言う「真瘋」の「真」は、真に気が狂った意味での真ではなく、「真を修める」ための「真」という意味です。さて、どのように「真瘋」するのでしょうか？　実際は修煉者の中に十万人に一人いるかいないかなので、きわめて珍しいことです。ですから普遍性がなく、社会的な影響もありません。

「真瘋」には普通、前提条件が一つあります。それは根基がきわめて良く、しかもかなり年を取った人でなければならないということです。年を取っていると、修煉しようと思っても、もう間に合いません。根基のきわめて良い人は、多くの場合何かの使命を持って高い次元からやってきた者です。この常人社会にやってくることは誰もが怖がります。一度頭が白紙状態にされると、何もかも分からなくなります。常人の社会環境に来れば、まわりからの影響で、名誉や利益を重んじるようになり、しまいにはどんどん堕ちて行き、永遠に戻って行けなくなります。ですから、誰もが怖がって、来る勇気がないのです。しかし、やってきた者がいます。来てから常人の中で本当に駄目になりました。一生の間に少なからぬ悪いことをしたため、本当に下へ堕ちてしまいそうになりました。人が生きている間に、個人の利益のために争えば、多くの悪いことをし、たくさんの借りをつくることになります。それで堕ちてしまいそうになりますが、しかし、彼は果位を持っている者なので、師はそうさせるわけにはいきません！　どうすればよいのでしょうか？師も焦りますが、彼に修煉させる方法が見つかりません。あのような時勢では、どこに師を探しに行けばよいのでしょうか？　その人は元に戻るために修煉しなければなりません。しかしそれはそんなに容易なことでしょうか？　それに年もとっていますので、今さら修煉しようとしても間に合いません。しかもどこに性命双修の功法があるのでしょうか？

本人の根基がきわめて良く、しかもそのようなきわめて特殊な状況のもとではじめて取る方法ですが、その人を瘋癲《ふうてん》にするのです。つまり、本人の力ではもう絶対に元に戻れない、望みがなくなった状況のもとでは、彼の頭の機能を一部閉鎖してしまい、彼を瘋癲にするという方法を取るのです。例えば、人間には寒さを恐れ、汚ないものを嫌うという本能的なものがありますが、脳の機能の中の寒さを感じとる部分や、汚ないものを識別する部分を停止させてしまいます。このように一部の機能を停止させると、その人は精神に異常が見られ、本当に瘋癲になります。しかし、多くの場合、このような人は悪いことをしません。人を罵ったり殴ったりすることをしないばかりでなく、かえって良いことをしたりします。しかし、自分にはむごいことをします。寒さを感じないため、冬でも裸足で雪の中を走ったりします。単衣《ひとえ》をまとい、切れた足の大きな傷口から血が流れ出ているのに平然としています。また、汚ないということを知らないため、平気で便を食べ、尿も飲みます。以前こういう人を一人知っていましたが、カチカチに凍った馬糞《ばふん》をも美味しそうに食べ、常人が覚めた状態では耐えられないような苦しみを嘗めていました。考えてみてください。気が狂ってしまうと、どれだけ辛い体験をするのでしょう。当然のことですが、そのような人は、たいてい功能を持っており、普通年配の女性に多く見られます。昔、年配の女性の多くが纏足《てんそく》をしていましたが、にもかかわらず高さ二メートルもある塀を一飛びで越えてしまいます。家族の人は、狂った彼女に走り回られたら困ると部屋に鍵をかけますが、家族の人がいなくなると、彼女は錠《じょう》を指さすだけではずし、またもや外へ飛び出します。今度は、鎖で縛りつけますが、家族の人がいなくなった途端、彼女がちょっと身体を揺すると、鎖もはずれてしまいます。止めようとしても止められないので、彼女はさまざまな辛い体験をします。耐え難い苦しみを嘗めつくし、しかも猛烈な勢いでそれをやっていますので、彼女はそれまでの借りをあっという間に返済してしまいます。長くて三年、普通は一、二年で終わりますが、その苦しみというのはたいへんなものです。それが過ぎれば、覚めてきますが、彼女の修煉もそれで終了したので、すぐに功を開き、さまざまな神通力が現われてきます。これはきわめて、きわめて稀なことで、昔は確かにありましたが、ありふれた根基の持ち主にはそんなことをさせられません。皆さんもご存じのように、気のふれた坊主や気がふれた道士は昔は確かにいましたし、そういう話は、昔の書物にも見られます。例えば、気のふれた坊主が箒《ほうき》で秦檜《しんかい》を掃《はら》う物語や気がふれた道士の話など、そういう伝説がたくさん残っています。

われわれに言わせると、走火入魔は、まったくありえないことです。もし、誰かが本当に「火を走らせる」ことができれば、それは大したものです。口を開けば火を吹き出し、手を動かせば火を出し、タバコを吸おうと思えば、指で火をつけることができます。わたしに言わせれば、それは功能なのです！

煉功して魔を招く

煉功して魔を招くとはどういうことでしょうか？　それはつまり煉功する時に、よく妨害されるということです。煉功するのに、なぜ魔を招くことがあるのでしょうか？　人間の修煉は実に難しいもので、本当の修煉は、わたしの法身の守りがなければ、とてもできないことです。外出すると、もしかして命《いのち》にかかわることに出会うかも知れません。人間の元神は不滅なのですから、あなたは前世の社会活動で誰かに借りがあったり、誰かをいじめたり、何か悪いことをしたりしていたかも知れないため、当の相手があなたに返済を求めてくることになります。佛教では、人間が生きていることは絶え間なく連続する業の報いを受けていることにほかならないと言っています。つまり、人に借りが出来たら、返済を求められますが、返しすぎたら、今度は相手があなたに返します。子が親不孝をすれば、やがては立場が逆転されます。このように、業はぐるぐるめぐります。ところが、われわれは確かに、煉功を妨害している魔がいるのを見ています。これにはみな因縁関係が潜んでいるのであり、縁もゆかりもないのに妨害することが許されるはずはありません。

煉功して魔を招く形の最もよく見られるのは、次のような場合です。煉功しない時には、まわりの環境もわりと静かです。功を学んだらどうしてもやりたくなるものです。しかしそこで座禅を始めると、急に外が騒々しくなってきます。車のクラクションが鳴り、廊下からは足音、しゃべる声、ドアをバタンと閉める音、それから外でラジオも鳴り始め、こうして静けさが突然破られてしまいます。このように、煉功しない間は、まわりの環境もいいのですが、煉功し始めると、直ちにそんな有様になります。多くの人は、そのわけを深く考えずに、ただ不思議に思い、煉功できないのを悔《くや》しく思います。その「不思議」という思いに阻まれますが、実はそれが魔の妨害にほかならず、あなたを邪魔するように人に指図しているのです。これは最も単純な形で、修煉させないことが目的です。あなたは煉功して得道し、多くの借りを踏み倒すつもりですか？　魔はそれでは承知しません。だから修煉させるはずがありません。しかし、これもある次元での出来事に過ぎず、ある時期を過ぎれば、こういう現象の存在は許されなくなります。つまりその債務返済を乗り越えれば、それ以上の邪魔は許されないということです。なぜならわれわれ法輪《ファルン》大法《ダーファ》の修煉は、向上が速く、次元の突破も速いからです。

魔の妨害にはもう一つの形があります。皆さんもご存じのように、煉功すれば、天目が開きます。天目が開いてから家で煉功すると、恐ろしい光景、怖い顔が見える人がいます。中には、長い髪を振り乱しているものもあれば、あなたと決闘しようとするのもあり、あれこれ変なことをしてくるものすらあり、大変恐ろしいものです。時には、煉功をしていて気づいてみたら、窓の外にそういうものがいっぱい腹ばいになっていることがあり、とても怖いものです。どうしてこういうことが起きるのでしょうか？　それらはすべて魔の妨害する形です。しかし、われわれ法輪大法《ファルンダーファ》の法門ではこんなことはめったに見られません。せいぜい百人に一人ぐらいで、ほとんどの人はこのようなことに遭うことはありません。われわれの煉功にプラスにならないので、こういう形での妨害を許さないのです。一般功法による修煉の場合、こういうことは最もよく見られ、しかもかなり長いこと続きます。それが原因で、恐怖のあまり、なかなか煉功できない人もいます。夜の煉功は普通静かな所を選びますが、目の前にだしぬけに人間とも幽霊ともつかぬ得体の知れないものが現われてくるので、怖くなって、修煉をやめてしまいます。われわれ法輪大法《ファルンダーファ》の中に普通そんなことはないのですが、一部の人は非常に特殊な事情があるので、ごく稀な例外もあります。

　もう一つ、内外兼修の功法を煉る場合、つまり武術をやると同時に、内面も修めますが、このような功法は道家に多く見られます。この種の功法を学ぶと、よくある種の魔に遭います。普通の功法では遭うことがなく、内外兼修の功法や武術をやる功法に限って遭遇することがあります。それは人に武術の試合を挑《いど》まれることです。世界中に修道者が大勢いて、武術をやり、内外兼修をやっている人も少なくありません。武術をやる人も功が伸びることがあります。なぜでしょうか？　彼らが他の心、例えば名誉、利益などを求める心を捨て去れば、功が伸びることがあります。しかし、彼らの場合は闘争心がなかなか捨てられず、長く持ち続けますので、こんなことが時々起きるのです。一定の次元に達しても、まだ起きることがあります。座禅をして恍惚《こうこつ》とした状態に入ると、誰それが煉功していると分かるので、元神が身体を離れて、その人のところへ行って武術の試合を挑み、競い合い、闘い合うのです。他の空間にもこんなことが起き、やはり闘いを求め、殴り合いを挑んでくる人がいます。それに応じなければ、殺されるので、激しく闘い合うのです。寝ようと思うと、試合を挑んできますので、一晩中休むことができません。実は、その時こそ彼の闘争心を取り除く時で、それを捨てないかぎり、ずっとこんな状態が続き、何年経ってもその次元から抜け出せません。とうとう煉功もできなくなり、この物理的な身体も耐えられなくなります。精力の消耗があまりにも大きいので、下手をすると廃人になるかも知れません。内外兼修の功法では、こういう情況に遭遇することがあり、しかもかなり普遍的に見られます。われわれの内修功法には、このような情況はなく、現われるのを許しません。以上お話しした幾つかの形はいずれもよく見られるものです。

　もう一つの、魔が妨害する形は、誰でも遭うもので、われわれの法門においても同じく誰でも遭うことがあります。それはつまり色魔に遭うことです。これは非常に重大なことです。常人社会では、夫婦生活があり、それがあってはじめて人類社会が子孫を残すことができます。人類はそうして発展してきましたし、人類社会には、情というものがありますので、そういうことは常人にとって至極当然のことです。なぜなら、人間には情があります。怒ることも、喜ぶことも、愛することも、恨むことも、喜んで何かをするのも、嫌でしたくないのも、ある人について好印象をもち、悪印象をもつのも、何かをやりたいと思い、やりたくないと思うのも、すべてが情によるもので、常人とは情のために生きているものです。しかし、煉功者として、超常的な人間としては、その理で量るわけにはいかず、そこから抜け出さなければなりません。したがって、情から派生した数々の執着心に、われわれは淡泊であるべきで、最後には完全にそれを捨てなければなりません。欲も色《いろ》もみな人間の執着心で、それらはみな取り除かなければなりません。

われわれの法門では、常人の中で修煉する人に対して、和尚と尼僧になるように要求しているわけではなく、若者たちはこれからやはり所帯を持たなければなりません。それでは、どうやってこの問題に対処したらよいのでしょうか？　前にお話ししたように、われわれの法門は人心を真っ直ぐに指すもので、物質や利益の面であなたに本当に何かを失わせようとするのではありません。まったく逆に、常人の物質や利益のただ中で、あなたの心性を磨き、ほかでもないあなたの心性を本当に向上させようとするのです。その心さえ捨て去ることができれば、何もかも放棄できますので、物質的利益を捨てろと言われれば、当然捨てられます。その心を捨て去ることができなければ、何も捨てられません。修煉の本当の目的は、その心を修煉することです。寺院で修煉する場合、強制的にそれらのものを放棄させるのも、その心を取り除くためです。完全に断ち切り、考えないように強制するのは、寺院のやり方です。しかし、われわれはそのような修煉法を取らずに、物質的利益を目の前にして、淡々としていられるよう要求しますので、われわれの法門で修煉して得たものは最もしっかりしています。みんな和尚や尼僧になれと言っているわけではありません。われわれは常人の中で修煉しているので、将来われわれの功法はますます広がっていきますが、もし、法輪大法《ファルンダーファ》を修煉する者は誰もが出家していない和尚になる、みんなこうなってしまうようではいけません。われわれの煉功では、次のように要求しています。あなたが煉功していても、あなたの配偶者は煉功していないという場合、煉功が原因で離婚してしまってはいけません。つまり常人がそのことを大事に見ているのと違って、われわれはそのことに恬淡《てんたん》としていればよいのです。特に、今の世の中では性の解放などが唱えられ、ポルノが人間に悪い影響を与えています。それを大事に思っている人もいますが、われわれは煉功者としてそれに対して淡泊でなければなりません。

　高い次元から見れば、常人は社会の中で、まるで泥んこ遊びをしているようなもので、汚さも知らずに地面で泥まみれに遊んでいるのです。あなたはそのことで家庭を壊してはいけませんので、今の段階ではそれに淡泊でいて、正常で睦まじい夫婦生活を保っていればよいのです。将来、一定の次元に達したら、その次元での状態がありますが、今はこういう状態ですので、あなたにこういうふうにするよう要求します。ただし、いま社会に見られるようなあんな状態になってはいけません。それはとんでもないことです！

　この中にはもう一つの問題があります。ご存じのように、煉功者の身体はエネルギーを持っています。今ここにいる八割、九割の人は講習会から帰りますと、病気が治るばかりでなく、功も持つようになります。ですからあなたの身体に強いエネルギーを持つようになるのです。しかしあなたの所持する功は、あなたの今の心性と正比例をなすものではありません。急に引っ張ってあげましたので、あなたは一時的に功が伸びましたが、今はあなたの心性を向上させているところです。そのうちあなたは次第に追いついて来て、間違いなくこの期間中に追いついてきます。われわれはこのことを先にしてあげましたので、あなたもある程度のエネルギーを持っているわけです。正法を修煉して得たエネルギーは純正かつ慈悲に満ちたものですので、皆さんはここに坐っている間、和やかで慈悲に満ちた場と感じているでしょう。わたしはこのように修煉してきたので、このようなものを持っています。皆さんはここに坐っている間、和やかな雰囲気に包まれていますので、邪念が生じることもなく、タバコを吸うことさえ思いつきません。これからあなたも大法《ダーファ》の要求に従って修煉すれば、修煉して得た功もこれと同じものになります。あなたの功力が絶えず増強するにつれて、あなたの身体に所持する功から発散するエネルギーもかなり強くなります。たとえそれほど強くなくても、一般の人があなたの場の中に入ると、あるいはあなた自身は家にいながらにして、他人を制約することができます。家族のみんなもあなたの制約を受けるかも知れません。なぜかと言いますと、あなたが念を起こすまでもなく、この場は純正で、和やかで、慈悲に満ちた正念の場ですので、この場にいれば、人々は悪いことを考えたり、良くないことをしたりすることが容易にできません。この場はそのような作用があるのです。

先日、わたしは「佛光が普く照らせば、礼儀が圓明となる」ということをお話ししましたが、それはつまり、われわれの身体から発散されたエネルギーが、あらゆる間違った状態を正すことができるということです。したがって、この場の働きの下で、あなたがそういうことを考えないかぎり、知らずしらずのうちにあなたの配偶者も制約を受けるようになります。あなたがそんな念を起こさなければ、あなたはそんな念を起こすわけもないのですが、相手もそのことを思いつきません。しかし、絶対とは言えません。いまの環境では、テレビのスイッチを入れれば、何でも出てきますので、人は欲望をそそられやすいのです。ただ普通は、あなたはその情況の中で制約作用を発動させることができます。将来、高い次元で修煉する時になれば、わたしが教えなくても、どうすればよいかあなた自身が分かります。その時は、違う状態が現われてきますが、和やかな生活を保っていれば結構です。ですから、こういうことは大げさに考える必要はなく、あまり気になるとそれはそれでまた一種の執着心になります。夫婦の間には、色《いろ》の問題がありません。しかし欲望はあります。そこで淡々として、心理的にバランスが取れればそれでいいのです。

さて、どのような色魔に遭うことがあるのでしょうか？　定力が不足している者の場合は、夢の中に現われたり、寝ている時または座禅している時に、突如現われてきたりします。あなたが男性ならば、美女が現われ、あなたが女性ならば、心の中で愛慕《あいぼ》しているタイプの男が現われてきますが、しかも、裸の姿です。あなたの心が動じれば、すぐ漏れてしまいかねませんが、すると取り返しのつかないことになります。考えてみてください。煉功者にとって、精血の気は命《めい》を修めるためのものですので、いつまでもこのように漏らしてはいけません。それに、あなたは色欲という試練の関門を通過できなくてよいのですか？　この問題は誰でも遭うことであり、必ず遭うに違いないので、お話ししました。わたしは説法する時、きわめて強いエネルギーを出して、あなたの頭の中に注ぎ込んでいます。この会場を出たら、わたしが具体的に何を話したのか思い出せないかも知れませんが、本当に何かに遭遇した時は、あなたはわたしの今の話を思い出すでしょう。煉功者としての自覚を持っていれば、その瞬間に思い出すことができ、そして自分を抑制することができます。そうすればその関門は通過することができます。もし一回目に乗り越えられなければ、二回目は自分を制御するのが難しくなります。しかし、次のようなケースもあります。一回目は乗り越えられませんでしたが、目が覚めたあと、悔しくてたまりません。このような気持ちや状態が、強く印象に残っていれば、再びそれに遭う時には、自分自身を制御することができ、乗り越えることができます。しかし、乗り越えられなくても平気でいられる者は、今後もっと自己制御が難しくなります。絶対そうなります。

こういうことには、魔による妨害もあれば、師があなたに試練を与えるために作り出したものもあります。どちらの場合もあり、誰でもこの関門を通過しなければなりません。常人から修煉を始める第一歩がこの関門で、誰でも遭うことがあります。例を一つ挙げましょう。武漢で講習会を開いた時のことで、学習者で、三十才ぐらいの若者がいました。今のような講義を聞いて、家に帰った彼は、座禅を始めるとすぐに入定《にゅうじょう》できました。すると、片方から阿弥陀佛が現われ、片方から老子が現われました。これは彼が体験談に書いたものですが、現われてきて、ちらりと彼を見て、何も言わずに姿を消しました。今度は、観音菩薩が現われてきて、手に花瓶《かびん》を持ち、花瓶から、白い煙のようなものが立ち上ぼりました。座禅をしている彼は、それらがはっきり見えましたので、大変嬉しく思いました。しかし、その煙が急に何人かの美女に変わりました。美女はあの飛天の仙女《せんにょ》で、それはそれは美しいのです。美女たちが踊り出しましたが、その姿は、この上なく綺麗です！　彼は、ここで煉功している自分に観音様がご褒美に、美女を降ろし、飛天の仙女たちに踊りをさせているのだ、と思いました。いい気分になっていると、美女たちがぱっと裸になり、いろんなしぐさをしながら首や腰に手を回して抱き付いてきました。われわれの学習者は心性の上達が速いので、この若者もすぐ警戒しました。彼が真っ先に考えたのは、「僕は普通の人ではない。煉功者だ。法輪大法《ファルンダーファ》を修煉している僕にはこんなことをしないでほしい」ということでした。この一念が起きた途端に、さっと何もかも消えてしまいました。それらはもともと幻影だったのです。そこで、阿弥陀佛と老子が再び姿を現わしました。老子は若者を指さしながら、「孺子《じゅし》教う可《べ》し」と阿弥陀佛に微笑みながら言いました。つまり「この人は教えがいがある」という意味です。

歴史においても、あるいは高次元空間においても、人が修煉できるかどうかを判断するのに、人の欲望、特に色欲のことが重視されてきました。ですから、それらには本当に淡泊でなければなりません。一方、われわれは常人の中で修煉しているので、完全にそれを断ち切るようにと要求していわけではありません。少なくとも、現段階ではそういうことに淡泊でなければならず、これまでと同じようにしてはいけません。煉功者としてはこうしなければならないものです。煉功の時にあれこれと妨害が現われてきた場合、まず自分自身から原因を捜し、まだ何か捨てなければならないものがあるのではないかと考えるべきです。

自分の心より魔が生じること

自分の心より魔が生じるとはどんなことでしょうか？ 人間の身体はどの空間においても物質的な場を持っています。ある特殊な場の中で、宇宙のあらゆるものが影のように、あなたの空間の場に映ってきます。影とはいえ、物質的な存在です。あなたの空間の場にあるすべてのものは、あなたの大脳の意識によって支配されています。つまり、天目でものを見る時、心が動ずることなく静かに見れば、真実が見えますが、念が少しでも生じれば、見えたものはすべて幻になります。それがつまり「自分の心より生じる魔」のことで、また「心による変化《へんげ》」とも呼ばれています。修煉者としての自覚を持っておらず、自分自身を制御できない煉功者もおり、功能を求めたり、小手先の技などに執着したり、甚だしきに至っては他の空間から聞こえてくるものにさえ執着し、それを希求したりしています。こういう人こそ最も自分自身の心から魔が生じやすく、最も堕ちやすいのです。どんなに高く修煉した人でも、このことが起きると、とことんまで堕ち、完全に駄目になってしまいます。ですから、これはきわめて重大な問題です。心性の試練は、ほかのことで一度乗り越えられなくて転んでも起きあがれば修煉を続けることができますが、それと違って、心より魔が生じればもう駄目で、その人の一生が台なしになってしまいます。特に、煉功して一定の次元で天目が開いた人に、このことが起きやすいのです。それから、自分の意識がいつも他からの信息に撹乱を受けやすく、他からの信息をそのまま信じてしまう人にも、このことが起きます。このように、天目が開いた人は、さまざまなところからの信息に撹乱されやすいのです。

一つ例を挙げましょう。低い次元で修煉している時に、心が動じないことは容易なことではありません。師のことがはっきり分からない場合もあります。そんなある日、突然、背が高く、堂々とした体躯《たいく》の大仙人が訪れてきました。その大仙人が二言三言あなたのことを褒め、何かを教えてくれて、あなたがそれを受け入れたとします。するとあなたの功が乱れてしまいます。あなたはのぼせあがって、その大仙人を師と仰《あお》ぎ、彼について学ぶことになるかも知れません。しかし、その空間では、身体を大きくしたり小さくしたりすることができるけれども、彼自身も正果を得てはいないのです。目の前に現われた大仙人を見て、あなたは感激せずにはいられません！　歓喜心が起きると、彼について行ってしまうのではありませんか？　自分自身を制御できない修煉者は、済度し難いうえ、自分自身をいとも簡単に駄目にしてしまいます。天人《てんにん》はすべて神ではありますが、彼らも正果を得ておらず、同じように六道の中で輪廻するものです。あなたが勝手にその人を師と仰ぎ、彼についていって、どこへ連れていかれるのか分かりますか？　彼でさえ正果を得ていないので、あなたの修煉は無駄になるのではありませんか？　しまいにはあなたは功を乱されてしまいます。人間にとって心が動じないことは至難です。皆さんにはっきり言っておきますが、これはきわめて厳粛な問題で、将来、多くの人にこの問題が起きると思います。法はわたしが説いてお聞かせしましたが、自分を制御できるかどうかは、すべてあなた次第です。今お話ししたのは一つの状況です。他の門派《もんぱ》の覚者に会っても、心が動ずることなく、ひたすらこの一門で修煉するのです。いかなる佛《ほとけ》、いかなる道《どう》、いかなる神、いかなる魔に対しても、心が動じることがなければ、必ず成功するに違いありません。

自分の心より魔が生じる例として、また次のような状況もあります。亡くなった肉親が現われて、あなたの心を乱す場合です。これをやってほしい、あれをやってほしいとあなたに泣きついたりして、いろんなことが出てきます。あなたは心が動じないでいられますか？　それはあなたの最も可愛がっていた子、あるいは最愛の両親だったりします。亡くなった両親があれこれと頼んできて……いずれもやってはならないことばかりという時、やってしまえばあなたが駄目になります。煉功者というのはこんなにも難しいのです。佛教が乱れているとよく言われていますが、儒教的なものも佛教に混じり込んで、親孝行や子供への愛なども佛教に取り込まれています。佛教にはもともとそういう内容はありません。これはどういう意味でしょうか？　すなわち、人の本当の生命は元神なので、元神を生んでくれた母親こそあなたの本当の母親です。六道の中で輪廻する間、あなたの母親は人であるのもいれば、そうでないのもおり、数え切れないほどいます。そして、生まれ変わる度ごとにあなたがどれくらい子供を持ったのかも分かりません。誰が母親で、誰が子供なのか、死んでしまえば、お互いに誰も分からなくなりますが、造った業だけは相変わらず返さなければなりません。人間は迷いの中にあって、どうしてもそういうことにしがみつきます。亡くなった子供がどれほど可愛かったかと言って、どうしても忘れることができない人がいます。あるいは亡くなった母親がどんなにやさしかったかと言って、悲しみに暮れ、残りの人生を捨てて後を追いかねない人もいます。よく考えてみてください。それはまさにあなたを苦しめるためのものではありませんか？　そういう形で、あなたを楽に暮らさせないようにしているのです。

常人には理解できないかも知れませんが、そういうことに執着すれば、あなたはまったく修煉ができません。ですから佛教にはそのような内容がないのです。修煉したければ、人間の情を捨てなければなりません。もちろん、われわれは常人の社会の中で修煉をしているので、親孝行をするのも、子供をしつけるのも当然です。どんな環境の中でも人には親切にしなければならず、ましてや自分の身内のものの場合はなおさらです。親だろうと子供だろうと誰に対しても同じように、何事につけてまず人のことを優先に考えるならば、それはもはや私心ではなく、慈悲心によるもので、慈悲そのものです。情というのは常人のもので、常人とはほかならぬこの情のために生きているものです。

多くの人は自分自身を制御できないために、修煉を難しくしています。佛からこれこれのお告げがあったとか言う人がいます。今日は一難があるとか、不都合なことが起きるので、どうすればそれを避けられるとか、あるいは今日の宝くじの一等賞は何番で、それを引き当てるよう教えてくれるとか、およそこのように常人の社会であなたに何か得をさせようとするものはすべて魔であり、生命の危険がある時脱出方法を教えてくれるような場合は別として、それ以外はみなそうです。常人の中で得ばかりを考えて、試練に立ち向かおうとしなければ、心性の向上はありえません。常人の中で楽に暮していれば、どうやって修煉しますか？　あなたの業力はどうやって転化するのですか？　心性を向上させ、業力を転化させる環境はどこにあるのでしょうか？　皆さんはくれぐれもこれをよく覚えておいてください。魔はあなたのことを褒めてくれたりすることがあります。あなたの次元がどれほど高く、あなたがどんなに高位の大佛であり、大道士であるとか、いかに素晴らしいかなど、いろいろ言ってくれますが、すべて嘘です。本当に高い次元をめざして修煉する人は、いかなる心も捨てなければなりませんので、これらの問題に遭った時は、くれぐれも用心するようにしてください！

煉功の際に、天目が開きました。天目が開いたら開いただけの修煉の難しさがあり、天目が開いていない人には開いていないなりの修煉の難しさがあって、いずれにしても修煉は容易なことではありません。天目が開いたら、さまざまな信息に撹乱されて、自分を制御することはなかなか難しいのです。他の空間では、何もかも艶《あで》やかで、美しく、素晴らしいので、あなたの心はわずかな事にも動じかねません。心が動じると、邪魔が入り、あなたの功も乱れてしまいます。たいていそうなります。ですから自分の心から魔が生じる人は、自分自身を制御できない時に、次のような状況も現われます。たとえば、ちょっとした邪念が起きれば、大きな危険を招きかねません。ある日、この人は天目が開きました。しかもとてもはっきり見えています。そこで、彼は思いました。「この煉功場では、わたしの天目がいちばんよく開いており、もしかすると、わたしは普通の人ではないかも知れない。李先生の法輪大法《ファルンダーファ》を学べただけではなく、こんなに上達して、誰よりも優れているのだから、わたしは普通の人ではないのだ」こう考えただけですでに間違っていますが、彼はさらに続けます。「もしかしたら、わたしは佛かも知れない。自分自身を見てみたいものだ」。そう思って自分を見てみると、本当に佛の姿をしています。それはなぜでしょうか？すなわち彼の身のまわりの空間場の範囲内にある物質すべてが、彼の意識によって演化するからです。それは「心による変化《へんげ》」とも呼ばれます。

宇宙から対応してくるものは、みな彼の意識によって変化《へんげ》します。彼の空間場の範囲内にあるものはすべて彼の支配下にあり、影も物質的な存在なので、例外ではありません。彼がわたしは佛かも知れない、もしかすると、佛の身なりをしている、と思いますと、本当に佛の服装をした自分が見えます。おや、わたしは本当に佛なんだ、と嬉しくてたまりません。小さい佛ではないかも知れない、と思って見てみると、果して大きな佛だったりします。ひょっとしたら李洪志よりも高いかも知れない！　そう思って見てみると、なんと本当に李洪志よりも高く見えました。耳から聞かされる人もいます。魔が彼を妨害しようと、あなたは李洪志よりも高いとか、李洪志よりどれほど高いとか、彼に言い聞かせます。彼はそれを信じてしまいます。これからどうやって修煉するのか考えもしません。あなたは修煉したことがありますか、誰が修煉を教えてくれたのですか？　使命を持って常人社会に来た本当の佛ですら、改めて一から修煉しなければならないのです。元の功は持たせてもらえず、ただ、いまの修煉が速く進むだけです。こうして、その人にいったんこのようなことが起きると、もう自ら抜け出せずに、執着心がすぐ高じてきます。高じてくると、どんなことでも憚らずに口にします。「俺が佛なのだ。君たちはほかの人に学ばなくてよい。俺が佛なのだから、この俺が教えてやろう」。彼はそうなってしまうのです。

長春にもこのような人がいたではありませんか？　最初はなかなか良かったのですが、そのうちおかしくなったのです。自分が佛で、最後には誰よりも高いとうぬぼれますが、それというのも自分自身を制御できずに、執着心をつのらせたためにそうなったのです。なぜこんなことが起こったのでしょうか？　佛教では、何が見えても気にせずに、すべて魔の幻なので、ひたすらに入定して修煉するようにと教えています。どうして見てはいけないと教え、執着してはならないと言うのでしょうか？　こんなことが起きないようにするためです。佛教の修煉には特に修煉を強化するものもなければ、お経にもこういう問題への対処方法は書かれていません。釈迦牟尼は当時この法を教えていませんでした。自分の心より魔が生じる問題や、心による変化という問題を避けるために、修煉時に見たすべての光景を魔の幻だと言ったのです。ですから、いったん執着心が起きて、魔の幻が現われてしまいますと、人はそれから抜け出そうとしてもなかなかできません。下手をすると、その人は駄目になり、魔の道に入ってしまうかも知れません。彼は自分のことを佛だと言っている以上、すでに魔道に入っており、しまいには憑き物か何かを招いてしまうこともあり、完全に駄目になってしまいます。心も悪くなり、完全に堕ちてしまいます。こういう人は案外多いのです。いま現在、この講習会にも、うぬぼれている人がいて、ものを言う態度まで違います。自分のことをいったいなんだと思っているのですか。佛教においても、このことは強く忌避《きひ》されているのです。今お話ししたのは「自分の心より魔が生じる」ということで、それはまた心による変化《へんげ》とも呼ばれます。北京にはこのような学習者がいて、他の地域にも現われていますが、煉功者に対する大きな妨害となっています。

「先生、どうしてそういう問題を処理してくれないのですか?」と、わたしに聞く人がいます。考えてみてください。もし、修煉の道において生じる、あらゆる障害物をことごとく片付けてあげてしまったら、あなたはどうやって修煉するのでしょうか? 魔の妨害があってこそ、最後まで修煉できるかどうか、本当に道を悟れるかどうか、妨害に動ぜずにいられるかどうか、この法門を堅持《けんじ》できるかどうかがはっきり分かります。「荒波は砂を洗う」という言葉がありますが、修煉はまさにそうで、最後に残ったものこそ真の黄金《おうごん》です。こんな形の妨害でもなければ、人間の修煉はあまりにも易しすぎます。わたしから見ても易しすぎますし、まして高い次元にいる大覚者から見れば、「何をしているんだ？　それが人間を済度することなのか？」と不平に思われるに違いありません。進む道に障害物が一つもなく、一気に最後まで修煉しようとするなど、そんなものが修煉と言えましょうか？　修煉すればするほど楽になり、何も妨害するものもないようでは、お話にもならないではありませんか？　というわけで、わたしもその問題を考えています。初期段階では、このような魔をたくさん処理しましたが、いつまでもそれをやり続けるのもいけないと思っています。「あなたは人間の修煉をあまりにも易しくしすぎている。人間にはせいぜいそれぐらいの難しかなく、人と人との間のこともたかが知れている。なのにまだ、さまざまな心が捨てられていない！　迷いの中で、あなたの大法《ダーファ》そのものについて認識できるかどうかも、まだ問題なのだ！」と、わたしも大覚者たちに言われています。こういう問題があるので、妨害があり、試練があるのです。先ほどお話ししたようにこれは魔の一つの形です。本当に一人の人間を済度しようとすることは非常に難しく、人を駄目にするのは実に簡単です。心がちょっと歪んだだけで、すぐ駄目になります。

主意識を強くもつべし

人間が生まれ変わる度ごとにしてきた良くないことは、人に災いをもたらし、修煉者に業力という障碍《しょうがい》を作ってしまいました。だから生老病死というものがあります。これらは一般の業力ですが、そのほかに修煉者への影響がきわめて大きい、強烈な業力もあり、思想業《しそうごう》というのがそれです。人間は生きているかぎり、物事を考えなければなりません。しかし、常人の中で迷う人間が、名誉、利益、色欲、意地などのために生じた意識は、時間が経つにつれて、しだいにある種の強い思想業力となってしまいます。なぜならば他の空間では、すべてのものに生命があり、業も例外ではありません。人間が正法を修煉するには、業を消去しなければなりません。業を消去するとは業を滅し、転化させることです。当然のことながら、業力が承知しないため、人間には難や障碍が現われてくるのです。しかし、思想業力は直接人間の脳を妨害することができるため、師や大法《ダーファ》を罵ることを思いつかせたり、邪悪なことや人を罵る言葉を考えさせたりすることがあります。そのため、一部の修煉者はどういうことだったのかが分からないまま、自分がそう思ったのだと誤解してしまいます。また憑き物のせいだと思う人もいますが、しかしそれは憑き物によるものではなく、思想業が人間の脳に反映されたためにそうなったのです。主意識がしっかりせず、思想業に左右されたまま悪いことをする人もいますが、そうなるとその人はもうおしまいで、堕ちてしまいます。しかしほとんどの人は強い主観思想（主意識）を持って、それを排除し、それに対抗することができます。そうであれば、その人は済度できる人です。善悪の分別がつき、つまり悟性の良い人ですので、わたしの法身が手助けをして、そのような思想業の大部分を消去してあげるのです。このようなケースは比較的多く見られますが、しかしひとたび思想業が現われてきた時に、それに打ち勝つことができるかどうかは、本人次第です。動揺しない人なら、業を消すことができます。

心を正しくもつべし

心が正しくないとはどういうことでしょうか？　それはいつも煉功者としての自覚が欠けていることです。煉功者は、修煉するにあたって難に遭遇することがあります。難は人間同士の摩擦に現われるかも知れず、その時はいがみ合いや足の引っ張り合いが起きて、あなたの心性を直撃します。これはわりに多く起きることです。その他に、どんなことが起きるのでしょうか？　急に身体の調子がおかしくなったりもします。業の償いですから、いろいろな形となって現われてきます。ある時期になると、功が本当に存在するのかどうか、修煉はできるものなのか、果して高い次元へ修煉していけるだろうか、佛は本当に存在しているのか、などについて、あなた自身が紛《まぎ》らわしく思い、迷ったりすることが起きます。将来、あなたに錯覚を与えて、それらすべてが存在しておらず、みんな偽物だ、とあなたに思わせるようなことも起きるかも知れません。動揺するかどうかを試すのです。絶対動揺しないという決意があり、いざという時に本当に動揺しなければ、あなたはおのずと乗り越えることができます。なぜならあなたの心性がすでに向上しているからです。ところが、今はあなたはまだそれほど安定していないので、すぐにこのような難を出現させたら、あなたはとても悟れず、修煉もまったくできなくなります。難はあらゆる方面から現われてくるものです。

修煉する過程においては、人間はこのようにして高い次元へ修煉しなければならないのです。しかし、体調がすぐれないと、すぐ病気にかかったと思い込む人もいます。どうしても煉功者としての自覚を持たず、ちょっとしたことでも病気だと思い込み、「どうして面倒なことがこんなに多いのか？」と思ったりします。はっきり言っておきますが、多くのものはすでに消去してあげました。あなたが遭遇した難は本来よりずっと小さくなっており、もし消去してあげなかったら、今の難に遭って死んでしまったか、寝たきりになっているかも知れません。ちょっとした難に遭ったぐらいで我慢できないなど、そんな甘いことがどこで通用しますか？　例を挙げましょう。長春で講習会をした時に、根基が非常に良い人がいて、素晴らしい素材だ、とわたしも気に入っていました。そこで、速く借りを返済させ、功を開かせてあげようと思いましたので、彼に与える難をちょっと大きくしました。ある日、彼は脳血栓になったかのように、ばったり倒れてしまいました。身体が動けなくなり、手足も自由が効かなくなったように感じたので、病院に運ばれました。ところが間もなくベッドから降りられるようになりました。よく考えてみてください。脳血栓になった場合、こんなに速くベッドから降りられ、手足も動けるようになるのでしょうか？しかし、彼は逆に、法輪大法《ファルンダーファ》を学んだせいで倒れたのだ、などという言い方をしています。脳血栓がこんなに速く治るものなのか、彼はよく考えもしませんでした。仮に法輪大法《ファルンダーファ》を学んでいなければ、今日ばったり倒れたら、そのまま死んでしまうか、寝たきりになって、それこそ本当に脳血栓になってしまうかも知れないのです。

　ですから人間は済度しにくいものだと言うのです。彼にあれほど多くのことをしてあげたのに、悟らないだけでなく、逆にあんなことを言うのです。古くからの学習者で、わたしにこんなことを言う人もいました。「先生、わたしは身体のあちこちの調子がおかしくて、よく病院へ行きましたが、注射をしてもらっても、薬を飲んでも、まったく効き目がありません。どういうことでしょうか」。よくも恥ずかしげもなくわたしに言えたものです！　効かないのは当然です。もともと病気ではないのです。どうして効くでしょうか？　検査してみればよい。どこも悪いところがなく、ただ調子が悪いだけです。ある学習者は病院で注射してもらったところ、なんと注射器の針が何本も折れ、最後には薬も噴出してしまって、どうしても注射ができません。そこでやっと「そうか、わたしは煉功者だ。注射などしてはいけないのだ」と分かり、ようやく注射を中止することにしました。ですから、難に遭った時は、くれぐれもこの問題に気をつけてください。わたしが病院へ行かせないと勘違いして、病院が駄目なら気功師に診てもらおうと思う人がいます。どうしても病気だと思い込み、気功師のところへ行くのです。本当の気功師がそう簡単に見つかりますか？　もし偽気功師だったら、あなたは即座にやられて駄目になってしまいます。

その気功師が本物かどうか、あなたはどうやって見分けられるのですか？　気功師の多くはただ自称しているだけです。わたしは測定のテストを受けたことがあり、手元に科学研究機関の測定資料を持っています。しかし、多くの気功師は偽物であり、単に自称しているだけで、あちこちで人々を騙しているのです。偽気功師でも、病気を治療することができます。どうしてできるのでしょうか？　彼には何かが憑《つ》いているからで、憑き物がなければ人を騙すことさえできませんの！　その憑き物も功を出すことができ、病気を治すことができます。それもまたエネルギーなので、常人を操ることはいとも簡単です。しかしお話ししたように、憑き物が病気を治すという時に、あなたの身体に何を送っているでしょうか？　超ミクロの世界で見れば、みなその憑き物の姿です。そんな憑き物が身体に乗り移ってきたら、あなたはどうすればいいでしょうか？「神を招くのは易しいが、送り出すのは難しい」という言葉があります。常人のことをとやかく言っても仕方がありませんが、常人のままでよい人は、一時的に心地よくなればそれで結構でしょう。しかし、あなたは煉功者で、絶えず身体を浄化しなければならないのではありませんか？　そんな憑き物が乗り移ってきたら、いつになったらそれを排除できるでしょうか？　それに憑き物にも一定のエネルギーがあります。そこでこう思う人がいます。「どうして法輪《ファルン》が憑き物の進入を許すのでしょうか？　先生の法身がわれわれを守ってくださるのではないのですか？」。この宇宙には「自ら求めるものには、誰も干渉できない」という理があります。あなた自身が求め、希求していれば、誰も干渉できません。わたしの法身はあなたを止めたり、悟らせたりはしますが、いつまでもそんな状態にいると見れば、無理やり修煉させるわけにはいかず、あきらめざるを得ません。強制的に修煉させることはできないのです。理も法もはっきり教えてあげましたが、それでも自分自身を向上させようとする意欲が湧いてこないのだとすると、誰を恨むことができますか？　あなた自身が欲しがっているから、法輪《ファルン》もわたしの法身も干渉しません。これは絶対です。また、他の気功師の講義会場へ講義を聞きに行って、家に帰ったら、身体の調子が変になった人がいますが、それは当然なことです。なぜ法身があなたを守ってあげなかったのでしょうか？あなたはなぜ行ったのですか。聞きに行って、求めていたのではありませんか？　耳に入れようと思わなければ、それがどうやって耳に入ったのでしょうか？　また、自分の法輪《ファルン》まで変形させた人もいますが、はっきり言いますが、この法輪《ファルン》はあなたの命《いのち》よりも貴重なのです。それは一種の高い次元の生命体で、勝手に壊してはいけません。いま、偽気功師がたくさんいて、中にはとても有名な人もいます。この間、中国気功科学研究会の責任者に次のような話をしました。古代に、妲己《だっき》が朝廷に災いをもたらし、あの狐は相当暴れましたが、それでも今の偽物の気功には及びません。偽物の気功が中国全体に災難をもたらし、数え切れないほどの人がひどい目に遭わされています！ 見たところ健全そうですが、どれほど多くの人の身体にそういうものが付いているでしょうか？ それが発せられると、すぐ乗り移ってくるので、猖獗《しょうけつ》をきわめています。常人にはただ外観だけからではなかなかそれが分からないのです。

「今日、この気功講演会に出て、李洪志からいろいろ聞いて、気功がこんなに奥深いものだったのか！ 今度、どこかで他の気功講演会があれば、それもまた聞きに行こう」と思う人がいるかも知れません。忠告しておきますが、決して行ってはいけません。聞けば、良くないものがすぐ耳に入り込んでしまいます。一人の人間を済度するのはきわめて難しいことで、あなたの考えを直すことも難しく、あなたの身体を調整することもきわめて難しいのです。偽気功師はいくらでもおり、たとえ本当の正法伝授を受けた気功師でも、本当にきれいなのでしょうか？ 非常に狂暴な動物もおり、その気功師本人の身体には乗り移れないにしても、彼にはそれを追い払う力がありません。彼は多くのさまざまな憑き物に対抗する力は持っていません。特に彼の弟子はなおさらです。彼らの出した功には、さまざまなものが入り交じり、いろいろなものがあります。その気功師自身はまともであっても、彼の弟子はそうではなく、さまざまな憑き物がついているのです。

あなたが本当に法輪大法を修煉しようとすれば、聞きに行ってはいけません。もちろん、法輪大法を修煉するつもりがなければ、つまり何でも練りたければ、聞きに行ってかまいません。私はあなたのことに干渉しませんし、あなたは法輪大法の弟子ではありません。何か問題が起こっても、法輪大法《ファルンダーファ》のせいにしないでください。心性の基準で己を律し、大法《ダーファ》に従って修煉してはじめて本当の法輪大法《ファルンダーファ》の人になれます。ある人は、「他の気功をやっている人と付き合ってもいいですか？」と聞きました。相手はただ気功をやっているに過ぎませんが、あなたは大法《ダーファ》を修煉しているのです。この講習会を受講し終わった時点で、あなたとその人の次元の差がどれほど大きいか計り知れません。この法輪《ファルン》は、幾代もの人が修煉して形成したもので、強大な威力を持っています。もちろん、付き合いたければ、相手からどんなものも受け入れず、もらわず、ただ普通の友人として付き合うなら差し支えありません。しかし、もし相手が本当に何かに憑かれていれば、それはまずい。付き合わないほうが無難です。夫婦で違う気功をやっている場合がありますが、それはあまり問題になりません。あなたは正法を修煉しているので、一人が煉功すれば、まわりの者に恩恵を与えることになります。配偶者が邪道をやっている場合、邪道のものが憑いているかも知れないので、あなたの安全のために、配偶者の身体も浄《きよ》めてあげるのです。他の空間では、何でも浄めてあげなければなりません。家庭の環境まで浄めなければなりません。環境を浄めてあげなければ、さまざまなものに妨げられることになり、あなたはどうやって煉功できるでしょうか？

　しかし、一つだけ、わたしの法身が浄めてあげられない場合があります。ある学習者がある日、わたしの法身が家にやって来るのを見て、大喜びしました。先生の法身が来てくださったのだから、「どうぞお上がりください」と言いましたが、わたしの法身は「この部屋は大変乱れているものが多すぎる」と言い残して、帰っていきました。一般的には、他の空間の霊体が溢《あふ》れているような時には、わたしの法身はそれを整理し片付けてあげます。しかし彼の部屋にはでたらめな気功読本がいっぱい散らかっていました。彼はそれが分かりましたので、それらの本を燃やしたり、売ったりして、片付けました。そうすると、その後、わたしの法身がまた来てくれたと言うのです。これは学習者がわたしに話したことです。

人に占ってもらう人もいます。ある人はわたしにこう尋ねました。「先生、わたしは法輪大法《ファルンダーファ》を修煉していますが、『周易』や占い関係のものに興味があり、これからもそういうものを使っていいでしょうか?」。これにはこう答えましょう。あなたがもし一定のエネルギーを持っている場合には、あなたが言ったことは必ず作用するのです。そうでないことをあなたがそうだと言えば、本当にそうなってしまいます。そうなると、あなたは悪いことをしたことになります。常人はきわめて弱いもので、その人に関する信息も不安定で、変化の可能性が十分ありうるのです。あなたが口に出して言ってしまうと、ある難が本当に実在してしまうかも知れません。業力の大きい人であれば、その借りを返さなければなりません。なのに、あなたがいつも彼に良いことがあると言ってあげたりすると、業力の返済ができなくなるのではありませんか? あなたは人に害を与えていることになりはしませんか? どうしてもそういうものが捨てられなくて、執着している人がおり、いかにも大した腕があるように振舞っていますが、それは執着ではないでしょうか? しかも、あなたが本当に知っている場合でも、煉功者として自ら心性を守るためには、勝手に常人に天機を漏らしてはならない、という理があるのです。『周易』で本当かどうかをどんなに推定しても、一部のものはそもそもすでに真実ではなくなっています。常人社会では、占いというものの存在が許されます。あなたが本当に功を持っている人なら、わたしに言わせれば、本当の煉功者こそ、高い基準で自分を律しなければなりません。しかしまた、他人に頼んで占ってもらう人もいます。「僕の運勢はどうなの? 煉功はどこまで進んでいるの? 何か難はないだろうか占ってほしい」などと人に占ってもらいます。もし、占いで難が来ることが分かってしまえば、あなたはどうやって向上するのでしょうか？　煉功者の一生はすでに変えられており、手相、人相、生年月日などによるものは、身体に所持している信息などとすでに違っており、変えられていま す。人に占ってもらう時、あなたはすでに彼の言うことを信じています。でなければ、どうして占ってもらおうとするのでしょうか？　彼に言えるのは表面的なもので、以前のあなたのことで す。しかしあなたの実質はすでに変わっています。よく考えてみてください。人に見てもらった以上、それを聞き入れ、信じてしまうのではありませんか？　それによって、精神的に負担がかかってくるのではありませんか？　負担がかかると、気が気ではなくなりますが、それは執着心ではありませんか？　この執着心をどうやって取り除けばよいでしょうか？　これによって、人為的に難をまた一つ増やしただけではありませんか？　新しく生じた執着心は、よけいに多くの苦しみに耐えて、はじめて取り除くことができるのではありませんか？　一つ一つの難関に、修煉して向上していくか堕ちていくかの問題がかかっています。ただでさえ難しいのに、さらに人為的に難を作ってしまえば、どうやって乗り越えていくのでしょうか？　ほかでもないこのことによって、あなたは難や厄介なことに遭遇するかも知れません。あなたの変えられたあとの人生の道は、人に見られてはいけないものです。人がそれを見ていつどの段階に難があると教えてくれたとすれば、あなたはどうやって修煉していけるでしょうか？　ですから、絶対に見てもらってはならないのです。他の法門の誰に見てもらってもいけないばかりでなく、同じ法門の弟子に見てもらってもいけません。そもそも誰も言い当てることはできません。なぜなら、あなたの生涯はすでに変えられており、修煉するための生涯となっているからです。

「他の宗教の本や気功の本を読んでいいでしょうか？」と尋ねる人がいます。宗教の本、特に佛教の本は、いずれも人々にいかにして心性を修煉するかを教えるものです。われわれも佛家ですから、問題はないはずです。しかし一つだけ、多くの経典は、翻訳する際に、すでに一部の内容に誤りがありました。それに加えて、多くの経典の解釈は異なった次元で行なわれ、勝手な定義を与えられています。それこそ法を乱すことです。勝手に経文を解釈している人は、佛の境地からあまりにも遠く、本当の内容をまったく理解していないので、物事に対する認識も違っています。経典の内容を完全に理解することは決して容易なことではなく、自分だけで理解して悟ることは難しいのです。しかし、あなたは「わたしはどうしても経典に興味がある」と言うかも知れません。いつも経典を中心に学ぶのなら、その法門の中で修煉することになります。なぜかと言いますと、経典もその一門の功と法を合わせたもので、経典を学べば、その法門のものを学んだことになります。このような問題が絡んでいるのです。もしある経典の中に入り込んで、それに従って修煉すれば、その法門に行ってしまうかも知れないので、われわれの法門ではなくなります。修煉は、昔から「不二法門」のことが重んじられており、本当にこの法門で修煉しようとするならば、この法門の経だけにしてください。

気功の本については、修煉したければ、読まないようにと忠告しておきます。特にこの頃刊行されたものは読まないことです。『黄帝内経《こうていないけい》』とか、『性命圭旨』、あるいは『道蔵』の類いも同じです。それらの本には悪い事は書かれていませんが、さまざまな次元の信息が含まれています。それ自身が修煉方法なので、読むと、あなたに入ってしまい、乱れてしまいます。ここは一理あると思っただけで、それが出てきて、あなたの功に加えられます。別に悪いものではなくても、突然異物が加えられたら、どうやって修煉を続けることができるでしょうか？　やはり問題が起きるのではありませんか？　テレビの電子部品に異質なものを一つでも余計に取り付ければ、このテレビはどうなると思いますか？　すぐ故障してしまいます。それと同じ理屈です。それに、この頃の気功書にはインチキなものが多く、さまざまな信息が入っているのです。われわれの学習者の一人が気功書をめくってみたら、中から大蛇が一匹飛び出してきました。詳しいことは話したくありません。以上は、煉功者が自分自身に正しく対処できないことによって、災厄《さいやく》を引き起こしたこと、言い換えれば、心の歪みによって災厄を招いたことについてお話ししました。これらのことを明らかにすれば、将来問題が起こらないようにどうすればよいのか、どうやって弁別できるかを、皆さんに知ってもらうのに役に立つと思います。いまの話は、それほど厳しく言っていないように聞こえるかも知れませんが、往々にしてこの点において問題が起こり、往々にしてこのあたりで問題が起こりますので、くれぐれも注意してください。修煉はきわめて苦しく、非常に厳粛なことです。ちょっとでも油断すれば、堕ちてしまい、長い間の努力が一瞬にして台なしになるかも知れないのです。ですから心を必ず正しくもたなければなりません。

武術気功

内修の功法以外に、武術気功というのもあります。武術気功をお話しする前に、今修煉界にたくさんの気功の説があるということについて、一言強く言わなければなりません。

昨今は美術気功だの、音楽気功だの、書道気功だの、舞踊気功だのが現われてきました。何から何まで、みな気功なんでしょうか？　わたしは不思議に思いました。それは気功をかき乱している、いやかき乱しているどころか、まったく気功を踏みにじっているのです。それらの理論的根拠は何なのでしょうか？　絵を画く時、歌を歌う時、踊る時、字を書く時に、ある恍惚《こうこつ》とした状態、いわゆる気功態に入れば、気功だと言えるのですか？　そんなふうに認識してはいけません。それは気功を踏みにじるものではありませんか？　気功は間口が広く、奥行きも深い、人体修煉の学問です。恍惚とした状態だけで気功と言えるのですか？　では、恍惚としながら便所へ行くのは何になりますか？　気功を踏みにじっているのではありませんか？　間違いなく踏みにじっているのです。一昨年の「東方健康博覧会」で、書道気功とかいうものがありました。書道気功とはどんなものかと覗きに行ったら、その気功の人が筆で字を書いていて、書き終わったら、一字ずつに、掌《てのひら》から気を発しましたが、発せられた気は真っ黒でした。頭に金と名誉のことしか考えていないのに、功などありえますか？　その気もろくなものではないはずです。なのに、高い値段を付けて売っていました。しかし買う人は外国人ばかりでした。それを買った人はひどい目に遭うに違いありません。真っ黒な気など、ろくなことはありません。その人自身も顔色が黒くて、金の穴に首を突っ込んでおり、金のことしか考えていないのに、功などありえますか？　しかし、名刺には肩書きがいっぱい並べられており、国際書道気功などと書かれていました。こんなものでも気功と言えるでしょうか？

よく考えてみてください。この講習会から帰ると、八割、九割の人は病気が治っただけではなく、功、本物の功が出てくるのです。あなたの身に付いているものはすでにかなり超常的なもので、自分一人での修煉なら、一生かかってもそれは得られません。たとえ若者が今から修煉し始めたとして、一生かかっても、わたしが与えたこれらのものは得られないでしょう。しかもそれは正真正銘の明師《めいし》に教わる場合の話です。われわれは何代もの人の積み重ねによって、この法輪《ファルン》とこれらの機制を形作ってきましたが、それをいっぺんにあなたに植えつけたのです。ですから、簡単に手に入れたからといって、簡単にそれを失ったりしないように、皆さんに忠告しておきます。これは何よりも貴重なもので、どんな価値をもってしても量れないものです。この講習会から帰ると、あなたは本物の功、高エネルギーの物質を持つようになります。家に帰って字を書けば、上手か下手かは別として、それに功が入っています！　だからといって、講習会を卒業したら、みな名前に「師」をつけて、誰でも書道気功師になっていいのでしょうか？　こんなふうに物事を見てはいけません。本当に功のある人、エネルギーを持っている人は、意識的にそれを発する必要はありません。触ったものすべてにエネルギーが残り、ぴかぴかと光るのです。

ある雑誌に、書道気功講習会の記事が載っていました。どうやって教えるのかとめくってみたら、こう書かれていました。まず呼吸を整え、息を吸って、それから座禅して、丹田に意識を集中させる。十五分から三十分ぐらい座禅して、イメージで丹田の気を腕に引き上げてから、筆を執《と》り墨汁《ぼくじゅう》をつけて、それから気を筆先に運ぶ。意念がそこに達すると字を書き始める、と言うのです。これは詐欺ではありませんか？　気をどこそこに引き上げたら、何々気功というのですか？　では、ご飯を食べる前にちょっと座禅をして、箸《はし》の先に気を運んでから食べれば、それは食事気功ということになるのですか？　それなら食べたものもすべてエネルギーと言えるのですか？　こういうことが行なわれているのです。これでは気功を踏みにじっていることになります。気功が底の浅いものと見られていますが、そういうふうに見てはいけません。

ところが武術気功は、独立した気功の一門と言えます。なぜかと言いますと、それには何千年もの伝承過程があって、まとまった修煉の理論と修煉方法があるので、整ったものと見なすことができるからです。とはいえ武術気功は、内修の功法において、最も次元の低いものです。硬性気功は一種のエネルギー物質の固まりで、単に格闘のためのものです。例を一つ挙げましょう。北京のある学習者は、われわれ法輪大法《ファルンダーファ》の講習会を卒業してから、手に不思議な力がついてしまいました。ベビーカーを買いに店へ行きましたが、丈夫かどうか試そうと思ってちょっと押しただけで、ベビーカーがばらばらになってしまいました。彼は不思議に思いました。家に帰って腰掛けようと、椅子をちょっと押したら、椅子も砕けてしまいました。わたしにどういうことなのかと尋ねてきましたが、執着心を引き起こしてはいけないと思いましたので、教えてあげませんでした。それは自然な状態で、とにかくいいことだから、自然に任せて、構わないように、と言ってあげました。この功能をうまく使えば、石でも握《にぎ》った途端、粉々になります。それが硬性気功ではありませんか？　しかし、その人は別に硬性気功をやったことはなかったのです。内修の功法においてもこのような功能が普通に現われます。しかし心性の制御が難しいので、功能が現われても使わせません。特に、低い次元で修煉している間は、心性がまだ上がってきていないため、低次元で現われるこのような功能を表に出させないようにしています。時間が経つにつれて次元が向上してきたら、そんなものも用途がなくなりますので、表に出なくなります。

武術気功はどうやって練るのでしょうか？　武術気功を練るには、気を運ぶことが重んじられています。しかし初めは思い通りに気を運べません。運ぼうと思って運べるようなものではなく、なかなかうまくいかないものです。どうすればいいでしょうか？　まず、手や身体の両側の肋骨《ろっこつ》、あるいは足、すね、腕、頭などから鍛えます。どう鍛えるのでしょうか？　手や掌で木を叩いたりする人もいれば、手で石をパンパンと叩いたりする人もいます。骨がぶつかって痛くないはずがありません。ちょっと力を入れると、血も出てきます。そこまでやってみても、気は思う通りになりません。どうしましょう？　今度は力いっぱい腕を振ります。血を逆流させてしまうので、腕と手が腫れ上がってきます。本当に腫れてくるので、それから石を叩くと、骨にクッションができて直接石に当たらず、それほど痛くなくなります。練功を続けているうちに、師に教わりながら徐々に、気を運ぶことができるようになります。しかし、気を運べるだけではまだ駄目です。本当に格闘する時は、相手は待ってくれません。もちろん、気を運べるようになった時は、すでに殴られても耐えられるようになっています。かなり太い棒で殴られても、気を運ぶと膨らんでくるから、痛くないのです。しかし、気は初期の最も原始的なもので、練功が進めば、高エネルギーの物質に転化されます。高エネルギーの物質に転化された時、徐々に密度の高いエネルギーの固まりができます。その固まりは霊的なものを持っているので、功能の固まりでもあり、つまり一種の功能です。しかし、それは格闘に使われ、殴られても耐えられるためのもので、病気の治療には役立ちません。あの高エネルギー物質は別の空間にあり、この空間を通らないので、こちらの時間より速いのです。人を攻撃しようとする時は、気を運ばなくても、考えなくても、功がすでにそこに届いているのです。人から殴りかけられ、それを受けとめようとする時は、功がすでにそこに届いています。手の動きがいくら速くても、功の速さには及びません。両側の時間概念が違うからです。武術気功では、鉄砂掌《てっさしょう》、朱砂掌《しゅさしょう》、金剛腿《こんごうたい》、羅漢脚《らかんきゃく》などを鍛錬によって得ることのです。常人でも鍛えさえすれば、身につけることができるのです。

武術気功と内修の功法の最大の違いは、武術気功は運動の中で鍛えるので、気が皮膚の下を走ります。運動の中で鍛練しており、入静できないので、気は丹田に入らず、皮膚の下、筋肉の中を通っています。したがって、命《めい》を修めることもできなければ、修煉して奥深い功夫《こうふ》を得ることもありません。われわれのような内修の功法は、静《せい》の中で修煉することを要求しています。一般に内修の功法では、気が丹田に入り、下腹部に入ることを重んじ、静の中での修煉を要求し、本体の転化を求めるので、命《めい》を修めることができ、修煉してさらに高い次元まで到達することができます。

皆さんも、小説に出てくる金鐘罩《きんしょうとう》、鉄布衫《てっぷさん》、百歩穿楊《ひゃっぽせんよう》などのような功夫をお聞きになったことがあるだろうと思います。それから軽功《けいこう》を持つ人は、空を飛んだりすることができるとか、また、別の空間を自由に行き来することさえできる人もいるとか書かれていますが、そのような功夫はあるのでしょうか？　あります。間違いなくあります。しかし、常人の中にはありません。本当にこのような高い功夫を修練して得た人でも、勝手にそれを人に見せてはいけないのです。というのは、そういう功夫は、単なる武術の鍛練で得られるものではなく、完全に常人の次元を超えているので、内修の功法に従って修煉しなければいけません。心性が問われているのですから、心性を向上させ、物質的利益に淡泊でなければなりません。そういう功夫を修煉して得ることができますが、それを得た時点から、常人の中で勝手には使えなくなります。人のいないところで一人で試してみるのはかまいません。小説には、剣法の奥義書をはじめ、宝物や女のために、殺し合ったり奪い合ったりすることが書かれており、誰もがすごい力を持ち、神のように飛び回れることになっています。よく考えてみてください。本当にこのような功夫を持っている人は、実は内修の修煉によってそれを得たのではありませんか？　心性を重んじているからこそ、それを修煉して得ることができたのです。名利やさまざまな欲望にはとっくに淡白になっているのですから、人を殺すなんてありえるでしょうか？　金銭をあんなふうに大事に思うことがありえるでしょうか？　とても考えられません。あれは芸術の中の誇張に過ぎません。人間は精神的な刺激を求めているので、刺激的であればあるほどよい。作者はそれをよく心得ているので、どんどん刺激的な、興奮させるようなことを書きます。突拍子もないことを書けば書くほど喜ばれます。それが芸術の中の誇張です。本当にそういう功夫を持っている人がそんなことをするはずがありません。パフォーマンスとして人に見せびらかすことはなおさらありえないことです。

顕示心理

多くの学習者は常人の中で修煉しているため、いろいろな心が捨てられず、そうした多くの心がすでに当然なものになっていて、本人も気づきません。この顕示心理もいろいろなところに現われており、良いことをする時にさえ現われてきます。普段から自分の名誉や利益のために、ちょっとした良いことがあると、それをことさらに言いふらしては、自分がいかにすごいか、強いかを吹聴《ふいちょう》します。われわれの中にも、そういう人がいます。修煉が少し上達したとか、天目がちょっとはっきり見え始めたとか、動作が綺麗だとか、なんでも顕示しようとします。

わたしは李先生がこれこれを言ったのを聞いた、などと言いふらす人もいます。皆が聞き耳を立てて、彼を囲みます。すると彼は自分の理解で尾ひれをつけて、噂を広げます。目的は何ですか？　自己顕示にほかなりません。また、噂を広げることが好きな人もいて、互いに伝え合っては、面白おかしくしゃべっており、情報通を自慢しているかのようです。こんなにたくさん学習者がいる中でも、自分がいちばん分かっており、誰よりも自分がいちばん物知りであるかのような顔をしています。本人にとってそれはもうごく当たり前のことで、無意識にやっているかも知れません。彼の潜在意識に、ほかならぬ顕示心理というのがあるのです。でなければ、噂を流して何になるでしょうか？　それから、先生がいついつ「山に戻る」とか言っている人もいますが、わたしは別に山から出てきたわけでもないし、どうして山に戻るというのですか？　また、先生がいつ誰それに何を言ったとか、誰それに特別指導をしたとか、言う人もいます。そんなことを言い広げて何に役立ちますか？　何の役にも立ちません。その人の執着心、一種の顕示心理が、われわれにかいま見えただけです。

また、わたしにサインを求める人もいますが、目的は何でしょうか？　相変わらず常人の考えで、サインしてもらえば、記念になると思っているのでしょう。修煉をしなければ、サインをしてあげても何にもならないのです。わたしの本の一文字、一文字はみなわたしの姿かたちと法輪《ファルン》で、すべてわたしの言葉なのに、それでもサインをもらおうとするのですか。サインをもらうと、先生からの信息が自分を守ってくれると思っている人もいるでしょう。まだ信息などにこだわっているのです。われわれは信息などを言いません。この本はもういかなる価値でも量れないものです。

まだほかに何を求めようとするのですか。こういうことはすべてそういった心から出てきたものです。一部の人はわたしのまわりで仕事をする学習者たちを見て、良いものか悪いものかの区別もせずに、その話しぶりや立ち居振舞いの真似をしています。本当はどこの誰であろうと、法は一つしかなく、この大法《ダーファ》に従っているかどうかが、本当の基準です。わたしのまわりの人は特別な指導など受けていません。彼らは研究会の係り員に過ぎず、みんなと同じですので、そういう心をもたないようにしてほしいのです。そういう心をもつと、あなたは知らないうちに大法《ダーファ》を破壊する役割を果たすことになります。人の耳目《じもく》をそばだたせるような噂を流したりすると、トラブルまで引き起こしかねません。学習者が執着心をかき立てられ、争って先生の近くで何か特別なことを聞こうとしたりします。こういうことは、いずれも同じ問題ではありませんか？

その顕示心理はほかにどんな問題を引き起こすのでしょうか？　わたしが功を伝えだしてから、もう二年経ちましたが、われわれの法輪大法《ファルンダーファ》を修煉している古い学習者の中で、一部の人はそろそろ功を開こうとしており、また一部の人は漸悟《ぜんご》の段階にさしかかっていて、ある時から突然、漸悟状態に入ります。どうして当時これらの功能が出なかったのでしょうか？　あなたを一気に非常に高いところまで押し上げても、あなたの常人の心が取り除かれていなかったため、駄目だったのです。もちろんあなたの心性はすでにかなり高かったのですが、まだ多くの執着心が捨てられていなかったので、それらの功能を持たせるわけにはいかなかったのです。この段階を過ぎて、安定してきたら、あなたをいっぺんに漸悟状態に進ませます。この漸悟状態では天目が高い次元で開かれ、いろいろな功能も出てきます。実を言いますと、本当に修煉すれば、最初からいろいろな功能が現われており、あなたはすでにかなり高い次元に入っているので、相当多くの功能を持っているのです。近いうちに、多くの人にこのような状態が現われてくると思います。それから、高い次元へ修煉できない人もいます。彼の身に付いているものと彼の忍耐力を合わせても限られているので、かなり低い次元のまま功を開き、悟りを開き、完全に悟りを開くのです。こんな人も現われてきます。

　こういうことをお話しするのは、いったんそういう人が現われてきた場合、くれぐれも彼らのことを偉い覚者などと思ってはいけないことを、皆さんに知ってほしいからです。これは修煉におけるきわめて厳粛な問題で、大法《ダーファ》に従っているものだけが正しいのです。他人の功能や、神通力や、何かが見えるのを見て、すぐその人について行き、その人の言うことを聞いたりしてはいけません。そんなことをすれば、あなたもその人を駄目にするかも知れません。その人は歓喜心が生まれたせいで、しまいには何もかも失い、その功能や神通力も閉じられてしまい、ついに下へ堕ちていくのです。功を開いた後でも堕ちることがあり、制御できなければ、悟りを開いた後でも堕ちることがあります。佛でさえ自分をうまく制御できないと堕ちるのです。ましてあなたは常人の中で修煉する人ですから、なおさらのことです！　ですから、いくら多くの功能が出ていようと、いくら大きい功能、神通力が現われていようと、絶対しっかりと自分を制御しなければなりません。この頃、ここに坐っているかと思うと姿が消え、しばらくするとまた現われてきたりする人がいますが、つまりこのようなことです。それよりもっとすごい神通力も現われてきます。あなたはこれから先どうすればよいでしょうか？　われわれの学習者、弟子なら、こういうことが自分の身に現われようと、人の身に現われようと、崇拝したり、求めたりしてはいけません。心が動じただけで、あなたはただちに駄目になり、堕ちてしまいます。もしかするとあなたの次元はその人より高いが、神通力が現われていないだけかも知れません。しかし少なくともあなたはこの問題において堕ちてしまいますので、皆さんはくれぐれもこの問題に気をつけてください。われわれはすでにこの問題をたいへん重要なことであると位置づけています。なぜならそういうことがそろそろ現われてきますので、いったん現われてきたら、自分を制御できないといけないからです。

修煉者は、功が現われ、功を開き、あるいは本当に悟りを開いた場合でも、自分のことを偉いと思ってはいけません。彼に見えたことは、彼のいる次元でのことに限られています。なぜなら、修煉の到達点は、悟りの到達点であり、心性の基準の到達点であり、知恵の到達点でもあるからです。したがって、それより高い次元のことは信じられないかも知れません。信じないからこそ、自分の見たものが絶対で、それしかないと思い込むのです。実はまだまだ先が長いのですが、彼の次元はそこまでしかないのです。

一部の人はその次元で功を開くことになっており、さらに上へは修煉できないので、この次元で功を開き、悟りを開くのです。今後われわれの修煉者の中には、世間の小道で悟りを開く者もいれば、各々の次元で悟りを開く者もおり、正果を得て悟る者もいます。正果を得て悟ることこそ最高です。異なる次元のどこでも見ることができるばかりでなく、どの次元にも姿を現わすことができるのです。世間の小道の最も低い次元で功を開き、悟りを開いた場合でも、一部の空間、一部の覚者の様子が見え、それらと交流することができますが、その時に、得意になって喜んだりしてはいけません。なぜなら世間の小道で、低い次元で功を開いても、正果が得られないからです。これは間違いありません。ではどうすればよいでしょうか？　その次元にとどまるしかありません。それからさらに高い次元をめざして修煉するのは、その後のことです。そこまでしか修煉できないのに、功を開かなければどうするのですか？　このまま修煉しても上がる見込みがありませんので、功を開くのです。もうたどり着ける最後のところまで修煉したということです。こういう人がたくさん現われてきます。どんなことが現われてこようと、心性をしっかり制御しなければなりません。大法《ダーファ》に従っているものだけが本当に正しいのです。功能といい、功を開くことといい、みなあなたが大法《ダーファ》の中で修煉して得たものにほかなりません。もし大法《ダーファ》を二の次にして、自分の神通力を最重要視し、あるいは悟りを開いた人は自分の認識こそ正しいと思い、極端な場合は、うぬぼれて自分が大法《ダーファ》を超えているとさえ思ったりしたら、その時点で、あなたはすでに堕ち始め、危《あや》うくなり、だんだん駄目になっていきます。そうなった時は、修煉が無駄になるので、本当に厄介なことになります。下手をすると堕ちていき、修煉を台なしにしてしまいます。

もう一つはっきり言っておきますが、この本の内容は数回の講習会で説法したものを合わせたもので、すべてわたしが話したことです。一つ一つの言葉はいずれもわたしが話したもので、それを一文字一文字テープから起こして、弟子たち、学習者たちが手伝って録音に基づいて書き写してくれたものを、わたしが何回も何回も書き直したのです。すべてがわたしの法で、わたしが説いているのはこの法だけです。

第七講

殺生《せっしょう》の問題

殺生《せっしょう》というのは非常に微妙な問題で、煉功者へのわれわれの要求もかなり厳しく、煉功者は決して殺生してはいけないのです。佛家だろうが、道家だろうが、奇門功法だろうが、どの門どの派でも、それが正法《しょうぼう》の修煉であるかぎり、みなこれを絶対視し、殺生を禁じています。これは間違いのないところです。殺生によって起こる問題はあまりにも大きいので、皆さんに詳しく説明しなければなりません。殺生とは、原始佛教では主に人を殺すことを指していましたが、これは最も重大なことです。後になると、大きな生命、大きな家畜、あるいはやや大きな生命体をも重く見るようになりました。修煉界ではなぜ殺生を一貫して重大なことと見てきたのでしょうか？昔、佛教では、死ぬべからざるものが殺されたら、孤独にさまよう幽霊になると言っていました。昔から言われた、浮かばれない魂の済度をするというのは、そういう人々のためのことなのです。その済度をしてやらないと、これらの生命は食べ物も飲み物もなく、非常に苦しい境地に置かれることになるのです。これは昔、佛教で言われたことです。

われわれは、人が他人に良くないことをすれば、その他人に大きな徳を代償として与えると言っています。これは普通、他人の物を横取りすることを指しています。ところが突然一つの生命を終わらせるとなると、それが動物であれ、他の生物であれ、相当大きな業力を造ってしまうことになります。殺生は、昔は主として人を殺すことを指し、それによって造られる業は比較的大きいものでした。しかし一般の生命体を殺害することも軽いものではなく、直接大きな業力を生じます。特に煉功者の場合は、修煉の過程で、異なる次元において少しずつ難儀が設けられていますが、それらはすべてあなた自身の業力、あなた自身の難です。異なる次元のそれぞれに設けられているのは、あなたをさらに向上させるためです。心性が向上しさえすれば、乗り越えることができるのです。しかし突然こんなに大きな業力が生じたら、どうやって乗り越えるのですか？あなたの心性では、とうてい乗り越えられないので、それによってあなたはまったく修煉できなくなるかも知れません。

われわれの見るところでは、人が生まれた時、この宇宙空間の一定の範囲内で、たくさんの彼が同時に生まれ、同じ顔をし、同じ名前を称します。やることも大同小異なので、彼の全体の一部分だとも言えます。これには次のような問題が絡んできます。もしある生命体（他の大きな動物の生命体も同じ）が突然死んでしまいますと、他の各空間にいる彼は、まだ最初に定められていた生命の道のりを歩み終えておらず、まだ多くの年月を生きていかなければならないので、死んだその人は孤独にさまよう境地に落ち、宇宙中をさまようことになるのです。昔は、孤独にさまよう幽霊は食べ物も飲み物もなく、非常に苦しいのだと言いましたが、そうなのかも知れません。しかしわれわれは確かに見たのですが、彼らは非常に怖い境地にあって、各空間の彼がみな生命の道のりを歩み終えるのをずっと待たなければなりません。そうしてはじめて一緒に落ち着くところを探すことができるのです。時間が長くなればなるほど、彼の耐える苦しみが大きくなります。

彼の耐える苦しみが大きくなれば、彼を苦しめる業力が、彼を殺した殺生者の身にどんどん加えられていくので、どれだけの業力をよけいに背負ってしまうかお分かりでしょう？　これはわれわれが功能を通して見たものです。

われわれは次のようなことも見てきました。人が生まれた時、ある特定の空間に、その人の一生涯の存在形式があります。つまり、その人の生命のどの時点で、何をすべきなのかは、すべてそこにあるのです。誰がその人の一生を段取りしたのでしょうか？　いうまでもなく、もっと高い次元の生命体がそれを行なっているのです。例えば、常人社会において、彼が生まれたあと、家にも学校にも、あるいは大人になれば職場にも、みな彼の存在があり、彼の働きを通じて社会各方面とのつながりが結ばれます。つまり社会全体の構成はすべてこのように配置されているのです。ところがこの生命体が突然亡くなれば、最初に定められた配置の通りにいかなくなり、変化が起こります。そうなると配置を乱した人を、高い次元の生命体は許しません。皆さん考えてみてください。修煉者として、われわれは高い次元へ修煉しようとしていますが、高い次元にいる生命体でさえ彼を許さないという状況になった時、彼はまだ修煉などできるのでしょうか？　彼の師さえ、このことを段取りした高い次元の生命体より次元が低い場合もありますので、彼の師もひどい目に合わされ、みな打ち落とされるのです。考えてみてください。これが並大抵の問題と言えるでしょうか？　ですからいったんこのようなことをしたら、修煉はなかなか難しくなるのです。

法輪大法《ファルンダーファ》を修煉する学習者の中には、戦争時代に、戦場に行ったことのある人がいるかも知れません。あの戦争は大きな天象変化によってもたらされた状態で、あなたはその状態の中の一分子に過ぎません。もし天象変化の下でその通りに動く人がいなければ、常人社会にある種の状態がもたらされることがないのですから、天象の変化とはいえなくなります。それらのことは大きな変化に従って変化するものなので、その事の全てをあなたのせいにすることはできません。ここでお話しているのは、個人の企《たくら》みのために、あるいは私利私欲を満足させるために、あるいは自分の何かが影響を蒙《こうむ》りそうになったので、どうしても悪いことをせざるを得なくなって生じた業力のことです。およそ大きな空間全体の変化、社会形勢の大きな変化に及ぶことは、みなあなた個人の問題ではありません。

殺生はかなり大きな業力を造ります。でもそれなら、家で食事を作っているわたしが、殺生してはいけないとなると、家族の者は何を食べればよいだろう、と思う人がいるかも知れません。この具体的問題については、わたしはとやかく言いたくありません。わたしは煉功者に法を説いているのです。常人にどう暮らせばよいのかをいい加減に教えているわけではありません。具体的な問題についてどうすればよいかは、大法《ダーファ》に照らして判断し、良いと思うようにすればよいのです。常人はやりたいようにやっていますが、それは常人のことです。誰もが真に修煉するというのは不可能です。しかし煉功者に対しては、高い基準で律するべきなので、これは煉功者に出された条件なのです。

人間や動物だけでなく、植物にも生命があり、また他の空間においてはいかなる物質も生命を顕わしてきます。天目が法眼通の次元にまで開いた時、石や壁やすべてのものが話しかけてくれ、あいさつしてくれるのに気づくでしょう。「それなら私たちが食べる穀物や野菜にも生命があることになる。また家に蝿や、蚊などが現われたら、どうすればよいのか？ 夏、蚊に刺されていまいましくても、刺すがままにさせて手をこまねいているのか？　蝿が食べ物にとまって汚くても、殺してはいけないのか」と考える人がいるかも知れません。断っておきますが、われわれは、もちろん勝手に理由もなく生命のあるものを殺害してはいけないのです。だからといってまた、小心翼々《しょうしんよくよく》な人として、いつも些細《ささい》なことにとらわれ、歩く時も、蟻《あり》を踏みつぶすのを恐れて跳ねるようにして歩いたりしてもいけません。それでは、生きることにさえ疲れてしまいます。これもまた執着ではないでしょうか？　跳ねるようにして歩けば、蟻は踏みつぶさなくても、たくさんの微生物を踏みつぶしているでしょう。さらに細かく見ればもっと多くの小さな生命体を、また真菌や細菌を踏みつぶしているかも知れません。それでは、われわれは生きることもできなくなってしまいます。われわれはそんな人になってはならず、それでは修煉できないのです。大局に目を向け、堂々と修煉すべきです。

　人間は生きている以上、人間として生きる権利があるので、生活の環境も人間の生活の要求に適応すべきです。われわれは故意に生命のあるものを傷つけてはいけませんが、だからといって、些細なことにこだわりすぎてもいけません。例えば、野菜にも穀物にも生命があるからといって、飲み食いをやめるわけにはいきません。そんなことでどうやって煉功できるのでしょうか？　おおらかに対処すべきです。例えば歩く時、蟻や虫が足の下に入り込んで踏みつぶされたら、それは死ぬべきだったのかも知れません。あなたが故意に殺したわけではないからです。生物界や他の微生物の世界においても生態バランスの問題があり、多すぎるとやはり氾濫《はんらん》になります。ですからわれわれは堂々と修煉するようにと言っています。家に蝿や蚊が入ったら、それを追い払うか、網戸を付けて入らせないようにします。しかし追い払えない時は、殺しても仕方がありません。人の住む空間ですから、人を刺すものなら追い払うのは当たり前で、追い払っても出なければ、手をこまねいて人を刺させるわけにはいきません。煉功者のあなたは抵抗力があるからかまいませんが、家族の人は煉功しておらず、常人なので、伝染病の問題もあり、子供の顔が刺されているのを見て、放っておくわけにはいきません。

皆さんに例を一つあげてお話ししましょう。釈迦牟尼の若い頃のこんな逸話《いつわ》があります。ある日、釈迦牟尼は湯浴《ゆあ》みをしようと思って、森林の中で、弟子に浴槽を掃除させました。弟子がそこへ行って見ると、浴槽の中に虫がいっぱいいます。掃除するには虫を殺さなければなりません。弟子は戻って来て釈迦牟尼に、「浴槽の中に虫がいっぱいいます」と言いました。釈迦牟尼は弟子の顔を見ずに、「浴槽をきれいに掃除して来なさい」と一言だけ言いました。弟子が浴槽のところに行って見ると、手のつけようがありません。手を下せば虫を殺すことになりますので、一回りして再び戻って来て釈迦牟尼に、「尊師、浴槽の中は虫がいっぱいで、掃除すると虫を殺すことになります」と言いました。釈迦牟尼は彼をちらっと見て、「お前に掃除させるのは浴槽なのだ」と言いました。弟子ははっと悟って、直ちに浴槽をきれいに掃除しました。これは一つのことを示唆してくれます。つまり虫がいるからといって、われわれは風呂にも入らないというわけにはいかないのです。蚊がいるからといって、われわれは他の所を探して住むわけにもいきません。穀物にも野菜にも生命があるからといって、われわれはやせ我慢して飲み食いしないわけにはいきません。そうではなくて、われわれはこの関係を正しく処理し、正々堂々と修煉すべきです。われわれが故意に生命のあるものを傷つけなければ、それでけっこうです。人間にも同じく人間の生活空間と生存条件があるべきで、それも守る必要があります。人間はやはり生命と正常な生活を維持しなければならないのです。

以前に一部の偽気功師が、一日と、十五日には殺生してもいいと言いました。二本足のものなら殺してもいい、と言った者もいます。あたかも二本足のものは生命のあるものではないかのようです。一日、十五日の殺生は殺生ではないとすると、それはただ土を掘るようなものだとでも言うのですか？　偽気功師は、彼の話していることと求めていること、つまりその言動から見わけることができるものです。およそこのようなことを言う気功師は、ほとんどが憑き物に取り付かれているのです。狐に取り付かれた気功師が鶏肉を食べるしぐさを見てごらんなさい。骨まで食いつくさんばかりに、ガツガツとむさぼり食べているのです。

殺生は重大な業力を生じるだけでなく、そのうえ慈悲心の問題にもかかわってきます。われわれ修煉者は慈悲心を持たなければならないのではないでしょうか？　慈悲心が現われて来れば、衆生はみな苦しんでいるのだと思い、誰を見てもこの人は苦しんでいるのだと思うようになります。そういうことが現われるはずです。

肉食《にくじき》の問題

肉食《にくじき》の問題も非常に微妙な問題ですが、肉を食べることは殺生ではありません。皆さんはもう長い間法を学んできましたが、われわれは皆さんに肉を食べるなと要求したことはありません。多くの気功師はあなたが講習会に入ると、直ちに、今から肉を食べてはいけないと宣告します。

突然肉を食べてはいけないと言われても、まだ心の用意が出来ていない、とあなたは思うかも知れません。もしかすると今日の家の料理は、鶏の煮込みや魚の煮付けであるかも知れず、美味しそうな香りがするのに、食べてはいけないというのです。宗教での修煉も同じく、強制的に肉を食べさせません。一般の佛家功も、一部の道家功も同じことを言い、食べてはいけないとしています。われわれはあなたにそのようにはさせていませんが、しかしわれわれもこれを重んじています。ではわれわれはどういうふうに見ているのでしょうか？ われわれのこの功法は法が人を煉る功法です。法が人を煉る功法では、数々の状態が功の中から、法の中から現われてくるのです。煉功の過程において、異なる次元に異なる状態が現われます。ある日あるいは今日、わたしの講義が終わるとすぐ、肉を食べられなくなり、匂いも生臭く感じ、食べたら吐きたくなる、という状態に入る人がいるかも知れません。人為的に抑えて食べさせなかったり、自分で抑制して食べないのではなく、心の底から現われてくるのです。この次元に到達すれば、功のおかげで自然に食べられなくなり、無理に呑《の》み込もうとすれば、本当に吐き出してしまうことすらあります。

古い学習者ならみな知っているように、法輪大法《ファルンダーファ》を修煉するとそのような状態が現われ、異なる次元に異なる状態が現われてくるのです。肉に対する欲求が強く、日頃よく肉を食べる学習者もいます。他の人が肉は生臭いと感じている時でも、彼は生臭いと感じないで、まだ食べられます。彼のこの心を無くさせるためには、どうすればよいでしょうか？ 肉を食べるとすぐに腹痛が起きるが、食べなければ痛くない、という状態が現われてきます。それはもう食べてはいけないという知らせです。われわれの法門ではこれから以降肉と無縁になるのかと言うと、そうではありません。この問題にどのように対処すればよいのでしょうか？ 食べられないとは、本当に心の底から食べられなくなることです。目的は何でしょうか？　寺院の中で修煉し強制的に食べさせないのも、われわれの場合のように自然に食べられなくなるのも、いずれも肉に対する欲望と執着心を捨てさせるためです。

食卓にもし肉がなければ、全然ご飯が喉を通らない人もいます。それが常人の欲望です。ある日の朝、わたしが長春の勝利公園の裏門を通りかかった時、三人の人ががやがやと騒ぎながら裏門から出て来て、その中の一人が、「練功なんかつまらない。肉を食べてはいけないなんて、十年早く死ぬと言われてもわたしは食べないわけにはいかない！」と言いました。なんて強い欲望でしょう。皆さん考えてみてください。この欲望は無くすべきものではないでしょうか？　間違いなく無くすべきです。人は修煉の過程において、ほかでもないさまざまな欲望や執着心を無くすのです。はっきり言いますと、肉を食べたい心が取り除かれていなければ、それは執着心が取り除かれていないことではありませんか？　そんなことで圓満成就にまで修煉できますか？　ですから執着心であるかぎり、それを取り除かなければなりません。しかしだからといって、これから永遠に食べないというわけではありません。肉を食べさせないこと自体が目的ではなく、執着心を取り除くのが目的です。もし肉が食べられない時期において、この執着心を無くしたら、その後また食べられるようになります。匂いも生臭くなく、食べてもそれ程まずくなくなるかも知れません。この時になれば食べればよろしい。問題はありません。

食べられる時になると、あなたの執着心はすでに無くなり、肉に対する欲望もなくなっています。ところが大きな変化が起こるはずで、つまりそれ以降肉が美味しくなくなるのです。家の料理に肉があれば食べますが、なければ欲しくもなく、食べても美味しいとは思わない、という状態が現われます。しかし常人の中で修煉するということは非常に複雑なことで、家の料理にいつも肉があると、時間が経つにつれてまた美味しく感じるようになり、その後ぶり返しが起きるのです。修煉の全過程では、ぶり返しが何回も現われてきます。突然あなたはまた食べられなくなりますが、食べられない時は食べなくてけっこうです。本当に食べられない場合は、食べても吐き出してしまいます。食べられるようになったら食べればよいのです。自然に任せるようにしてください。肉を食べるかどうか自体が目的ではなく、その執着心を捨てることこそが肝要です。

われわれの法輪大法《ファルンダーファ》という一門では、向上が割合に速く、心性さえ高まれば、どの次元も速く突破できます。もともと肉にあまり執着せず、あってもなくても気に介さない人もいます。このような人は、この状態を一週間か二週間持続すれば、この心を削りとることができます。一ヵ月、二ヵ月、三ヵ月、場合によって半年、持続しなければならない人もいますが、よほど特別な事情がないかぎり、一年経たないうちにまた食べられるようになります。それは肉がすでに人間の食べ物の主要な部分となっているからです。しかし寺院で専修する者は肉を食べてはいけません。

肉食に対する佛教の認識についてお話ししましょう。最初の原始佛教では、肉の戒めがありませんでした。釈迦牟尼が弟子を連れて森林の中で苦行していた当時、肉を戒めるという戒律はまったくありませんでした。なぜなかったのでしょうか？　釈迦牟尼が法を伝えていた二千五百余年前の当時、人類社会は非常に後《おく》れていたので、一部の地域には農業がありましたが、まだ農業がない地域もたくさんありました。耕地面積は非常に狭く、いたるところ森林でした。穀物はなかなか手に入らない貴重なものでした。原始社会から抜け出たばかりの人間は、主として狩りで生活を営んでいたので、多くの地域では肉食を主としていました。釈迦牟尼は、人間の執着心を最大限に捨てさせるために、弟子たちにいかなる財産や物などにも触れさせず、彼らを連れて食べ物を乞《こ》い求め、托鉢《たくはつ》しました。与えられたものは何でも食べますが、修煉者として食べ物を選《え》り好《ごの》みしてはいけないのですから、与えられた食べ物の中には肉があった可能性もあります。

しかしながら原始佛教の中に戒葷《かいくん》の説があります。葷《くん》の戒めは原始佛教から始まったものですが、現在では肉を食べることを葷としています。実際は当時の葷は肉ではなく、葱《ねぎ》、生姜《しょうが》、大蒜《にんにく》などを指していました。なぜそれを葷と見なしたのでしょうか？　現在多くの僧侶もそれをはっきり説明できません。彼らは実際に修煉することを重んじないので、多くのことが分からないのです。釈迦牟尼の伝えたものは、「戒《かい》・定《じょう》・慧《え》」と言います。戒は常人の一切の欲望を戒めること。定は修煉者が完全に禅定に入って、座禅の中で修煉し、完全に入定することです。入定と修煉を妨げるあらゆるものは、重大な妨害と見なされました。誰かが葱や生姜、大蒜を食べたら、非常に強い匂いがします。当時の僧侶は森の中や洞窟の中で七、八人が車座《くるまざ》になり、車座ごとに座禅しましたので、もし誰かがそれらのものを食べたら、強い、刺激的な匂いを放ち、座禅や入定を邪魔し、甚だしく人の煉功を妨げます。ですからそれらのものを葷として食べてはいけないという戒律が定められました。人体から修煉の結果生じた多くの生命体もみな、そのどろどろとした匂いを嫌がります。葱や生姜、大蒜も人を刺激して欲望を起こさせ、たくさん食べると癖にもなりますので、それらのものを葷としたわけです。

昔、多くの僧侶はかなり高い次元まで修煉し、功を開いた、あるいは半ば功を開いた状態に達した時、修煉過程における戒律はどうでもいいことだと分かったのでした。その心を捨てることがでさえすれば、その物質自体は作用をなさないもので、真に人を妨げるのはほかでもないその心なのです。ですから歴代の高僧も、肉食という問題自体が肝心ではなく、肝心なのはその心を捨てられるかどうかにあり、執着心さえなければ空腹を満たすために何を食べてもかまわない、ということを知っていました。寺院ではそのように修煉して来たので、多くの人はもうそれに慣れてしまいましたし、そのうえ、もはや単なる戒律の問題というより、すでに寺院の規律制度となって、食べてはいけないことになっているので、みなその修煉方法にも慣れてきました。済公《さいこう》和尚を例に取りますと、小説の中で彼は特別目立つように作り上げられています。和尚は肉を食べてはいけないのに、彼は肉食するのですから、ひときわ目立つことになります。実際は、済公和尚は霊隠寺《れいいんじ》から追い出されたのですから、生活上の危機から食べ物はおのずと彼にとって主要な問題となりました。空腹を満たすために、彼は手当たり次第に物を食べましたが、いかなる食べ物にも執着心がないので、空腹さえ満たしてくれるなら、何でもよかったのです。そこまで修煉した彼には、この道理が分かっていました。本当のところ、済公にしても偶然に一度か二度肉を食べたに過ぎません。和尚が肉を食べると聞くと、物書きはすぐ興味をかき立てられます。書物の題は人を驚かせば驚かすほど読者を引きつけるものです。小説は実人生に由来しながら、実人生を超える、と言われるではありませんか。そこで彼は際立たせられたのです。実際は、その執着心を本当に無くしたのであれば、空腹を満たすために何を食べてもかまわないのです。

東南アジア、あるいはわが国の南方、広東省と広西《こうせい》省一帯では、一部の居士《こじ》たちは、自分のことを佛道を修める人とは言いません。まるで「佛道を修める」という言葉が時代遅れになったかのように、彼らは自分が精進料理を食べる者だと言います。精進料理を食べて佛道を修めるのだという意味です。これでは、佛道を修めることがあまりにも簡単すぎると思われています。しかし精進料理を食べるだけで佛道を修めることができるのでしょうか？　皆さんもご存知のように、それはただ人の執着、欲望の一つに過ぎません。彼らはたった一つの心、その心だけを捨てるに過ぎません。ほかにまだ嫉妬心、闘争心、歓喜心、顕示心などさまざまな心があります。人間の心はたくさんあり、あらゆる心、あらゆる欲望を全部捨ててはじめて圓満成就に到達できるのです。この肉食に対する心だけを捨てれば、佛道を修めることができるとでも言うのですか？　そんな言い方は間違いです。

食事については肉だけでなく、どんな食べ物にも執着してはならず、他のものも同じです。わたしはどうしてもこれを食べるのが好きだという人がいますが、それも欲望です。修煉者はあるレベルに達すると、この心が無くなります。もちろんわれわれの説法はかなりレベルが高く、異なる次元のものを結び合わせて説いていますので、一気にそこまで達するのは不可能です。どうしてもあれが食べたいと言っても、本当に修煉していってその心を捨てるべき時が来たら、間違いなく食べられなくなり、食べても本来の味ではなく、何の味なのか分からないものになっているかも知れません。わたしが勤めていた時、職場の食堂はいつも赤字でしたが、結局つぶれてしまいました。つぶれてから皆は弁当を持参するようになりました。朝、弁当を作って、あわただしく出勤するのはなかなか大変でした。時々饅頭《マントウ》を二つ買って、豆腐に醤油《しょうゆ》をかけて食べました。このような質素なものなら問題ないはずですが、常に食べていると癖になってやめられなくなります。その心もあなたに捨てさせなければなりません。豆腐を見ただけで、口の中が酸っぱくなって、どうしても喉を通らなくなってきます。それというのも、あなたに執着心が生じるのを防ぐありません。もちろんこれはある次元まで修煉したあとの話なので、最初の間はこのようなことはありません。

佛家では酒を飲んではいけないことになっています。酒の徳利《とっくり》を提《さ》げている佛を見たことがあるでしょうか？　ないでしょう。わたしは肉が食べられなくなると言っていますが、常人の中で修煉していて執着心をなくしたら、将来再び食べても問題ありません。しかし酒の場合は、やめてから再び飲んではいけません。煉功者の身体にはみな功があるではありませんか？　さまざまな形態の功、一部の功能は、身体の表面に顕現してくるもので、非常に純粋で清いものです。酒を飲むと、それがさっと一斉に身体を離れ、次の瞬間あなたの身体に何もかもなくなります。みなあの匂いを嫌がるのです。その習性に染まれば非常に厄介です。酒は心性を乱すものです。では、なぜ一部の大道《だいどう》を修煉する者が酒を飲むのでしょうか？　彼らは主元神を修煉するのではなく、主元神を麻痺《まひ》させているのです。

酒を命と思うような人もいれば、酒に目がない人もおり、すでにアルコール中毒になっている人もいます。酒を飲まないとご飯茶碗を持ち上げる気にもならず、全然我慢できません。煉功者はそうあってはいけません。飲酒は必ず癖になり、それは欲望ですので、人の嗜好《しこう》神経を刺激して、飲めば飲むほど病みつきになります。考えてください。煉功者としては、この執着心を捨てるべきではないでしょうか？　この心も捨てなければなりません。人によっては「そういうわけにはいかない。ぼくはいろんなつき合いがあるから」、あるいは「ぼくは営業マンで、飲まないと事がうまく運ばない」と考えているかも知れません。わたしはそうは思いません。普通の商談の場合、特に外国人と取り引きや付き合いをする時、ジュースやミネラルウォーターやビールなど、それぞれ自分の好きな飲み物を注文して飲みます。無理強いしませんし、それぞれ自分のを飲み、好きなように飲めばよいのです。特にインテリの間ではそういうことはなおさらありません。それが普通です。

喫煙も執着です。タバコを吸うと気持ちがしゃきっとすると言う人がいますが、それは自らを欺き人を欺く言い方です。仕事をして疲れた時、あるいはものを書いて疲れた時、休憩しようと思い、タバコを吸う人がいます。タバコを一服吸うと目が覚めるような気がしますが、実際はそうではなく、ひと休みしたからです。人の考えは錯覚を生むこともあれば、幻覚を引き起こすこともあります。そのうちに本当に一つの観念が形成され、錯覚が生じ、喫煙で目が覚めるような気がします。実際はまったくありえないことで、タバコにそのような働きはありません。喫煙は人間の身体に良いことはまったくなく、長く吸った人は、医師が解剖して見れば、気管も肺も真っ黒になっています。

われわれ煉功者は、身体の浄化を目指しているのではありませんか？　絶えず身体を浄化して、絶えず高い次元へ進んで行きます。なのに、あなたが身体の中にそんなものを吸い込むのは、まったく逆行しているのではないでしょうか？　そのうえ、それは一種の強い欲望でもあります。悪いと知りながらやめることができない人がいます。それは正しい考えに導かれていないために、簡単にはやめられません。一人の修煉者として、あなたは今日から、それを執着心として捨ててみてください。やめられるかどうかを試してみてください。皆さんに忠告しますが、真に修煉したい人は今からタバコをやめてください。必ずやめられることを保証します。この講習会の会場にタバコを吸いたいと思う人は誰もいないでしょう。そのようにあなたはやめたければ必ずやめられます。再びタバコを口にすれば、変な味がするにきまっています。この本を読む人でも、この部分を読めば同じ作用があります。もちろん修煉したくなければ、われわれは面倒を見ませんが、修煉者としてはやめるべきだと思います。わたしがかって例を挙げて説明したように、タバコを口にくわえて坐っている佛や道士はどこにいますか？　そんなものがありますか？　修煉者としてのあなたの目標は何ですか？　それをやめるべきではないですか？　ですから修煉したいならタバコをやめてくださいと言っているのです。それはあなたの身体に害を与えますし、一種の欲望でもありますので、修煉者に要求されるものとは相反《あいはん》するものです。

嫉妬心

わたしは法を説く時、嫉妬心の問題によく触れます。なぜでしょうか？　嫉妬心は中国ではきわめて強烈に現われており、すでに日常茶飯事になっていて、自分でもそれと感じられないほど強烈なものとなっています。中国人はなぜ嫉妬心がそんなに強いのでしょうか？　それには根源があります。中国人は昔、儒教の影響を深く受けていました。そのため性格はわりあい内向的で、怒る時でも喜ぶ時でも顔に出さず、修養や忍を重んじます。すでにこれが習慣となってしまったため、われわれ民族全体としてかなり内向的な性格になってきたのです。いうまでもなく、秀《ひい》でているものを内に秘めるから、それにも長所があります。しかし弊害《へいがい》も存在し、良くない状態をもたらすこともあるかも知れません。特に末法の時期になって、この良くない部分はいっそう目立つようになり、いっそう人の嫉妬心を増長させます。誰かに良いことがあったと分かれば、直ちにひどく妬《ねた》みます。そこで職場や職場以外で褒賞《ほうしょう》をもらったり、あるいは良いことがあっても、誰も口に出しません。他の人が知ると心のバランスがとれなくなるからです。西洋人はこれを東方嫉妬、あるいはアジア嫉妬と呼んでいます。アジア全体が中国の儒教の影響を強く受けたので、それぞれ多少はありますが、われわれ中国にだけはとりわけ強く現われています。

それは今まで行なわれて来た「絶対平均主義」とも関係があります。どうせ天が落ちて来たら皆が死ぬ、何か良いことがあればみんなでそれを均等に享受《きょうじゅ》し、賃上げは全員一律同額だ、みんなが同じだという考え方は、一見正しいように見えますが、しかし、実際は同じであるはずがありますか？　やっている仕事は違うし、責任の大きさも違います。この宇宙には、「失わなければ得られず、得るには失わなければならぬ」という理があります。常人の中では、働かなければ得られず、多く働けば多く得、少なく働けば少なく得るとなっています。多く働けば多くもらうのは当たり前のことです。今までは絶対平均主義が実行され、人間は生まれた時はみな同じで、後天が人間を作り替えたのだ、という言い方をしてきました。それはあまりにも極端な言い方で、どんなことでもあまり極端に行くといけません。なぜ人間が生まれる時、男女の区別があるのですか？　姿かたちも違うでしょう？　生まれつき病気の人、奇形のある人もいますので、同じではないのです。高い次元から見れば、他の空間に人の一生涯のすべてがそこに存在しているので、同じであるはずがあるでしょうか？　何でも平均化したがりますが、運命の中にそれがなければ、どういうふうに均等にするのですか？　違うものは違うのです。

西側諸国の人は性格が比較的外向的で、嬉しい時も分かるし、怒る時も分かります。それにはその長所もありますが、忍耐強くないという短所もあります。この二つの性格は観念が違うので、何かをする際に違う結果が現われてきます。中国人は誰かが上司に褒められたり、あるいは何か恩恵を与えられたら、まわりの者は心のバランスがとれなくなります。ボーナスをちょっと多くもらったら、他人に知られないように、こっそりとポケットに隠します。今日では労働模範をつとめるのも辛いもので、「君は労働模範だから優秀だ。君のような人は、朝早くから夜遅くまで働くべきなので、この仕事は全部君に任せたよ。君は良くできて、俺たちはどうせ駄目だから」と、あてこすりをされますので、良い人になるのも辛いものです。

外国ではまったく違います。ボスがその人の真面目な勤務ぶりを見て、ボーナスを多く与えたとします。すると彼は嬉しそうに皆の前で一枚一枚と数え、「ほら、今日ボスがボーナスをたくさんくれたよ」と、ニコニコしながら話しても大丈夫です。ところが中国では、誰かがボーナスを多くもらうことになったら、上司さえも「早くしまっておけ、他人に見られないように」と言うのです。外国では、子供が学校で百点を取ったら、嬉しくて走りながら「ぼく百点取ったぞ、ぼく百点取ったぞ！」と叫んで、家まで走って帰るでしょう。隣の人はドアを開けて「おーい、トム、偉いぞ」、別の人も窓を開けて「おーい、ジャック、すごいなあ」と褒めるでしょう。こんなことが中国で起こったら大変なことになります。「ぼく百点取ったよ、ぼく百点取ったよ！」と子供が学校から家へ走りながら叫んだりしたら、「それがどうしたというのだ。たかが満点じゃないか。はしゃぐな！　百点はお前しか取ったことがないわけじゃないぞ！」と、隣近所はドアも開けないうちから罵声を上げているでしょう。観念が違うと結果も違います。中国人の観念は人に嫉妬心を生じさせ、他人に良いことがあったら、その人のために喜ぶどころか、自分の心のバランスがとれなくなります。こういうことが起きてくるのです。

数年前まで、絶対平均主義が実行されていたので、人の思想観念がすっかり混乱してしまいました。具体的な例を挙げましょう。ある人は、自分は職場で誰よりも優れており、何でもよくでき、なかなか大したものだと思っています。心の中では、「工場長や社長をやれと言われればやれるし、もっと高いポストだってこなせる。総理大臣でもやれないことはない」と思っていました。上司も同僚たちも、この人は大変なやり手で、才能があるなどと褒めていました。ところで彼のグループにあるいは同じ事務室に、何をやっても駄目で、何の取り柄《え》もない人がいたのですが、ある日のこと、彼ではなく、その駄目な人が抜擢《ばってき》されて、しかも彼の上司になってしまいました。彼は心のバランスがとれなくなり、あちこちで不満を訴え、心中穏やかでなく、この上なく嫉妬するのです。

常人には認識できない理を一つ、皆さんにお話ししましょう。あなたが自分では何でもよくできると思っていても、運命の中にそれがありません。ところがある人は何をやっても駄目に見えていても、運命の中にそれがあるから、幹部になったのです。常人がどう考えても、それはしょせん常人の考えに過ぎません。もっと高い次元の生命体から見れば、人類社会の発展は、定められた発展の規律に従って進展しているだけなのであり、人が一生の間に何をするかが、その人の能力に応じて段取りされているわけではありません。佛教では因果応報を唱えていますが、段取りは業力に応じてなされていますから、あなたにいくら力量があっても、徳が無ければ、一生何も得られないかも知れません。ある人は何をやっても駄目でも、徳が多いので、高官になり、金持ちになります。常人にはこの理が分かりませんので、自分にふさわしいことをやらせて貰うべきだといつも思っています。ですからその人の人生は争いの繰り返しであり、心がずたずたに傷つけられ、とても辛い思いをし、疲れていると感じ、心はいつも平静でいられません。すると食事も睡眠もろくに取れず、気落ちしてやる気を失い、年を取ってくると身体もがたがたになり、あらゆる病気に見舞われるのです。

修煉者であるわれわれは、なおさらそのようにすべきではありません。修煉者は自然に任せることを重んじるべきです。自分のものなら、無くなることはないし、自分のものでなければ無理に争っても得られません。もちろんそれは絶対的ではありません。何もかもそんなに絶対的であれば、人間が悪いことをする問題もなくなります。つまり、その中に不安定な要素が若干存在している可能性があります。しかし煉功者の場合は、本来、師の法身が守ってくれていますから、他人があなたのものを取ろうとしても取れません。ですからわれわれは自然に任せるように言っているのです。時に、それが自分のものだと思い、他の人もあなたのものだと言ってくれても、実際はあなたのものではない場合があります。あなたは自分のものだと思い込むかも知れませんが、最後になるとあなたのものでなくなります。その点から、そのことに対してあなたが無頓着でいられるかどうかを見ますが、無頓着でいられなければそれは執着心なので、この方法を用いて利益にこだわる心を取り除かなければならないのです。そういうことです。常人はこの理が悟れないので、利益をめぐって争ったり、闘ったりするわけです。

嫉妬心は常人の中で現われた場合、凄まじいものがありますが、修煉界においても、昔からずっと顕著に現われています。さまざまな功派の間で互いに認めようとせず、あなたの功が良いとか、彼の功が良いとか、あげつらいますが、わたしから見れば、いずれも病気治療と健康保持の次元のものに過ぎません。互いに争っている功派のほとんどは、憑き物がもたらしたでたらめな功で、心性を重んじないものばかりです。ある人は二十年あまり練功していても功能が出ていませんが、他の人は始めたばかりなのに、功能が現われたとします。すると「俺は、二十年以上練功しても功能が出ていないのに、彼に功能が出たって、どんな功能が出たというのか？」と、彼は心中穏やかではありません。「あいつは憑き物に取り付かれているのだ。走火入魔だ！」と心の中で大変な怒りようです。気功師が講習会を開いていても、そこに坐って聞いている人の中には、「なにが気功師だ。言っているのは俺が聞きたくもないことばかりだ」と認めようとしない人もいます。気功師は確かにこの人より講演が下手かも知れませんが、しかしその気功師が言っているのは自分の門派のものです。ところが問題のこの人は何でも学び、どの気功師の講習会にも参加し、修了証書が山ほどあるので、確かに物知りで、あの気功師よりもたくさん知っています。しかしそれが何の役に立つというのですか？　どれもこれも病気治療と健康保持のものばかりで、たくさん身につければつけるほど、信息が乱れ、ますます複雑になり、ますます修煉しにくくなります。すっかり乱れてしまったからです。真に修煉するには専一でなければならず、いかなるずれもあってはいけません。真に道《どう》を修める人同士でも互いに認めないことがありますが、闘争心を無くさなければ、嫉妬心が生じやすいのです。

　物語りを一つお話ししましょう。『封神演義《ほうしんえんぎ》』の中の申公豹《しんこうひょう》は、姜子牙《きょうしが》のことを年も取ったし能力もないと見ていましたが、しかし元始天尊《げんしてんそん》はこの姜子牙に神を封《ほう》じさせました。申公豹は心の均衡が保てなくなりました。「なぜ彼に神を封じさせるのか？　この申公豹のすごさといったら、俺の頭は切り落とされても元通りに戻せるのだ。どうして俺に神を封じさせないのか？」と、彼はこの上なく嫉妬して、いつも姜子牙の邪魔をしたのでした。

釈迦牟尼の時代の原始佛教では、功能を重んじていましたが、現在の佛教では、功能を口にする度胸のある人はいません。功能のことを言うと、走火入魔だと決めつけられてしまいます。「何が功能だ?」と全然認めようとしません。なぜでしょうか? 現在の和尚にはどういうことなのかまったく分かっていないのです。釈迦牟尼には十大弟子がおり、目犍連《もくけんれん》は神通第一だと釈迦牟尼に認められていました。釈迦牟尼には女弟子もおり、その中に蓮花色《れんげしき》というのがいて、やはり神通第一でした。佛教が中国に伝わって来てからも同様に、歴代に多くの高僧を輩出しましたが、達磨は中国に来る時一本の葦《あし》で川を渡ったのです。ところが歴史の発展につれ、神通力はどんどん排斥されるようになってきました。主要な原因は寺の大和尚、住職、方丈《ほうじょう》などが必ずしも「大《だい》根基《こんき》」を持つ人とは限らないからです。彼らは方丈や大和尚になっていますが、それは常人社会における職位の一つに過ぎず、彼らも修煉者であり、違いは専業修煉者だということだけです。あなたは家で修煉する在家修煉者です。修煉して成就できるかどうかは、すべてその心の修煉にかかっています。みんな同じで、少しの違いもあってはいけないのです。ところが炊事係の小坊主が、必ずしも「小根基」の人とは限りません。小坊主は苦しみに耐えれば耐えるほど功を開きやすいのですが、大和尚は楽をすればするほど功を開きにくくなります。ここに業力転化の問題があります。小坊主はつね日ごろ苦労しているので、業を滅することが速いし、悟りを開くのも速く、もしかするとある日彼は突然功を開くかも知れません。功を開き悟りを開く、あるいは半ば悟りを開くと、神通力も出て来ますので、寺中の和尚がみな彼に教えを請《こ》い、彼を尊敬します。すると住職は耐えられなくなり、このままでは住職はやっていけないと思って、「なにが悟りだ?

走火入魔だ！　早く追い出せ」と怒鳴りつけます。小坊主は寺院から追い出されてしまいます。こうして時間が経つにつれて、われわれ漢民族地域の佛教では、功能を口にする度胸のある人はいなくなりました。済公は、峨眉山《がびさん》から木材を運び出し、寺の井戸から一本一本外へ抛《ほう》り上げたほど、すごい力量を持っていましたが、それにもかかわらず、最後にはやはり霊隠寺から追い出されたのです。

　嫉妬心という問題はかなり重大です。なぜならそれは、われわれが修煉して圓満成就できるかどうかという問題に直接かかわってくるからです。嫉妬心を無くさなければ、人の修煉した一切の心が脆弱《ぜいじゃく》なものになります。ここには一つの決まりがあります。すなわち人間は修煉の中で、嫉妬心を無くさなければ正果《しょうか》を得られないもので、そうしなければ絶対に正果を得ることはできないのです。業を持ちながら往生《おうじょう》すると阿弥陀佛が語ったことがあるのを、皆さんはお聞きになったことがあるかも知れませんが、しかし嫉妬心は無くさなければ駄目です。つまり他の方面で少し足りないところがあっても、少々の業を持ちながら往生して、再び修煉してもよいかも知れませんが、嫉妬心は無くさなければ絶対に駄目です。今日、わたしは煉功者に向かって話していますが、頑迷《がんめい》に固執して悟らないようではいけません。あなたが達成しようと思う目的はより高い次元へ修煉することですので、嫉妬心は必ず無くさなければなりません。だからこそわれわれはこの問題を単独に取り上げたわけです。

病気治療の問題

病気治療についてですが、わたしは病気治療を教えているわけではありません。法輪大法《ファルンダーファ》の真修弟子は誰も人の病気を治療してはならず、あなたが病気治療を少しでもすると、わたしの法身があなたの身体に付いているあらゆる法輪大法《ファルンダーファ》のものを全部回収します。なぜこの問題をこんなに重く見ているのでしょうか？　それは大法《ダーファ》を破壊する行為だからです。自分自身の身体を損《そこ》ねるのは言うまでもありませんが、いったん病気治療をやりだすと、腕がむずむずして、人を見たら誰でもかまわずに診てあげようとし、自分を誇示しようとする人がいます。それは執着心ではありませんか？　人の修煉はこれによって甚だしく影響を受けます。

多くの偽気功師は、気功を習って人の病気を治したいという常人の心理を掴んで、そういうことを教えるのです。気を発したら病気治療ができると言い触らしますが、笑止《しょうし》千万《せんばん》な話ではありませんか？　あなたも気を持っており、相手も気を持っているのに、なぜあなたの発した気で人の病気を治療できるのですか？　逆に相手の気にやられるかも知れません！　気と気の間には制約作用がありません。人は高次元で修煉する時に功が現われ、そこから発するものは高エネルギー物質なので、確かに病気治療ができ、病気を制圧でき、抑制の働きをもちますが、しかし根治はできません。ですから真に病気を治療するには、功能があってはじめて徹底的に病気を治すことができます。それぞれの病気に対して、それに対応する治療の功能があり、その病気治療の功能だけで千種類以上あります。つまり病気の数だけの治療功能があります。そういった功能がなければ、いくら手品をしても無駄です。

数年来、一部の人が修煉界をずいぶん撹乱しました。だが真に病気治療と健康保持のために出てきた気功師、最初にこの道を切り開いた気功師で、人に病気治療を教える者がいたでしょうか？彼らは自分で人の病気を治療するか、さもなければいかに修煉するか、いかに身体を鍛練するかなどを教えました。功法を一通り教えてくれますが、あとは自分で鍛練を通して病気を治すというものでした。後になって偽気功師が出て来て気功界をひどい混乱に陥《おとしい》れましたので、病気治療をしようとすれば間違いなく憑き物を招いてしまいます。当時の状況の下で、一部の気功師も病気治療をしていましたが、それは当時の天象に合わせるためでした。といってもそれは常人の技能ではないので、いつまでも保っていけるものではありません。あの時の天象変化によってもたらされたものなので、あの時期の産物です。後になって、専《もっぱ》ら人に病気治療を教えることをやりだすと、でたらめになりました。一人の常人が三日や五日習っただけで、病気治療ができるはずがありますか？　わたしはこの病気を治せます、あの病気を治せますと言う人がいます。言っておきますが、およそこのような人は必ず憑き物に取り付かれています。あなたは背中に取付いているものが何か分かりますか？　憑き物に取り付かれていても、自分ではそれに感づいておらず知らないから、自分は腕が良く、力を持っていると思っているのかも知れません。

本当の気功師は、長年の厳しい修煉を経て、ようやくこのような目的を達することができます。あなたは人の病気治療をする時、人のために業力を消去してあげられるほどの強大な功能を持っているのかどうか、自省してみたことがありますか？　あなたは真伝を得たのでしょうか？　二日や三日習っただけで、病気治療ができると思うのですか？　一人の常人の手で病気治療ができると思うのですか？　偽気功師はあなたの弱点を掴み、人の執着心を掴んでいます。あなたは病気治療を求めているのですね？　よしよしとばかりに、彼は病気治療教室を開設し、専ら治療手法を教えてくれます。気針《きばり》や、光照法《こうしょうほう》や、排出や、補いとか、点穴《てんけつ》とか、一把抓《イーパーズウァ》など、名目はかなり多いのですが、ねらいはあなたの金です。

一把抓《イーパーズウァ》についてお話ししましょう。人はなぜ病気になるのでしょうか？　われわれの見るところでは、病気とあらゆる不幸を引き起こす根本的な原因は業力であり、あの黒い物質の業力場です。それは陰性で良くないものです。一方、良くない霊体も陰性のもので、いずれも黒に属するもので、環境が合うので、そこにやってくるのです。それは病気に罹《かか》る根本的な原因であり、病気のいちばん主要な源です。もちろん他にも二つの形式があります。一つは、ごくごく小さくて密度の非常に高い小さな霊体で、業力の固まりみたいなものです。もう一つはパイプで輸送されて来るような形で、めったに見られませんが、みな先祖からずっと積み重なってきたものです。そんな情況もあります。

最も一般的な例から説明しましょう。例えばどこかに腫瘍ができたとか、どこかに炎症が起きたとか、どこかに骨増殖症《こつぞうしょくしょう》が起きたなどは、他の空間では、まさにその箇所に一つの霊体が居座っており、かなり深い空間に一つの霊体がいるのです。普通の気功師には見えず、一般の超能力でも見えず、ただ人の身体に黒い気があることだけしか見えません。黒い気のあるところに病気がある、という言い方は正しいのです。しかし黒い気が病気を引き起こす根本的な原因ではなく、さらに深い空間の中にその霊体がおり、その場がその霊体から発せられたのです。ですから排出とか、泄《せつ》とか言う人がいますが、好きなように排出させてみればよいでしょう！　しばらくするとまた生じて来ます。力の強いものは、排出されたかと思うと、自分で自分を回収できますから、すぐに戻って来ます。いくら治療しても治りません。

超能力では、黒い気のあるところに病の気がある、と見ています。漢方の診方《みかた》では、そこは経絡が通ぜず、気血がうっせきし、経絡が詰まっているということです。西洋医の診方では、そこに潰瘍《かいよう》があり、腫瘍ができたとか、骨増殖症あるいは炎症が起きたとか言います。この空間に反映されてきたのは、ほかでもないそのような形です。もしそれを取り除いてしまえば、こちらの身体に何の異常もなくなることに気づくでしょう。椎間板《ついかんばん》ヘルニアや、骨増殖症などの病気は、それを取り除いて、あの場を追い払えば、直ちに治ります。再びレントゲン検査をしたら、骨増殖症のかけらもなくなります。根本的な原因はそれが作用をしているからです。

三日間で病気治療ができるようになる、あるいは五日間でできるようになるから、一把抓《イーパーズウア》を教えてあげようと言う人がいます。では抓《つか》んで見せてください！　人間はいちばん弱いものですが、あの霊体はかなり凄いものです。あなたの大脳を制御して、思いのままにあなたを翻弄《ほんろう》し、あなたの命を奪うこともいとも簡単にやってのけます。あなたはそれを抓み出すと言いますが、どうやって抓み出すのでしょうか？　あなたの常人の手はそれに触れることなどできません。あなたがそこでむやみに手を動かしても、それに相手にされないばかりか、むやみに抓むなんて馬鹿げていると笑われてしまうだけです。もし本当にそれに触れることができれば、あなたの手は直ちに傷めつけられますが、それは本当の怪我となります！　わたしは以前そのような人を見たことがあり、両手にどこも悪いところはなく、いくら検査しても、異常はありませんが、しかしその手は上げることができず、いつも垂《た》れたままです。わたしもこのような患者に会ったことがあります。彼の他の空間にある身体が怪我したので、それこそ本当の不具になったのです。その空間の身体が怪我したのですから、不具にならざるを得ないのではないでしょうか？　先生、わたしは不妊の手術を受けました、あるいはわたしは何かを摘出されましたが、それでも煉功できますか、とわたしに聞く人がいますが、それは影響ありません。他の空間の身体は手術を受けておらず、煉功はあちらの身体が作用しているからです。ですから先ほど言ったように、それを抓もうとしても、触れることもできず、相手にもされません。本当に触れたら、手を傷めつけられるかも知れません。

国の大規模な気功活動を支持するため、わたしは弟子たちを連れて北京での東方健康博覧会に参加しました。二回の博覧会とも、われわれがいちばん注目を浴びました。第一回の博覧会では、われわれ法輪大法《ファルンダーファ》はスター功派と称される栄誉にあずかりました。第二回の博覧会では、人が多くてどうしようもありませんでした。他の功派の展示ブースには人がそれほどいませんでしたが、われわれのブースのまわりはぎっしりと混み合っていました。三つの列が並びました。一列目は午前の受付なのですが朝早くから満員になりました。二列目は午後の受付を待っていました。もう一列はわたしのサインを待っていました。われわれは病気治療をしないはずなのに、なぜそれをやるのでしょうか？　それは国の大規模な気功活動を支持し、この事業に貢献するためです。そのためにわれわれは参加したわけです。

わたしは、連れていった弟子に自分の功を分けあたえましたが、それは百種以上の功能で合成されたエネルギー団です。さらに、彼らの手を密封しましたが、それでも、手を咬《か》まれて怪我をしたり、水ぶくれができたり、血が出たりすることがよくありました。そのような霊体はそれほどすごいのですから、あなたは常人の手でそれに触れる勇気がありますか？　それよりも、そもそもあなたにはそれを抓むことはできません。功能がなければ、抓みようもありません。なぜなら他の空間では、あなたが何かをやろうと考え、頭に浮かべただけで、それにはすぐ分かるのです。抓もうとしたら、素早く逃げられてしまいます。患者があなたから離れるやいなや、直ちに戻って患者に取り付きますので、病気も再発します。それをやっつけるには、手を伸ばしてぱっとそれを釘づけにするような功能が必要です。釘づけにしたあと、われわれはもう一つ、昔は摂魂大法《せっこんたいほう》と呼んだ功能を持っています。その功能はもっとすごいもので、人の元神をまるごとつかみ出すことができます。するとその人は直ちに動けなくなります。この功能は指向性を持っており、われわれはそのものに照準を合わせてつかむのです。皆さんもご存じのように、如来佛が手の中の鉢《はち》をちょっと向けると、あれほど大きかった孫悟空が、あっという間に小粒になってしまいます。この功能にはまさにそのような働きがあります。霊体が大きかろうが小さかろうがかまわず、あっという間に手に抓みとり、小さくします。

　そのほかに、手を患者の肉体の中に突っ込んで、抓み出すという言い方がありますが、それはいけないことです。そういうことをすれば常人社会の人間の思惟をすっかり撹乱させるから、絶対に許されませんし、たとえやれるにしてもやってはならないのです。突っ込むのは、他の空間の手です。例えば心臓に病気があって、こちらの手が心臓の部位に向かって抓もうとすれば、他の空間のその手はもう入っているのです。その手があっという間に、速やかに抓みとると、こちらの手も抓みにいって、両方の手が一つに合わされば、手に抓みとってしまいます。かの霊体は非常に凶暴で、手に抓まれていても動き回り、中へ潜ろうとしたり、咬んだり、叫んだりします。

手に握っていれば小さいように見えますが、手を放すととてつもなく大きく変わります。これは誰にでも扱えるようなものではなく、そういう功能がなければ、まったく扱えません。われわれの想像と全然違って、そんな簡単なことではありません。

もちろん気功で病気を治療する形式は、昔からずっと存在していましたし、将来も存続が許されるかも知れません。しかし条件が必要です。すなわちその人は修煉者でなければなりません。修煉の過程において、慈悲心により、少数の良い人に対してこういうことをするのはかまいません。しかし自分自身に威徳が足りないのですから、人の業を徹底的に滅することができず、難はそのまま残り、ただ具体的な病気が治っただけです。一般の小気功師は修煉して得道した者ではありませんので、先送りさせることだけしかできません。あるいは別の災いに転化させるかも知れませんが、しかし先送りさせる過程については本人は分かっていない可能性があります。もし副意識を修煉する功法なら、副意識がやっているのです。一部の功法の練功者はかなり有名なようですが、名声の高い多くの大気功師には功がなく、功はすべて副元神の身体についています。つまり、修煉のある過程の中ではそうすることが許されます。一部の人はその次元に長くとどまり、十数年、数十年の歳月を費やして修練していても、その次元を抜け出すことができないため、一生の間人の病気治療をしているのです。彼らはずっとその次元にいるから、そうすることを許されましたが、法輪大法《ファルンダーファ》を修煉する弟子は絶対に病気治療をしてはいけません。患者にこの本を読んで聞かせ、患者がそれを受け入れられれば、病気は治るのです。しかし、業力の大きさの違う人に対して、効果も違ってきます。

病院治療と気功治療

病院治療と気功治療の関係についてお話ししましょう。一部の西洋医は気功を認めません。これは多数と言ってもいいです。彼らは、「気功で病気を治療できるなら、どうしてまたわれわれの病院を必要とするのですか?」という言い方をします。「それなら、われわれ病院に代わってやってもらいましょうか! あなたたちの気功は、手を差し出すだけで病気を治せるし、注射も薬も入院もいらないのだから、われわれの病院に代わったらよいじゃないか」と言います。この言い方はまったく理屈に合わず、理不尽です。気功のことを理解していない人がいますが、実際、気功による治療は、常人の中の治療方法のようにしてはいけません。それは常人の中の技能ではなく、超常的なものです。超常的なものである以上、広い範囲にわたって常人社会を妨げるようなことが、許されると思いますか? 佛はすごい力を持っているではありませんか。一人の佛が手を振れば、全人類の病気が消えてしまいます。なのになぜそうしないのでしょうか? ましてあれほどたくさんの佛がいるのに、なぜ慈悲心を出して病気を治してくれないのでしょうか? それはつまり常人社会はこのようになっているのであり、生老病死もこんな状態になっているものだからです。みな因縁関係があり、因果応報があるもので、債務があれば返さなければならないからです。

もしあなたが他人の病気を治してあげたら、この理を破ったことに等しいのです。つまり悪いことをしても、償わなくてよいことになってしまいます。それでよいのでしょうか? 修煉している人は、問題を根本的に解決できるほどの力を持っていない時は、慈悲心から病気治療を行なうことが許されます。あなたに慈悲心が現われたので、そうすることが許されるのです。しかしあなたがこのような問題を解決することができる力を本当に持つようになると、広い範囲にわたって解決することは許されません。そうすればあなたは常人社会の状態を甚だしく妨げることになりますので、許されないのです。ですから気功が常人の病院に代わることは絶対にいけないことです。それは超常的な法なのです。

もしこの中国で気功病院を建てることが許されて、大気功師がみな出て来てそれをやりだしたら、どのような状態になるのでしょうか？　常人社会の状態を維持していくためには、そんなことは許されないのです。もし気功病院や気功診療所、気功によるリハビリセンターや療養所を建てたとして、いったんやりだすと、気功師の治療レベルはがた落ちになって、治療効果も直ちに駄目になってしまいます。なぜでしょうか？　常人の中のことに手を染めたので、常人の法と高さを同じくしなければならず、常人の状態と同じ次元にいなければならないので、その治療効果も病院のと同じでなければならないのです。ですから治療効果が駄目になったため、治療するのに幾つかの治療過程が必要だとか言い出します。だいたいそうなります。

気功による病院を作るにせよ、作らないにせよ、気功が病気を治療できることは、誰も否定できません。気功は社会においてこれほど長い間普及しており、大勢の人が練功を通じて確かに病気治療と健康保持の目標には達しています。気功師により病気が先送りされただけにしろ、何にしろ、とにかくその病気は現在なくなっています。つまり気功が病気を治療できることは、誰も否定できません。気功師に診てもらう病気はほとんど難病です。病院では治らないから、運試しに気功師のところに行ってみたら、治ったのです。病院で治るのなら気功師には頼みません。特に最初の頃は、気功について人々はほとんどこういうふうに考えていました。気功は確かに病気を治療できるのです。ただ常人社会の他のことと同じようにしてはいけないだけです。広い範囲にわたって干渉することは絶対に許されませんが、小規模にあるいはあまり大きな影響が出ない場合は、ひそかにやるなら許されます。しかし徹底的に病気を治すことはできません。これも間違いのないところです。自分自身が気功で身体を鍛え病気を治すのがいちばん良いのです。

病院では病気を完治できないとか、今の病院の治療効果はどうのこうのと言う気功師がいます。われわれはどう言ったらいいでしょうか？　もちろん多方面の原因がありますが、最も主要な原因は、わたしから見れば、やはり人類の道徳水準の低下によって、いろいろ奇々怪々な病気が現われたためです。病院では治療できず、薬を飲んでも効き目がなく、それに偽薬《ぎやく》も多いのですが、社会がここまで退廃してきたのはすべて人為的です。誰も他人を責めるまでもなく、みんながそれぞれ一役買っているのです。ですから誰でも修煉すれば必ず苦難に遭遇するのです。

病院で検査しても分からないのに、確かに病気はあるという場合があります。あるいは病気があることは検査によって分かりましたが、病名が分からず、見たこともない病気の場合がありま す。病院は一律に「現代病」と称します。病院は病気治療ができるのでしょうか？　いうまでもなくできるのです。病院が病気を治療できないのなら、人々が病院を信用し、診てもらいに行くはずはないでしょう。病院はやはり病気治療ができるのです。ただその治療手段が常人の次元のものであるのに対して、病気とは超常的なものであるということです。かなり重いものもあります。ですから病院は、病気があれば早く治療しなさいと言います。重くなれば治療できなくなり、投薬量が多くなると患者が中毒になることもあります。現在の医療水準は科学技術の水準と同じで、いずれも常人という次元にあるのですから、治療効果もそれに見合うものです。一つはっきりさせなければならないことがあります。一般の気功による治療と病院での治療は、どちらも病気を引き起こす根本的な原因である難を後半生あるいは将来に先送りするだけで、業力そのものは全然動かされていません。

漢方のことについてもお話ししましょう。漢方の病気治療は気功による治療と非常に近いのです。中国の古代では、漢方の医者はだいたい超能力を持っていたのです。孫思邈《そんしばく》、華佗《かだ》、李時珍《りじちん》、扁鵲《へんじゃく》などの大医学者は、みな超能力を持っており、医学書にも記録があります。しかし往々にしてこのような精華ともいうべきものは現在批判されるようになっており、漢方の受け継いだものは、漢方薬の処方箋《しょほうせん》や経験の模索に過ぎません。中国古代の医学は相当発達しており、現代医学よりも進んでいました。「現代医学はなんと進んでいることだろう。CTスキャナーで人体の内部を見ることができるし、B超音波、X線写真などもある」と思う人がいるかも知れません。現代の医療設備は確かに進んでいますが、わたしから見れば、やはり中国古代の医学には及びません。

華佗には曹操《そうそう》の脳の中に腫瘍があるのが見え、手術で頭蓋骨を切り開いて腫瘍を取り出そうとしました。それを聞いた曹操は華佗が自分を殺そうとしているのではないかと思い、華佗を投獄しました。結局華佗は牢獄で亡くなりました。曹操は病気が再発した時、華佗を思い出して呼ぼうとしましたが、華佗はすでに死んでいました。その後、曹操は本当にその病気で亡くなりました。華佗はなぜ知っていたのでしょうか？ 彼には見えたのです。これは人間の超能力であり、昔の大医学者はみなこのような力を持っていました。天目が開いてから、一つの方向から同時に人の四つの面が見え、前から後、左、右が見えます。さらに一つ一つの断面をスライスするように見ることができます。またこの空間を通して病気になった根本的な原因が何であるかを見ることもできます。現在の医療手段でここまでできますか？　ずいぶんかけ離れており、あと千年はかかるでしょう！　ＣＴスキャナー、Ｂ超音波、Ｘ線などで人体内部を見られますが、設備自体がかなり大きく、携帯もできないうえ、電気がなければなんの役にも立ちません。しかし天目はどこへ行ってもついており、エネルギー源も要らないのですから、比べものになりません！

今の薬はどうのこうのと言う人がいますが、わたしは必ずしもそうではないと思います。中国古代の薬草は、本当にたちどころに病気を治すことができました。多くのものはもう伝わっていませんが、民間に伝わっているのは少なくありません。わたしが斉斉哈爾《チチハル》で講習会を行なった時、街で露店を出して抜歯《ばっし》をやっている人を見ました。東北人のような身なりではないので、南方からやってきた者だとすぐ分かりました。来るものは拒まず、誰にでも抜歯してあげるので、抜かれた歯が山ほど積まれていました。歯を抜くのが目的ではなく、自分の水薬《みずぐすり》を売るのが目的です。その水薬は濃い黄色の気を発していました。歯を抜く時、水薬の瓶の蓋を開け、頬を隔てて病んだ歯に向けて、外から水薬の黄色の気を吸わせます。水薬はほとんど減っておらず、再び蓋をしてそこに置きます。それからポケットから一本のマッチ棒を取り出し、薬の宣伝をしながら、病んだ歯にマッチ棒を当て、ちょっと横に動かすと、歯がポロリと落ちました。痛くもなく、わずかな血痕があるだけで、出血もしません。皆さん考えてみてください。マッチ棒は力を加えれば折れるものなのに、それを使って歯を抜くことができたのです。

中国の民間に伝わっている一部のものは、西洋医学の精密機器などより優れていると思います。効果を見比べればよいのです。マッチ棒でちょっと動かすだけで歯が抜けます。西洋医の方は、歯を抜くのに、まず麻酔の注射をしますが、こちらから注射したりあちらから注射したりして、それだけでも痛いのに、麻酔がかかってから、ペンチで抜きます。抜いているうちに下手をすると折れて根が残ってしまいます。ハンマーとのみで心臓がドキドキして震えてしまうほど、削ったり敲《たた》いたりします。さらに精密な機器で穴をあけたりします。人によっては、飛び上がらんばかりに痛いうえに、大量出血する人もいます。あなたはどちらが良いと思いますか？　どちらが進んでいるのでしょうか？　道具だけで見てはならず、その実際の効果を見るべきです。中国古代の医学は相当発達していたのです。今の西洋医学はこれから何年経っても追いつかないでしょう。

中国古代の科学は、西洋から学んだ現代科学とは違い、まったく別の道を歩んだので、異なる状態をもたらすことができました。ですから現在の認識方法で中国古代の科学技術を認識してはなりません。中国古代の科学は、直接人体、生命、宇宙を相手に研究していたので、別の道を歩んだのです。その当時学校へ行く人は、みな座禅を重んじ、坐る姿勢にも厳しかったのです。筆を持てば、気を運び、呼吸を整えることを重んじていました。どのような仕事をしても心を浄《きよ》め、息を調整することを重視し、社会全体がこのような状態にあったのです。

「中国の古代科学に従って行ったとしたら、今日の自動車や、汽車がありえたのか？　今日の近代化がありえたのか？」と言う人がいます。現在あなたが身を置いている環境から、そうではない別の状態を認識してはなりません。自分のものの見方を変革させるべきだと思います。たとえテレビがなくても、人は見たいものはいつでも見られるものを頭の前に持っていますし、功能も持っています。汽車、自動車がなくても、坐ったままで飛ぶことができるし、エレベーターも要りません。今とは違った社会の発展状態がもたらされたかも知れません。必ずしも今のこの枠の中に限られることはありません。他の星から来た人は空飛ぶ円盤で瞬時に往来し、大きくなったり小さくなったりすることができます。それらが歩んでいるのはさらに異なる発展ルートで、別の科学方法なのです。

第八講

辟穀《へきこく》

辟穀《へきこく》の問題に言及した人がいます。辟穀という現象は確かに存在し、修煉界にあるだけでなく、われわれ全人類社会の中で少なからぬ人にこのような現象が現われています。数年あるいは十数年にわたって飲食を断っている人がいますが、元気に生きています。辟穀はある次元の現われだと言う人もいれば、身体浄化の現われだと言う人もいます。さらにそれを高い次元における修煉過程だと言う人もいます。

本当はすべて違います。ではそれはどういうことなのでしょうか？　辟穀は実際はわれわれが特定の環境の下で採用した特殊な修煉方法です。どういう特定の環境の下でそれを採用するのでしょうか？　中国の古代、特に宗教がいまだ創立されなかった時に、修煉者の多くはほとんど密修、独修というような方式を採用して、深山の中あるいは山の洞窟の中に入って、人の群れから遠く離れて修行していました。いったんこういうふうにすると、食料の調達という問題が起きます。もし辟穀の方法を取らなければ、とうてい修煉するどころではなく、中で餓え死にするか、渇き死にしてしまうかにきまっています。わたしは重慶《じゅうけい》から武漢へ説法に行く時、船に乗り長江《ちょうこう》を下って東へ向かいました。途中、三峡《さんきょう》の両側、山腹のところどころに洞窟があるのを見かけましたが、多くの名山にもこういうものがあります。むかし修煉の人は縄で這い上がり、中に入ってから縄を切って、洞窟の中で修煉しました。修煉が成就できなければ、中で死ぬしかないのです。水もなければ、食べ物もありません。このようなきわめて特殊な環境の下で特殊な修煉方法が採用されたわけです。

多くの功法はこのようにして伝えられて来たので、辟穀をもっています。辟穀をもたない功法もたくさんあります。今日社会に伝わっている功法の大多数はこれをもっていません。煉功は専一を重んじるので、人為的に気の向くままに行動してはいけません。それが良いと思って、あなたも辟穀したくなったとしても、あなたは辟穀をして何をするのですか？　すばらしいとか、珍しいと思っている人もいれば、あるいは自分の功夫が大したものだと思って見せびらかしたい者もおり、いろんな心理状態の人がいます。この方法を採用して修煉しても、自身のエネルギーを消耗して身体に補充をしなければならないので、得ることより失う方が多いのです。皆さんもご存じのように、特に宗教というものが確立してから、あなたが寺院に閉じ籠《こも》って座禅をしていても、お茶やご飯を供給してくれる人がいるので、この問題は起きません。特にわれわれは常人社会の中で修煉するので、あなたはまったくこの方法を採用する必要はありません。しかも、そもそもあなたの法門の中にそういったものがないのなら、あなたは勝手にしてはいけないのです。もしあなたがどうしても辟穀をしたいのなら、好きなように修煉すればよいのです。わたしの知っているところでは、師が高い次元の功を伝え、真に人を導こうとしている場合、その法門の中に辟穀があるケースが多く、そういう現象が現われることもあります。しかし、それは広く普及させることができないもので、弟子を連れて密かに修煉するか、単独で修煉する場合がほとんどです。

現在、人に辟穀を説く気功師もいます。辟穀をしたのでしょうか？　結局は辟穀をしていません。誰が辟穀をしたのですか？　わたしが見たところ、入院した者が少なくないし、生命の危険に直面した者も少なくありません。ではどうしてこのような状況が現われたのでしょうか？　辟穀ということは本当にあるのではないでしょうか？　確かにあります。しかし、われわれ常人社会のこの状態は、誰かに簡単に破壊されることを許さないもので、破壊されてはならないのです。国中でみんな練功して飲まざる食わざるになれば、いったい全体どれくらいの人数にのぼるかはさておいて、単に長春というところだけでも誰も飲み食いしなくなったら、わたしに言わせるとそれは手間が省けることでしょう！　ご飯を作ることを気にする必要もありません。農民は野良仕事で苦労していますが、みんな食べなくなったら、その苦労が省けます。みんなが働くだけで、ご飯も食べないのですから。そんなことがあっていいのでしょうか？　それは人類社会と言えるのでしょうか？　絶対に駄目です。このような事態が起きて広い範囲に常人社会をかき乱すことは、許されません。

一部の気功師が辟穀を伝えた時、多くの危険が現われました。辟穀を求めることに執着している人がいますが、彼のその心は捨てられておらず、多くの常人としての心は捨てられていないため、美味しいものを見ていながら食べないと、無性に食べたくなります。その心が起きると、抑えきれなくなります。焦りだすと、物を食べたくなり、欲望が出ると食べたくなり、食べなければ飢餓感を覚えます。しかし、食べると吐き出すので、食べ物が喉を通りません。これが精神の緊張を引き起こして、すごく怖く感じます。多くの人が入院し、多くの人が生命の危険に直面したのは事実です。わたしのところへ来て、これらのめちゃくちゃなことの後片付けをしてほしいと頼んだ人もいましたが、わたしはこういうことにかかわりたくないのです。本当にむちゃなことをする気功師がいますが、誰が喜んでそういうひどいことの後片付けをしてあげようと思うでしょうか。

その上、あなたが辟穀をして問題が生じても、それはあなた自身が求めたせいではないでしょうか？　われわれはこれらの現象が存在していると言いますが、しかしそれは高次元に現われる状態でもなければ、何かの特殊な反映でもありません。それは特殊な状況の下で採用された煉功方式の一つに過ぎず、しかもそれは普及させることができるものではありません。辟穀を求める人が多くおり、しかもそれを辟穀や、半辟穀などとランクづけしたりしています。ある人は自分は水を飲むと言い、ある人は果物を食べると言いますが、それらはすべて偽辟穀であり、時間が長くなると、必ず全部駄目になります。真に修煉する人は、洞窟の中に閉じ籠って、飲み食いを断ちますので、それこそ本当の辟穀だと言えます。

気を盗むこと

気を盗むことと言うと、虎の話をするだけで顔色が変わるように、怖くて練功する気にならない人がいます。修煉界の人が走火入魔とか、気を盗むとかのことを言いふらすので、人々は怖くて練功や気功に接触することもできなくなっています。もしそんなことが言いふらされていなければ、もっと多くの人々が練功するかも知れません。一部の心性が良くない気功師は、こういうことばかり教えており、修煉界をかき乱していますが、本当は彼らの言うほど怖いことではありません。気のことを混元気とか、この気だあの気だとどんなに言ってみても、われわれに言わせれば、気は気にほかならないのです。人体に気があるかぎり、その人は病気治療と健康保持という次元にいるのであって、まだ煉功者だとは言えません。人に気があるかぎり、それは、その人の身体がまだ高度な浄化に達しておらず、病の気があることを物語っており、これは間違いのないところです。気を盗む人も気の次元にいます。われわれ煉功する人の誰が、そんなどろどろとした気を欲しがるでしょうか？　煉功しない人は身体の気が非常に濁っていますが、煉功してから清くなる可能性があります。そうなった時病気のあるところに、密度のかなり高い黒色物質が現われてきます。修煉し続けていって、真に病気を取り除くころになりますと、気が次第に微《かす》かな黄色になります。さらに修煉し続けていけば、病気が本当に取り除かれ、気も無くなりますので、乳白体の状態に入ります。

つまり気があるかぎり病があるということです。われわれは煉功者で、煉功しているのに人の気をもらってどうしますか？　自分の身体を浄化しなければならないのに、どうしてその上にどろどろとした気が欲しいのですか！　絶対に欲しがってはいけません。気を欲しがる人も、ほかならぬ気の次元にいます。気の次元にいる以上、彼にはどれが良い気でどれが悪い気か見分けがつかず、そうする能力はありません。あなたの身体の丹田にある「真気」を彼は動かすことができないのです。その元の気は、かなり高い功夫を持つ人だけが動かすことができます。身体のそのどろどろとした気を、彼に盗ませておけばよいので、何も大したことはありません。わたしは煉功する時、気を注ぎたいとちょっと思うだけでも、すぐ腹が膨らんできます。

道家では天宇椿《てんじとう》に立つと言い、佛家では気をすくい上げて灌頂《かんじょう》すると言いますが、宇宙には気がいくらでもあり、あなたは終日、自分の中へ向かって注いでもよいのです。労宮穴《ろうきゅうけつ》を開き、百会穴《ひゃくえけつ》を開いて、中に注ぐといいのです。丹田を意守し、手で中へすくい上げて注げば、間もなくいっぱいになります。いっぱいふくらませて、さて何の役に立つのですか？　気をいっぱいためると、手の指の腹も張るし、身体中が張ると感じる人がいます。その前を通る人に、周辺に一つの場があることを感じさせます。あなたの功はすごいですねと褒められます。わたしに言わせると何でもないのです。どこに功があるというのですか？　やはり気を練っているに過ぎず、気がいくら多くても功に代わることはできません。気を練る目的は、外の良い気で身体の中の気を取り替えることであり、身体を浄化させるためです。しかし気をためて何をするのですか？　あなたがこの次元にとどまっており、本質の変化が起こっていないかぎり、それは功ではありません。いくら多く盗んでも、せいぜい大きな風船になるのが落ちで、何の役に立つというのですか？　しかもそれは高エネルギー物質へ転化しているわけでもありません。ですからあなたは恐れる必要はありません。人が本当に気を盗みたければ盗ませればよいのです。

皆さん考えてください。あなたの身体に気があるかぎり病があるのです。そこで人が気を盗む時、あなたの病気までも一緒に盗んで行くのではありませんか？　彼には全然それらを見分けることができません。気を欲しがる人も気という次元におり、何の力もないからです。功のある人に気は要らないのです。これは間違いありません。信じられなければ、われわれは試してみてもよいのです。本当に気を盗みたがる人がいるのなら、あなたはそこに立って彼に盗ませなさい。あなたが宇宙から中に注ぐことを思い浮かべている一方、彼は後ろで盗んでいるとします。なんと素晴らしいことではないでしょうか。身体の浄化を速めてくれますし、あなたが「衝灌《チオングアン》、衝灌」をすることも省けます。他人のものを盗んだのだから、彼に萌《きざ》したその心が悪いのです。結果的に良くないものをもらってしまったとしても、彼が徳を損なうことをしたのであり、あなたに徳を与えなければなりません。一方ではあなたの気をもらい、他方ではあなたに徳を与える、そういう対流ができてしまいます。気を盗む人はこれを知らないのです。知っていれば、とてもこんなことをする勇気はないはずです！

およそ気を盗む人は、顔色が青いのです。みなそうです。公園へ練功に行く多くの人は、病気を取り除くという目的をもっていて、そこにはどんな病気もあります。他の人は病気を治療する時、それを外へ排出しなければならないのですが、気を盗む人は排出しないばかりか、身体にいっぱい取り込んでいますので、どんな病の気ももっており、身体の中まで真っ黒になっています。彼はいつも徳を損なっているので、彼の外も真っ黒です。業力場が大きくなり、徳を多く損なったら、中も外も黒くなります。気を盗む人は、自分自身にこのような変化が起こっており、人に徳を与えるような馬鹿なことをしていると分かれば、そんなことをやるはずがないのです。

気を非常に摩訶不思議なもののように言う人がいます。あなたがアメリカにいても、わたしが気を発するとあなたは受けとることができるとか、あなたが壁のむこうで待っていれば、わたしが気を発するとあなたは受けとることができるとか言うのです。非常に敏感な人もいますので、発せられた気を確かに受けとることができます。しかしその気は、この空間を通らずに別の空間を通っており、別の空間のそこには壁がないからです。なぜある気功師が平地で気を発しても、あなたにそれが感じられないのでしょうか？　別の空間のその場所に隔てがあるからです。したがって気というものは、われわれが言っているほど大きな貫通力があるわけではありません。

真に役に立つのは、ほかでもない功です。煉功者が功を出せるようになった時、彼にはすでに気が無くなっています。高エネルギー物質を発しますが、天目で見れば一種の光です。それを他人の身体に向かって発したら、熱く感じられ、直接常人を制約できます。といっても病気を完全に治療する目標に達することはできず、抑制の作用しかありません。本当に病気を治すには功能の存在がなければならず、それぞれの病気に対してそれぞれの功能があります。超ミクロの世界において、功の一つ一つの微粒子は、あなた個人の姿かたちと同じです。それは人を識別できますし、みな霊性のある、高エネルギー物質ですので、他人が盗んでいったとしても、それはその他人のところに留まれるものでしょうか？　自分自身のものでなければ身につけようとしても駄目で、そのものもそこに留まるはずがありません。真に煉功する人は、功が出てからは師に見守られており、あちらで師はあなたが何をしているのかを見ています。人のものを盗むなど、その人の師も許すはずがありません。

気を採ること

気を盗むことと気を採ることはいずれも、われわれが高次元で功を伝える時に皆さんのために解決してあげなければならないような問題ではありません。修煉界のために良いことをし、修煉の本来の意義を明らかにしたいというのもわたしの目的の一つですので、従来誰も話したことのないこれらの良くない現象を明らかにしておきます。皆さんがそれを知っていれば、悪事ばかり働こうとする人もそうすることができなくなるし、気功の真相が分からない人もいつまでも怖いと思わなくてすむのです。

宇宙の気はいくらでもあります。天陽《てんよう》の気とか、地陰《ちいん》の気とか言う人がいます。あなたも宇宙の一分子ですので、思う存分採ればよいのです。しかし宇宙の気を採るのではなく、もっぱら植物の気を採ることを教える人がいて、経験談までまとめられています。ポプラの気は白く、松の気は黄色いとか、いかに採ればいいか、いつ採ればいいかなど。またこう言う人もいます。「家の前に木があったが、わたしが気を採ったので枯らしてしまった」。それが自慢になるのですか？それは悪いことをしているのではないでしょうか？　皆さんもご存じのように、われわれが真に修煉するためには、良性の信息を重んじ、宇宙の特性に同化することを重んじますので、善を大事にしなければならないのではありませんか？　宇宙の特性、真・善・忍に同化するには、その善を重んじなければなりません。悪いことばかりしていて、功が伸びるでしょうか？　病気を治せますか？　それはわれわれ修煉者にはあるまじきことではありませんか？　それも殺生で悪事であることに変わりはありません！　人はこう言うかも知れません。「あなたはますます不可思議なことを言うではないか。動物を殺すことは殺生だが、植物を枯らすことも殺生なのか」。実際そうなのです。佛教では六道輪廻を説きますが、六道輪廻の中で、あなたは植物になるかも知れません。佛教ではそう言うのです。われわれはここでそういうふうには言いません。しかしわれわれが皆さんに教えておきたいのは、木にも生命があること、それどころか生命があるばかりでなく、かなり高度な思惟活動も持っているということです。

一例を挙げましょう。アメリカに電子の研究を専門にしている人がいて、人に嘘発見器の使い方を教えています。ある日、彼は思いつきで嘘発見器の両極を一本の竜舌蘭《りゅうぜつらん》の花につないで、それから花の根元に水をかけたところ、嘘発見器の電子ペンがすばやく曲線を描き出したのに気づきました。この曲線はちょうど人の大脳が、きわめて短い時間の間に興奮や喜びを覚えた時の曲線と同じなのです。植物になぜ感情があるのか！　彼は驚きました。彼は「植物にも感情があるぞ」と、街へ出て叫ぼうとさえ思いました。この一件に啓発されて、引き続き彼はこの方面の研究に手をつけ、たくさんの実験を行ないました。

ある日、彼は二本の植物を一緒に並べて、彼の学生に一本の植物の前でもう一本の植物を踏みつけさせ、踏みつぶさせました。それからこのもう一本の植物を部屋の中に移し、嘘発見器につないで、彼の学生五人を外から順番に入らせました。さきに四人の学生が入って来ましたが、反応はありません。五番目の学生、つまり植物を踏みつけた学生が入ると、まだ近づいていないのに、電子ペンがすばやく曲線を描き出しました。それは人が恐怖を感じた時にしか見られないような曲線です。彼は非常に驚きました！　このことはきわめて大きな問題を明らかにしてくれました。われわれは従来から人間は高級な生命体だと思い、人間は感覚器官の機能をもっているので識別ができ、大脳があるから分析ができると思ってきました。植物にはなぜ識別する能力があるのですか？　それは感覚器官を持っているということではありませんか？　以前なら誰かが植物には感覚器官があり、思惟も感情もあり、人を識別できるなどと言えば、それは迷信だと決めつけられたに違いありません。それだけではなく、ある面で植物はわれわれ今日の人間を超えているようです。

ある日、嘘発見器を一本の植物につないだ彼は、「さてどんな実験をやろうか？　火でその葉を焼いたら、どんな反応があるのか」と考えました。彼がこう考えただけで、まだ火をつけてはいませんん。それなのにその電子ペンが急速に振れだし、人間が「助けてくれ」と叫ぶ時にしか見られないような曲線を描き出しました。この超感功能は、昔は他心通と呼ばれ、人間の潜在能力で、本能でした。今日の人類にはそれらがみな退化してしまっているので、改めて修煉し、返本帰真して、先天的にあるはずの本性に戻って、はじめてそれらを持つことができます。しかし植物はそれをもっているのです。あなたが何を考えているか植物は知っています。不思議に聞こえるかも知れませんが、これは実際に行なわれた科学実験です。その人はいろいろな実験を行ない、遠隔操作の功能もやりました。彼の論文が発表されると、全世界の注目を集めました。

各国の植物学者はみなこの方面の研究を展開しており、我が国でもやっていますので、これはもう迷信などではありません。わたしはそこで先日こんな話をしました。「今日われわれ人類に発生し、発明され、発見された多くのものは、われわれの今日の教科書を書き換えるのに十分なほどです」。しかし人々は、伝統的な観念の影響を受けて、それを認めようとせず、系統的にそれらを整理する人もいません。

わたしは東北のある公園で松林が枯れているのを見ました。何を練っているのか分かりませんが、地面を転げ回る人々がいました。転げ回った後で、気を足で採ったり手で採ったりしましたが、松林はそれで間もなく黄色くなって、全部枯れてしまいました。これは良いことをしたのでしょうか、それとも悪いことをしたのでしょうか？　われわれ煉功者の立場から見れば、それは殺生にほかなりません。あなたは、煉功者である以上、良い人でなければならないのですから、徐々に宇宙の特性に同化し、あなたのもっていた良くないものを捨て去るべきなのです。一方、常人の立場から見ても、それは良いこととは言えません。公共物を破壊し、緑を破壊し、生態バランスを破壊することなので、どの立場から言っても良いことではありません。宇宙に気はいくらでもありますから、あなたは思う存分採ればよいのです。エネルギーのかなり強い人は、一定の次元まで修練してから、ちょっと手を振るだけで、かなり広い範囲の植物の気を、いっぺんに採ってしまうことができます。しかしそれも気に過ぎず、いくら多く採ってもどうなるというものではありません。公園に行って、こればっかりやる人がいます。「わたしは練功する必要がない。歩きながらこうやって手で取り込むだけで、十分練功になるのだ。気を得ればそれでいい」と彼は言いますが、気のことを功だと勘違いしているのです。人が彼の近くに来ると、彼の身体から冷たいものを感じます。植物の気は陰性ではないでしょうか？　煉功者は陰陽のバランスを重んじますが、身体は松の匂いがぷんぷんするのに、本人は良く練っていると思い込んでいるのです。

煉功するその人が功を得る

煉功するその人が功を得るという問題はきわめて肝要な問題です。法輪大法《ファルンダーファ》のどういうところがいいのかと聞かれましたが、わたしは「法輪大法《ファルンダーファ》は功が人を煉ることができるので、煉功時間を短縮することができる。長期的に功に煉られるので、煉功する時間がない問題を解決できる」と答えました。それにわれわれのものは真の性命双修の功法であるので、われわれのこの物質身体がかなり大きく変わるのです。法輪大法《ファルンダーファ》には最も大きな良さがもう一つありますが、これまでわたしはずっと話したことがありません。今日初めてそれを話します。それはかなり大きな歴史的な問題に絡んでおり、修煉界に与える影響も相当大きいので、これまでの歴史において誰もそれを明らかにする勇気がなかったばかりでなく、明らかにすることが許されなかったのです。しかしわたしはそれを話さないわけにはいかないのです。

「李洪志大師《だいし》の言葉の一つ一つが天機であり、天機を漏らしているのだ」と言う弟子がいました。しかしわれわれは真に高い次元へ人を導き、つまり人を済度しているのです。皆さんに対して責任を負わなければならないうえに、しかもその責任を担《にな》うことができるのですから、天機を漏らすことにはなりません。これに対して、責任を負わずに勝手にしゃべるのは天機を漏らすことです。今日われわれはこの問題、つまり煉功者その人が功を得るということを明らかにします。わたしの見るところでは、現在のあらゆる功法は、歴代の佛家、道家および奇門功法も含めて、すべて人の副元神（副意識）を修煉しており、みな副元神が功を得ているのです。われわれがここで言う主元神は、ほかでもない自分の思惟のことです。自分が何を考えているのか、何をしているのか自分で分かっていなければならないのです。それがあなたの本当の自分自身なのです。ところが副元神が何をやるのかはあなたにはまったく分かりません。彼はあなたと同時に生まれ、同じ名前をもち、同じ身体を主宰し、姿かたちが同じですが、厳密に言えば、彼はあなた自身とは言えないのです。

この宇宙には「失うものが得る。修煉するその人が功を得る」という理があります。歴代の功法は、煉功の時は何も考えない、恍惚《こうこつ》とした状態に入り、それから何もかも分からなくなるぐらい深く入定するよう教えています。三時間の座禅をあっという間のように感じる人がいます。他人は彼の定力に敬服しますが、本当のところ彼は修煉したのかどうか？　本人はまったく分からないのです。特に道家功法には「識神《しきしん》死して元神生ず」という言い方があります。その識神を、われわれは主元神と言い、その元神を、われわれは副元神と言います。あなたの識神が本当に死ねば、あなたも本当に死んでしまい、主元神が本当に無くなるのです。別の功法を練る人は「先生、わたしは練功する時、家族も分からなくなってしまいます」とわたしに言います。またある人はわたしにこう言います。「わたしは、他の人のように朝早く起き夜遅くまで練功などしません。家に帰って来てソファに横たわると、自分が練功へ出かけるので、わたしは横になっていて彼が練功するのを見ているのです」。わたしは悲しく思いますが、一方それは悲しいことでもありません！

人はなぜ副元神を済度するのでしょうか？　呂洞賓《りょどうひん》は、たとえ動物は済度しても人間は済度しない、と言ったことがあります。人間は本当にあまりにも悟りにくいものです。常人は常人社会に迷うので、現実の利益を前にすると、その心を捨て去ることができません。信じられないかも知れませんが、受講が終わってこの講堂を出たとたんに、直ちに常人に変わる人がいます。誰かが彼の気にさわるようなことを言ったり、彼の機嫌をちょっとでも損ねたりすると、絶対に承知しないのです。しばらくすれば自分が煉功者であることをきれいさっぱり忘れてしまいます。歴史上の多くの修道の人はみなこの点に気づいていますが、人間が済度し難いものだというのは、人間の主元神があまりにも頑迷だからです。悟性のすぐれた人は、ヒントを与えると直ちに分かりますが、どんなに教えても信じようとせず、ありえない話だと思う人もいます。われわれはどれほど彼に心性を修煉するよう教えてあげても、彼は常人の中に戻ると元の木阿弥になります。

彼は常人の中での確実で実感できる、ちっぽけな利益を現実的だと思い、それを求めずにはいられません。そんな人は、「先生が説いた法は、聞いている時はなるほどと思いますが、実際はとても実行できません」と言うのです。人間の主元神はいちばん済度し難いのですが、副元神には別の空間の光景が見えます。ですからある人は「なぜ、わたしがあなたの主元神を済度する必要があるのか。副元神もあなたなのだから、彼を済度すれば同じことではないか？　どちらもあなたですから、どちらが得ても結局はあなたが得ることになるのではないか」と思うのです。

わたしはその具体的な修煉方法を述べましょう。もし、人に遠隔透視の功能があれば、次のような光景が見えるかも知れません。座禅する時、入定した瞬間に、突然ふわっとあなたの身体の中から、あなたと同じ容貌《ようぼう》のもう一人のあなたが出ていくのが見えます。しかしあなたの自我はどこにいるか分かりますか？　そこに坐わっているのです。彼は出てから、師に連れられて師の演化したある空間の中で修煉しますが、それは過去の社会形式であるかも知れませんし、現在の社会形式であるかも知れません。あるいは別の空間の社会形式であるかも知れません。彼は毎日一、二時間、煉功を教えてもらい、多くの苦しみに耐え抜きました。煉功が終わって帰って来ると、あなたも出定《しゅつじょう》するのです。これらは見えるものです。

もし見えなければなおさら悲しいことです。何も知らずに、わけの分からないうちに、二時間入定してそれから出定するのです。寝てしまう人もいます。二、三時間うとうとすれば煉功したつもりになりますが、完全に自分を他人に預けてしまいました。これはとぎれとぎれに煉功して完成することで、毎日これくらいの時間座禅するのです。一回だけの連続で完成するのもあります。皆さんは達磨の面壁九年《めんぺきくねん》の話をお聞きになったことがあるかも知れませんが、昔は多くの僧が数十年も坐り続け、歴史上の記録によればいちばん長いのは九十年余りですが、もっと長いのもあり、まぶたにほこりが分厚くたまり、身体に草も生えてきましたのに、まだそこに坐っていたと言います。道家にもこれを重んじるものがあり、特に一部の奇門功法は寝ることを重んじ、ひとたび寝ると数十年も出定せず、目が覚めません。しかし、それではいったい誰が修煉したのでしょうか？彼の副元神が出かけて修煉したのです。もし彼に見ることができれば、師が副元神を連れて修煉しているのが見えます。副元神もかなり大きな業力を背負っていることがあり、師は業力を全部滅してやる力がありません。それで彼に「君はここでしっかり煉功しなさい。わたしはちょっと出かけて、すぐ帰って来るから、待っていなさい」と言うのです。

師は何が起きるか分かっていながら、そうしなければならないのです。するとそこへ魔が来て彼を脅かしたり、美女に化けて彼を誘惑するなど、あらゆることが起こります。しかし彼はさすがに心が動じません。副元神は真相が分かりますから、比較的修煉しやすいのです。この魔がかっとなって、恨みを晴らすために彼を殺そうと思い、また本当に彼を殺してしまうことさえあります。これで債務は全部返済されました。殺されてから、副元神は飄々《ひょうひょう》として、煙のように出て来ます。もう一度生まれ変わって、非常に貧しい家に生み落とされます。小さい時から苦しい思いをさせられ、物心つく頃になると、師がやって来ました。もちろん彼には分かりません。師は功能で彼の蓄積されていた思惟を開いてやります。「この方は師ではないか？」と、たちどころに彼は思い出します。「今はもう大丈夫だ。修煉してもよい」と師は彼に告げます。こうして長い歳月を経て、師は伝えるべきものを彼に伝え終えるのです。

伝え終えてから、師はさらに「君はたくさんの執着心を捨てなければならない。そのために行脚《あんぎゃ》に出かけなさい」と彼に言います。行脚は非常に辛いことで、社会の中を放浪し、物乞いをしながら、いろいろな人に出会って、嘲《あざけ》られたり、罵られたり、いじめられたりして、どんなことにも遭遇する可能性があります。彼は自分が煉功者であることを常に心掛け、人との関係を正しく処理し、心性を守り、絶えず心性を向上させ、常人のいろいろな利益の誘惑にも心が動じません。長い歳月を経て、彼は行脚から帰って来ます。そこで師は言うのです。「君はすでに得道し、圓満になった。もう何もないので帰って後片付けをし、出発する用意をしなさい。何か用事が残っているなら、常人の中の用事を済ませておきなさい」。このようにして長い年月が過ぎ去ってから、副意識が帰って来ます。彼が帰って来ると、こっちの主元神も出定して、主意識は目が覚めるのです。

ところが彼のほうは確かに修煉していなかったのです。副元神が修煉したのですから、副元神が功を得たわけです。しかし主元神も辛かったのです。なんといっても彼は青春をすべてじっと坐ることに費やしたので、常人の年月はすべて過ぎ去ってしまったのです。それではどうしたらいいのでしょうか？　彼は出定すると自分がもう功を身につけて、功能をもっていると感じますが、病気治療をはじめ、やりたいことがなんでもできるように、副元神が彼を満足させてやるのです。彼はなんといっても主元神なのですから、主元神は身体を主宰し、決定権を握っているのです。しかもこんなに長年にわたって彼はここに坐り、生涯のほとんどを費やしました。死後、副元神は離れて、それぞれがそれぞれの道を歩みます。佛教の言い方によれば、彼はやはり六道に入らなければなりません。ところが彼の身体から一人の大覚者が修煉をなし遂げたので、彼も大徳《だいとく》を積んだわけです。それではどうなりますか？　来世は高官になり、大金持ちになるかも知れません。せいぜいこれぐらいのところです。それでは無駄に修煉したことにならないでしょうか？

このことを明らかにするのは、さまざまの紆余曲折《うよきょくせつ》を経てはじめて同意を得たのです。わたしは千古の謎、絶対に言ってはいけない秘密の中の秘密を明らかにしました。歴代の修煉におけるさまざまな修煉方法の根底を全部明らかにしたのです。わたしは歴史的な問題と深く絡んでいると言いましたね？　それはほかでもないこれが原因です。考えてみてください。どの門派もこのように修煉しているのではないでしょうか？　せっかく苦労して修煉したのにあなた自身が功を得られないのは、悲しいことではないでしょうか！　それは誰のせいにすることができるのですか？　人間というものはこんなにも頑迷なので、どうしても悟らず、いくら手引きしてあげても駄目です。次元の高いことを言えば摩訶不思議なことだと思い、次元の低いことを言えば悟りません。わたしがこんなに言っても、まだわたしに病気治療を頼みたい人がいます。わたしはそういう人に対してはもう何も言えません。われわれは修煉を重んじるので、高い次元へ修煉する場合のみ面倒を見るのです。

われわれのこの法門では、主意識が功を得るのです。ではあなたの主意識が功を得ようと言えば、主意識が功を得るものでしょうか？　誰がそれを許してくれるのですか？　そうではないのです。それには前提条件がなくてはなりません。皆さんもご存じのように、われわれのこの法門は常人社会を避けて修煉しているものではなく、トラブルを避けたりトラブルから逃げたりもしません。常人のこの複雑な環境の中で、あなたは醒《さ》めています。それとはっきり分かっていながら利益の面において損を蒙り、また他人に利益を犯された時、あなたは他人のように争ったり闘ったりはしません。いろいろな心性の邪魔の中で、あなたは損を蒙っています。あなたはこのような厳しい環境の中で、意志を錬磨し、心性を向上させ、常人のいろいろな良くない思想に影響されながらも、そこから抜け出すことができるのです。

皆さん考えてみてください。はっきり分かっていながら苦しみに耐えているのは、あなたではありませんか。犠牲を払うのはあなたの主元神ではありませんか。常人の中であなたが何かを失う時は、あなたははっきり分かっていながら失うのではないですか？　ならばこの功はあなたが得るべきで、それは「失うものが得る」からです。ですからなぜわれわれのこの法門が、常人の複雑な環境から離れずに修煉を行なうかの理由はここにあります。われわれはなぜ常人の軋轢《あつれき》の中で修煉しなければならないのでしょうか？　ほかでもなくわれわれ自分自身が功を得るためです。将来は寺院で修煉する専修の弟子も常人の中へ行って行脚しなければならないのです。

「今は他の功法も常人の中で修練しているのではないか？」と言う人がいますが、しかしそれらはみな病気治療と健康保持を普及させるもので、真に高い次元へ修煉することに関しては、個人的に伝えているのを除いて、公にして伝えている人はいません。本当に弟子を取る人は、すでに弟子を連れて行って、密かなところで伝えているのです。長年の間、いったい誰が大勢の前でこれを話したことがあったでしょうか？　話す人はいなかったのです。われわれのこの法門でこうしてお話しできるのは、われわれがこのような修煉方法をとっているからであり、このように功を得るからです。同時に、われわれの一門で植えつけてあげた何千何万にとどまらないものは、全部あなたの主元神に与えるもので、本当にあなた自身に功を得させるのです。わたしは今まで誰もやったことのないことをなし遂げて、このうえない大きな門を開いたのです。わたしのこの話を聞いて直ちに分かった人もいますが、実際わたしは何も特別摩訶不思議なことを言っているわけではありません。一丈のものがあっても一尺としか言わないのがわたしのならわしです。それでもわたしが法螺《ほら》を吹いていると言われてもかまいません。実はこれでもほんの少ししか話しておらず、さらに奥深い大法《ダーファ》は、次元があまりにもかけ離れているので、ほんの少しでもお話しするわけにはいかないのです。

われわれのこの法門は、まさにこのように修煉し、あなた自身に本当に功を得させるもので、これは天地開闢《かいびゃく》以来始めてのことです。あなたは歴史を調べてみればすぐ分かることです。その優れた点は、まさにあなた自身が功を得ることにあります。しかし一方では、それは非常に難しいことでもあります。常人の複雑な環境の中で、人と人との心性の摩擦の中で、そこからあなたが抜け出るということは何よりも難しいのです。はっきり分かっていながら常人としての利益を失うという現実的な利害の前で、心が動じるかどうか、人と人との間で心を探り合いながら暗闘する中で、心が動じるかどうか、肉親や親友が苦痛に見舞われた時、心が動じるかどうか、そういう時にいかに対処するのかなど、まさにこういうところが難しいのです。煉功者となることはこんなにも難しいものです！　ある人はわたしに「先生、常人の中で良い人になればそれで十分でしょう。いったい誰が修煉して本当に成就できるのですか？」と言いました。これを聞いてわたしは本当に悲しくなりました！　彼には何も言いませんでした。どんな心性もありうるので、彼なりに悟れるだけ悟れば、それでもよしとしなければなりません。悟る者が得るのです。

老子はこう言いました。「道《どう》の道《どう》とすべきは常の道《どう》にあらず」。もし至るところにあってただ拾い上げるだけで修煉が成就できるものならば、そんなものは貴重ではなくなるのです。われわれの法門は、軋轢《あつれき》の中であなた自身に功を得させるのですから、最大限に常人に準じさせており、物質の面においてことさら何かを失わせることはありません。しかしあなたはこの物質環境の中で自らの心性を高めなければならないのです。ここがまさに便利なところですが、われわれの法門はいちばん便利で、常人の中で修煉ができるのですから、出家しなくてもよいのです。ところがいちばん難しいところもまさにここにあります。常人のこの最も複雑な環境の中で修煉するのですから。しかしいちばんの良さもまさにそこにあります。なぜならあなた自身に功を得させるからです。これがわれわれの一門のいちばん肝要なところで、今日わたしは皆さんにそれを明らかにしました。もちろん、主元神が功を得れば、副元神も功を得ます。なぜでしょうか？　あなたの身体のあらゆる信息や、あらゆる霊体、あなたの細胞がみな功を伸ばすのですから、当然彼も功を伸ばします。しかしいつになっても、彼はあなたより高くなることはなく、あなたが主《しゅ》で、彼は護法の役割を果たすだけです。

ここまで申し上げましたので、わたしはもう一言つけ加えたいと思います。われわれの修煉界では、高い次元へ修煉したいと熱心に思っている人が少なくありません。あちこちへ法を求めに出かけ、金をたくさん費やして至るところを回ってきたものの、結局求める名師に出会えていないのです。有名だからといって明白とは限りません。結局無駄足を踏んで、人力と財力を無駄にして、何も得られなかったのです。それに対して、われわれは今日こんなに素晴らしい功法をあなたのために持ち出し、しかもわたしがすでにそれをあなたの目の前に捧げて、あなたの家の玄関口まで送り届けているのです。あとはあなたが修煉できるかどうかにかかっています。できるなら修煉し続けてください。修煉できないというなら、今後二度と修煉のことなど考えない方がよいのです。魔があなたを騙す以外に誰も教えてくれる人はいませんので、これからは修煉をやめたほうがよいのです。わたしがあなたを済度することができないなら、誰もあなたを済度することはできません。実際のところ、いま正真正銘の正法《しょうぼう》の師を探すのは、天に登ることよりも難しく、構ってくれる人など全くいません。末法の時期には、かなり高い次元も末劫の中にあるので、常人など構うどころではないのです。このわれわれの法門は最も便利な法門であり、しかも宇宙の特性に従って直接修煉するので、人心を真っ直ぐに指し、最も速い近道で修煉できます。

周天

道家では大、小周天を言いますが、これからは周天とは何かについてお話しします。われわれが一般に言う周天とは、任《にん》・督《とく》の二脈をつながせることです。この周天はうわべだけの周天で、何にもならないものであり、単なる病気治療と健康保持のものに過ぎず、小周天と言います。このほかにもう一つの周天があり、それは小周天とも大周天とも言わず、禅定の中で修煉する周天形式の一つです。それは身体の中で、泥丸を一回りして下りて、身体の中を通って丹田まで一周して上がってくる、内在の循環で、真の禅定の中で修煉する周天です。この周天は形成されてからかなり強いエネルギーの流れを形成し、それから一脈が百脈を率い、他の脈をすべて開かせます。道家は周天を重んじますが、佛教は周天を重んじません。佛教は何を重んじるのでしょうか？釈迦牟尼は彼の法を伝える時、功について語りませんでしたし、功を重んじませんでしたが、彼の功法にも彼独自の修煉演化の形式があります。佛教の脈はどういうふうに走っているのでしょうか？　百会穴という点をすっかり通じるようにしてから、螺旋式に頭のてっぺんから身体の下へ進み、最後にこの方法で百脈を開かせるのです。

密教の中脈もこの目的です。中脈はないと言う人がいますが、それではなぜ密教は中脈を修煉によって出せるのでしょうか？　実は人間の身体のあらゆる脈を合わせると、一万にもとどまらず、血管のように縦横に交錯《こうさく》しており、血管よりも多いのです。内臓の隙間部分に血管はありませんが、脈はあります。頭のてっぺんから身体の各部分まで同様に縦横に交錯する脈絡《みゃくらく》があり、それらを連接しますが、始めは真っ直ぐにはいかないかも知れませんが、連接して打ち貫《ぬ》きます。それからだんだんと広げていきますと、次第に一本の直脈ができあがります。この脈を軸として自転し、水平に回転する意念の中での幾つかの輪を動かしますが、目的はやはり身体のすべての脈を全部開かせることです。

われわれ法輪大法《ファルンダーファ》の修煉は一脈が百脈を率いるという形式を避けて、始めから百脈を同時に開かせ、百脈が同時に作動するようにします。われわれはいきなりかなり高い次元に立って修煉していますので、低いものを避けました。一脈が百脈を率いるというのですが、それを全部開かせようとするには、一生修煉しても無理な人がいますし、数十年修煉しなければならない人もいて、とても難しいことです。一世《いっせ》だけでは成就できないと言っている功法も少なくありませんが、多くの奥深い大法《たいほう》の中で修煉する人は寿命を延長することができます。彼は、命《めい》を修めることを重んじているのではないでしょうか？　寿命を延長して修煉できますが、修煉に非常に時間がかかります。

小周天が基本的に病気治療と健康保持のものであるのに対して、大周天は功を煉ることなので、人が真に修煉することになるのです。道家が意味する大周天は、われわれのようにいきなり百脈を全部開かせることではありません。それは数本の脈の運行であり、手の三陰三陽、足の裏、両足からずっと髪の毛まで、身体全体を一通りめぐれば、これでいわゆる大周天循環になります。大周天は始めから真の煉功ですから、一部の気功師は大周天のことを伝えずに、病気治療と健康保持のものだけ伝えているのです。大周天について話す人もいますが、あなたに何も植えつけてくれないし、あなた自身も打ち貫くことができません。何も植えつけてもらわずに、自分の意念によって打ち貫こうとすることは、口で言うほど容易ではありません！　体操をやるかのように、それを打ち貫くことはできるでしょうか？「修は己にありて、功は師にあり」なのですから、内在のこの「機制」を全部あなたに植えつけてあげて、はじめてこのような作用をするのです。

道家は従来から人体を一つの小宇宙と見なしており、身体の中の大きさ、様相は宇宙のそれと同じだと考えています。これは不思議なことのように思われ、あまり容易に理解できないかも知れません。「宇宙はこんなに大きいのに、どうして人の身体と比べられるだろうか？」われわれはこう答えます。現在の物理学は物質成分を研究して、分子、原子、電子、陽子、クォークからずっと中性微子まで至りましたが、さらに下へ行けばどれほどの大きさになるでしょうか？　その段階になると顕微鏡ではもう見えなくなり、さらに下へ行くとその先にある極小の微粒子は何でしょうか？　分からないのです。実は現在の物理学が到達したこの認識は、宇宙の中のいちばん微小な微粒子と比べれば、あまりにもかけ離れているのです。人に肉身がない時、ものを見る人の目は拡大する働きをもつので、ミクロの世界が見えるのです。次元が高ければ高いほど、ミクロの世界で見えるものが大きくなります。

釈迦牟尼はあのような次元において、三千大千世界の学説を説きました。つまりこの銀河系の中には、まだわれわれ人類のような肉身を持つ人が存在しているのです。また一粒の砂の中に三千大千世界が含まれている説も説きましたが、これは現代物理学の認識と合致するのです。電子が原子核をめぐって回転する形式は、地球が太陽をめぐって回転することと違うところがあるでしょうか？ですから釈迦牟尼はミクロの世界では、一粒の砂の中に三千大千世界があると言っており、それはあたかも一つの宇宙のように、その中に生命があり物質があります。もし本当なら、皆さん考えてください。ではその砂の中の世界の中にはまた砂がありますね？それではその砂の中の砂の中にはまた三千大千世界があるのではないでしょうか？ではその砂の中の砂の中の三千大千世界にはまた砂があるのではないでしょうか？下へ追って行けば尽きることはありません。ですから如来という次元に達した釈迦牟尼はかえって次のような言葉を口にしました。「其の大は外無く、其の小は内無し」。大は、宇宙の果てが見えず、小は、その本源物質のいちばん微小のものが何か見えないということです。

ある気功師は、毛穴の中に都市があり、中で汽車が走ったり、自動車が走ったりしている、と言いました。摩訶不思議に聞こえますが、われわれが科学の立場に立って本当に理解をし、研究をすれば、この言い方は別に不思議なものではないと分かります。先日わたしが天目を開くことを話した時、天目が開けば多くの人に次のような光景が現われるだろうと言いました。自らの額にある通路に沿って外へ走りますが、走っても走っても道が尽きないかのようです。毎日のように、煉功の時この道に沿って外へ走りますが、両側に山があり、水があり、走る時に町を通ることもあり、たくさんの人々にも出会います。本人はこれを幻覚だと思います。どういうことでしょうか？はっきりと見えているので、幻覚ではないのです。もし人間の身体がミクロの世界で本当にそんなに広大ならば、それは幻覚ではありません。道家の煉功は従来から人体を一つの宇宙だと見なしていますから、もし本当に一つの宇宙なら、額から松果体まで十万八千里どころではありません。外へ向かってどんどん走ってみてください。とてつもなく遠いものです。

修煉過程において大周天を全部打ち貫けば、修煉者に一種の功能がもたらされることになります。どんな功能でしょうか？　皆さんもご存じのように、大周天は子午《しご》周天とも呼ばれ、乾坤《けんこん》運転とも呼ばれ、河車運《かしゃ》転とも呼ばれます。非常に低い次元においても大周天が運行すれば一つのエネルギー流が形成されますが、それは次第に密度を増大してさらに高い次元へ転化し、密度が非常に大きいエネルギー帯に変わります。このエネルギー帯は運行しており、運行する過程で、われわれが非常に低い次元から天目で見れば、それが身体の中の気の位置を換える働きをもっていることに気づきます。心臓の気が腸に移り、肝臓の気が胃に移った……ミクロの世界で見れば、それが運搬しているのはかなり大きなものだと分かりますが、もしこのエネルギー帯を体外に出せば、それが運搬功にほかなりません。功が非常に強い人は、非常に大きなものを運搬できます。つまり大運搬です。功の弱い人は、小さなものを運搬でき、それが小運搬です。これが運搬功の形式とその生成です。

大周天は直接に煉功するのですから、それまでと違った状態と功の形式をもたらすことができますし、きわめて特殊な状態をもたらすこともできます。どんな状態でしょうか？　皆さんは古書の中でご覧になったかも知れませんが、例えば『神仙伝』あるいは『丹経《たんけい》』、『道蔵』、『性命圭旨』

の中にみな「白日飛昇《はくじつひしょう》」という言葉が見られます。つまり真昼間に人が舞い上がるのです。皆さんにここではっきり教えますが、大周天が通ると人は飛ぶことができるのです。いたって簡単です。こんなに長年煉功がなされているので、大周天が通った人は少なくないだろうと思う人がいるでしょう。わたしに言わせれば、この程度に達することができた人は何万人いても不思議なことはありません。なぜなら大周天はなんといっても煉功の始まりだからです。

それではなぜこれらの人が舞い上がるのを見かけないのでしょうか？　空を飛ぶのを見かけないではありませんか？　常人社会の状態は破壊されてはならないもので、その社会形態を勝手に破壊または改変してはいけないのです。人間はみんな空を飛んでいいものでしょうか？　それは常人社会と言えるのでしょうか？　これがその理由の主な一面ですが、もう一つは、常人の中で人間は人であるのが目的ではなく、返本帰真が目的なのですから、そこにやはり悟性の問題があるのです。多くの人が間違いなく飛べるのを見てその人も修煉しはじめるとなれば、悟性の問題が存在しなくなります。ですからあなたが修行しても、人に簡単に見られてはならず、人に示してはならないのです。他人はまだ修煉しなければならないのです。ですから大周天が通った後、あなたの手の指先、足の指先あるいはある箇所に鍵をかけさえすれば、あなたは舞い上がらなくなります。

大周天がまもなく通ろうとする時、よく次のような状態が現われます。座禅する時身体がいつも前へ傾く人がいます。背中が比較的よく通り、非常に軽くなったため前が重く感じられるからです。後ろへ傾く人がいますが、背中が重く、前が軽く感じられるからです。もしすべてにおいてよく通っていれば、揺すり上げられ、上へ引っ張られ、地面から浮き上がろうとする感覚を覚えるでしょう。いったん本当に浮き上がれるようになったら、今度はあなたに浮き上がらせないのです。といってもそれは絶対的ではありません。子供は執着心がなく、老人、特に年配の婦人には執着心がないので、この両端に功能が出やすく、保持しやすいのです。男性、特に若者は、いったん功能が現われると、誇示しようとする心理は避けられません。しかも彼はそれを常人の中での競争手段の一つとするかも知れません。それではそういうことの存在が許されないので、修煉して持つようになったものも鍵をかけてやらなければなりません。一ヵ所鍵をかけてしまうと、浮き上がれなくなります。絶対にこの状態を全然出現させないというわけでもなく、あなたにちょっと試させるかも知れません。人によっては保持して行くことが許される人もいます。

各地で講習会を行なった時、どこでもこういうことがありました。わたしが山東で講習会を行なった時、その中には済南《さいなん》の学習者も、北京の学習者もいましたが、ある人がこんなことを言いました。「先生、わたしはどうしたのでしょう。歩く時は地面を離れそうな気がし、家で寝ている時浮き上がり、布団を掛けたら布団まで浮き上がり、いつも風船のように浮き上がりそうです」。貴陽《きよう》で講習会を行なった時、貴州の古い学習者で、おばあさんがいました。彼女の部屋にベッドが二つあって、それぞれ一つずつ両側の壁に寄せて置かれています。彼女がベッドに坐って座禅をすると、自分が浮き上がった気がしたので、目を開いて見たら向こう側のベッドに飛んで行っていました。彼女が、戻ろうと思うと、またふわふわと戻って来ました。

青島《チンタオ》のある学習者は、昼休みの時部屋に人がいないので、ベッドの上で座禅しました。彼が座禅するとすぐに浮き上がり、一メートルあまりの高さまで激しく揺すり上げられました。上がっては落ち、音を立てて上下しているうち、布団も震動で床に落ちました。本人はちょっと興奮しましたが、一方では少し怖いとも思いました。揺れに揺れ、昼休み中ずっと揺れました。最後に始業ベルが鳴りましたので、心の中では、人に見られてはいけない、何をしているのかと思われるから、早く止まってくれと思いました。それで止まりました。これがなぜ年配の方が自制できるかの理由です。もし若者なら、始業ベルが鳴ると、「みな見てごらん、ぼく飛んでいるよ」と叫びたくなるでしょう。「ほらぼくの功はすごいだろう、ぼくは飛べるのだ」。自分の顕示心を容易に自制できないとはこういうことです。しかし彼が顕示しようと思うと、何もかもなくなってしまいます。こんなことの存在は許されないのです。こういうことはたくさんあり、どこの学習者にもあります。

われわれは始めから百脈を全部開かせます。今日まで、われわれの八割、九割の人は身体が軽快な状態に達しており、病気がなくなりました。同時にこれまでお話ししてきたように、この講習会ではあなたをこのような状態に押しあげて、あなたの身体を完全に浄化させ、その上この講習会の間に功が出るようあなたの身体の中に多くのものを植えつけています。ですから、わたしはあなたを引っ張りあげたうえに、前へ押しているのに等しいことをしたと言えます。わたしは講習会で皆さんに法をずっと説き続けており、皆さんの心性も絶えず変化しています。われわれの多くはこの講堂を出たら、自分が別の人に生まれ変わったように感じられるに違いありません。あなたの世界観も間違いなく変わり、これからどんな人間になるべきかが分かり、いままでみたいに愚かに暮らすわけにはいかないと分かるに違いありません。絶対そうです。したがってわれわれの心性がすでに上がってきたと言えるのです。

大周天のことですが、あなたを浮き上がらせはしませんが、あなたは身体が軽やかになり、風を切って歩くように感じることになるでしょう。以前はちょっと歩くと疲れましたが、今はいくら歩いても平気で、自転車に乗っても誰かに押されているかのように感じ、ビルの階段をいくら高く上《のぼ》っても疲れを感じません。この本を読んで独自に修煉する人も同様に、あるべき状態に達することができます。絶対そうなります。わたしは言いたくない話は無理に言わない人間ですが、わたしが口にすることは常に本当の話でなければなりません。特にこのような状況の下で、法を説いていながら本当のことを言わず、まゆつばものの話をし、目標や焦点も定めずに勝手にでたらめを言うとしたら、わたしは邪法を伝えることになってしまいます。わたしがこれを遂行するのも容易なことではありません。宇宙の中でみな見ていますので、あなたが間違った方向にずれてはいけないのです。

一般の人は、このような周天が一つあるということを知ればもうこと足りると思いがちですが、実はそれではまだ駄目です。身体ができるだけ早く完全に高エネルギー物質によって取り替えられ、転化されるところまで達しようとするには、身体のあらゆる脈の走る方向を率いる、もう一つの周天形式の運行方向を必要とします。それは卯酉《ぼうゆう》周天と呼び、知っている人は非常に少ないかも知れません。書物によってはたまにこの名詞を挙げていることがありますが、これを解説する人はなく、教えてもくれません。秘中の秘ですから、すべて理論を巡って遠回りしています。われわれはここで全部明らかにします。百会穴から始まってもよく（会陰穴《えいんけつ》から出てもよいが）、突き通してから陰陽両面の境目を走り、耳の縁《ふち》から下りて、それから肩を通って下ります。手の指の隙間を一本ずつ走ります。それから身体の側面を走り、足の裏を通り、股下《またした》の片側から上がって来ます。それからもう一方の片側から下りて、また足の裏を通って、身体の側面から上がって来ます。手の指の隙間を一本ずつ走り、一周して頭のてっぺんに到着する。これが卯酉周天です。他人ならばこれで一冊の本も書くでしょうが、わたしはたった二言三言でそれを明らかにしました。わたしはこれは天機というほどのものでもないと思いますが、しかし他の人はこれらのものはみなすこぶる貴重なものだと見なして、全然語ろうとせず、真に弟子に伝える場合にだけ卯酉周天のことを教えるのです。わたしはいまこれを明らかにしましたが、誰もそれを意念で導き、制御して修煉してはなりません。あなたがそうやればわれわれの法輪大法《ファルンダーファ》ではなくなります。本当に高い次元への修煉は無為であり、いかなる意念活動もありません。あなたにできあがったものを全部植えつけてあげるのです。これらはみな自動的に形成されたもので、これらの内在の機があなたを煉っており、時が到ればそれが自転を始めるのです。ある日あなたが煉功する時、頭が揺れ動くことになりますが、頭がこちらへ揺れ動けば、それはこちらに回ります。頭があちらへ揺れ動けば、あちらに回ります。両方向とも回るのです。

大、小周天が通るようになってから、座禅では頭がうなずくことがあります、これはエネルギーが通過する現象です。われわれが修煉している法輪《ファルン》周天法も同じで、われわれはこのように修煉するのですが、実はあなたが煉功していない時でもそれが自分で回っています。普段はずっといつまでも回っていますが、あなたが煉る時はこの機を強めるのです。われわれは法が人を煉ると言っているではありませんか？　普段あなたは周天がいつも循環していることに気がつくでしょう。あなたが煉功をしていなくても、外側に植えつけたこの層の気機は、ほかならぬ外在的な大脈《たいみゃく》で、あなたの身体を率いて煉っており、それはすべて自動的です。それは反転することもでき、正反両面とも回るので、いつでもあなたの脈を通しています。

　では周天を通す目的は何でしょうか？　周天を通すこと自体は煉功の目的ではありません。たとえ周天が通ったとしても、わたしに言わせれば何でもないことです。さらに修煉し続けなければなりません。目的は周天という形式を通じて一脈で百脈を率いて、身体中の脈、あらゆる脈を全部開かせることです。われわれはすでにこのことをやっているのです。つづけて修煉して行けば、大周天を通る時、脈は修煉によって手の指ほどの太さになっており、中は非常に広いと感じる人もいます。エネルギーも非常に強くなっているので、エネルギー流が形成されてからそれはかなり広くなり、かなり明るくもなります。しかしこれもまだ大したことではありません。それではどの程度まで修煉しなければならないのでしょうか？　人の身体の百脈が次第に広がり、エネルギーがますます強くなり、ますます明るくなるようにしなければなりません。最後には万に上《のぼ》る脈を一面につないで、身体全体が一つにつながるような、脈も無くツボも無い境地に達する、これが脈を通すことのめざす最終的な目標です。その目的は人の身体をすべて高エネルギー物質に転化させることです。

　ここまで修煉した時、人の身体はほとんど高エネルギー物質に転化され、つまりすでに世間法修煉の最高次元まで修煉してきたのであり、人体の肉身はすでに最頂点にまで修煉したのです。ここに至った時、また彼にある種の状態がもたらされます。どういう状態なのでしょうか？　彼の功がすでにかなり豊富に出ています。常人の身体の修煉、つまり世間法修煉の過程において、人間のあらゆる超能力（潜在功能）、一切のものが全部出て来ましたが、しかし常人の中で修煉しているかぎり大部分は閉ざされているのです。そして彼の功柱はすでに相当高くなり、すべての功の形式は、みな強大な功によって相当強く加持されました。しかしそれはわれわれのこの現有の空間の中では役立ちますが、他の空間までは制約することができません。なぜならそれはただわれわれ常人の肉体から修煉してできた功能に過ぎないからです。とはいえ、もう相当豊富になっており、各空間の中で、異なる空間の中にいる身体のさまざまな存在形式において、みな相当大きな変化が起きました。その身体の持っているもの、各層の空間にいる身体それぞれが持っているものはみな相当豊富であり、恐ろしく見えるほどです。身体の至るところに眼があり、身体中の毛穴がみな眼である人もいますが、彼の空間場の範囲内のどこにでも眼があります。佛家功ですから、全身に菩薩、佛の姿かたちがある身体もあります。各種の功の形態はすでにきわめて豊富なレベルに達したばかりでなく、多くの生命体も現われて来ます。

この段階に至った時、三花聚頂《さんかしゅうちょう》という状態が現われます。それは非常に顕著な状態であり、非常に目立ちますので、天目の次元が高くない人でも見ることができます。頭上に三輪の花があり、一輪は蓮花《れんげ》、しかしわれわれの物質空間の中の蓮の花ではなく、他の二輪も別の空間の花で、非常に美しいのです。三輪の花が順番に頭上で回転し、右回り、左回りするほか、三輪の花が自転することもできます。どの花にも一本の大きな柱があり、花の直径と同じ太さです。三本の大きな柱が天の上に直通していますが、それは功柱ではなく、こういう形をとっているだけです。非常に玄妙ですので、あなた自身も見たらびっくりします。この段階まで修煉すると、身体は白くて清らかで、皮膚のきめも細かくなります。この段階に至った時は、世間法修煉の最高形式に到達したことになります。しかしこれはまだ頂点に到達したのではなく、修煉をまだ続けなければならないし、さらに前へ進まなければならないのです。

さらに前へ進めば、世間法と出世間法との間の過渡《かと》段階に入りますが、それは浄白体（晶白体《しょうはくたい》とも言う）状態と言います。身体が世間法の最高形式まで修煉したとしても、人の肉身が最高形式に転化されたのに過ぎません。真にその形式に入った時、身体全体が完全に高エネルギー物質で構成されるようになります。なぜ浄白体と言うのでしょうか？　それがすでに絶対的な高度の純粋さに達したからです。天目で見れば、身体全体が透明で、透明なガラスのようになり、見た目には何もない、というような状態が現われることになります。はっきり言って、それはすでに佛体なのです。高エネルギー物質で構成された身体は、われわれ本来の身体とは、もう異なっています。この段階に至った時、身体に出現した一切の功能と術類のものはいっぺんに全部捨てなければなりません。それを非常に深い空間の中へ落としてしまうのです。用途はもうありません。これからもう再び使うこともありません。せいぜい将来あなたが成就し得道した日に、修煉の過程を振り返ってみる時に、それを取り出して見るぐらいです。その時二つのものだけが存在しています。功柱はまだあり、修煉した元嬰はもうかなり大きくなっています。ところがこの二つのものは非常に深い空間にいますから、普通の人は天目の次元が高くないので見ることができず、この人の身体が透明体であることしか見えないのです。

浄白体の状態は過渡段階ですので、さらに修煉して行けば、真に出世間法修煉に入ります。これは佛体修煉ともいいます。身体全体は功で構成されたもので、この時、人の心性はすでに安定しています。一から新たに修煉を始め、新たに功能が出始めますが、それはもう功能とは呼ばず、「佛法神通」と呼びます。それはあらゆる空間を制約できるもので、威力は尽きないのです。将来あなたが絶えず修煉するにつれて、さらに高い次元のものについては、自分がいかに修煉すべきかも、その修煉の存在形式も分かるようになります。

歓喜心

これからとりあげようとする問題も、歓喜心に属するものです。多くの人は長年の練功を経てきていますが、練功したことのない人もいます。ところが彼の一生の中に真理や、人生の真諦《しんたい》に対する追求があり、思索があります。そんな人はいったんわれわれの法輪大法《ファルンダーファ》を学んだら、人生の中で知りたくても答えが得られなかったたくさんの問題がたちどころに分かるようになります。思想の昇華に伴って彼は非常に感激することになります。これは間違いのないところです。真に修煉する人は、大法《ダーファ》の重みを知っているので、それを大切にすることが分かるに違いありません。しかし往々にして次のような問題が現われます。つまりこうして嬉しくなったがために、必要のない歓喜心が生じてきます。そのため彼は形の上でも、常人社会の人と人との付き合いの中でも、常人の社会環境の中でも、常軌《じょうき》を逸《いっ》することになります。これではいけないとわたしは言っておきます。

われわれのこの功法の大部分は常人社会の中で修煉するものなので、自分を常人社会から遊離《ゆうり》させてはならず、醒めている中で修煉しなければならないのです。人と人との間は元通り正常な関係ですけれども、あなたの心性はいうまでもなくかなり高くなっています。心態も非常に正しく、いっそう自分の心性を高め、自分の次元を高め、悪いことをせず良いことをするように努めるのです。このようになっているだけです。言動や態度からまるで頭がおかしくなったような人もいますが、あたかも浮き世を見限ったかのように、言うことも人に理解されなくなります。法輪《ファルン》大法《ダーファ》を学んでから、この人はどうしてこのように変わったのか？　頭がおかしくなったようだ」と、人から言われます。実はそうではなく、彼が興奮しすぎて、理知を失い、常理に合わなくなったためなのです。皆さん考えてみてください。こういうふうになるのも良くないのです。あなたはまた別の極端に走ったのであり、これも執着心なのです。これも放棄して、みんなと同じように普通に常人の中で暮らし、修煉するべきです。常人の中で、みんながあなたのことを気が転倒したと思い、あなたを相手にせず、あなたから遠く離れてしまい、誰もあなたに心性を高める機会を提供せず、誰もあなたを正常人と見なさないならば、それはいけないことだとはっきり言っておきます！　ですから皆さんはぜひともこの問題に注意し、くれぐれも自分をしっかり制御してください。

われわれの功法は、普通の功法のように恍惚《こうこつ》としてふわふわし、気が転倒したりするようなことはありません。われわれの功法は醒めている中であなた自身を修煉させています。「先生、わたしは目を閉じるとふわふわします」と言う人がいつもいます。わたしはそうは思いません。あなたはすでに自分の主意識を放棄する習慣を身につけているから、目を閉じると自分の主意識が緩んで無くなってしまうのです。あなたはすでにこういう習慣になっているのです。ここに坐っているあなたはなぜ揺れ動かないのでしょうか？　あなたは目を開けている状態から、軽く目を閉じたら揺れますか？　絶対に揺れません。あなたは気功をこういうふうにやるものだと思い込み、一種の概念を形成してしまったので、目を閉じるとあなたがいなくなり、どこへ行ったのかも分からないのです。われわれは、主意識は必ずはっきりしていなければならないと説いています。この功法はあなた自身を修煉するものであり、あなたは意識をしっかりもったままで向上すべきです。われわれにも静功がありますが、われわれの静功はどのように煉るのでしょうか？　われわれは皆さんに、どんなに深く入定しても自分がここで煉功していることを知っていなければならないと求めており、何も分からないような状態に入ることは絶対に許さないのです。それでは具体的にどんな状態が現われるのでしょうか？　そこに坐ると、自分が卵の殻《から》の中に坐っているかのような素晴らしさ、非常にいい気持ちを感じ、自分が煉功していると分かっていますが、全身が動けないかのように感じる、こういう状態が現われます。これらはみなわれわれの功法に必ず現われなければならない状態です。もう一つの状態があります。坐り続けていると、足が無くなったような気がしてきて足がどこに行ったのか分かりません。身体も、腕も、手も無くなり、頭だけが残っています。さらに修煉して行けば頭も無くなったような気がして、ただ自分の思惟があるだけで、わずかな意念だけが自分が今ここで煉功していることを知っています。われわれはこの程度にまで達することができれば十分です。なぜでしょうか？　このような状態の中で煉功すれば、身体が最も充分に変化を遂げる状態に達するので、いちばん良い状態なのです。ですからわれわれは、あなたにこのような状態で入静することを要求するのです。しかし眠ってしまったり、ぼんやりしたりしてはいけません。そうすれば良いものは煉功している他の人にもっていかれるかも知れないのです。

われわれのすべての煉功者は、常人の中で異常な言動をしないようにくれぐれも注意してください。常人の中であなたが良い役割を果たさず、「法輪大法《ファルンダーファ》を学んでからなぜこうなってしまったのか」と人に言われるようでは、法輪大法《ファルンダーファ》の名声を汚すことに等しいのです。ぜひこのことに注意してください。修煉の他の方面と過程の中でも、歓喜心が生じないように気をつけてください。

この心は非常に魔に利用されやすいのです。

口を修める

口を修めることは、昔から宗教においてもそう唱えてきました。しかしその場合の「口を修める」は、主として一部の専業修煉者——僧侶、道士が口を閉じて話さないことを意味しています。専業修煉者ですから、最大限に執着心を取り除こうとするのが目的です。念を起こせば業になると思われています。宗教の中では業を善業と悪業の二種に分けていますが、善業でも、悪業でも、佛家の空、道家の無をもって言えば、いずれもやるべきではありません。そこで彼らは、自分は何もしないと言うのです。事物の因縁関係、つまりそのことはいったい良いことなのか悪いことなのか、そこにどういう因縁関係があるのかを見通すことができないからです。そんなに高い次元に達していない一般の修煉者は、こういうものを見抜くことができないので、見た目では良いことでも、かかわると悪いことになるかも知れないのを恐れるのです。ですからできるかぎり無為を守り、何もしません。こうして再び業を造ることを避けるのです。業を造れば業を滅しなければならないし、苦しみを嘗めなければなりません。例えばわれわれ修煉者は、どの段階で功を開くかすでに決まっているのに、不必要に途中で何かを挟み込んでしまえば、修煉全体に困難をもたらすことになります。だからこそ無為を唱えるのです。

佛家の言う「口を修める」は、つまるところ、人間は思想・意識の支配を受けて言葉を語るのですが、この思想・意識こそほかでもない有為《うい》なのだというのです。人が意識的に念を起こすとか、何かを言うとか、何かをやるとか、人の感覚器官、四肢《しし》を支配しようとするとか、そういうこと自体が常人の中では一種の執着となって現われるかも知れません。例えば、人と人の間にトラブルがあって、あなたが良いとか、彼が良くないとか、あなたは修煉が良くできたとか、彼は修煉が良くできていないとかして、これらのこと自体が摩擦です。一般的な例をあげてお話ししますが、わたしは何かをやりたいとか、今このことはどういうふうにやるべきだとか、こういうことでも無意識のうちに誰かを傷つけるかも知れません。人と人の間のトラブルは非常に複雑なので、知らないうちに業を造ってしまったかも知れません。だからこそ、絶対に口を閉じてものを言わないようにと唱えられてきたのです。昔から宗教では「口を修める」ことがきわめて重要視されています。宗教ではこう言っているのです。

われわれ法輪大法《ファルンダーファ》の修煉者のほとんどは常人の中で修煉していますので（専業修煉弟子を除いて）、常人社会で常人のように普通の生活を送り、社会と付き合うことが避けられません。みんな仕事があり、しかも仕事は立派にこなさなければなりません。話をするのが仕事の人もいますが、その場合には矛盾にならないでしょうか？　別に矛盾ではありません。どうして矛盾ではないのでしょうか？　われわれの言う「口を修める」は、彼らのものとは全然違うのです。修煉の法門が違うので、要求も違います。われわれが口を開いてものを言う時には、煉功者の心性に基づいて言うので、人と人との間の和を損なうようなことを言わないし、良くないことを言わないのです。修煉者として法の基準に基づいて、自分自身がそれを言うべきかどうかを判断するのです。言うべきことは、法に照らして煉功者の心性基準に合致すれば問題はありません。しかもわれわれはまだ法を説き、法を宣伝しなければならないので、ものを言わないわけにはいかないのです。われわれが口を修めるようにと説くのは、次のような場合です。常人の中での捨て難い名利や、社会における修煉者の実際の仕事と関係ないことについて話したり、あるいは同門弟子の間で無駄話をしたりすること、あるいは執着心に唆《そその》かされて自分を顕示すること、あるいは聞き伝えに過ぎないなんらかの噂を伝え広めること、あるいは社会のその他の話題に興奮を覚えたり、喜んで話したがったりすること、などです。これらはみな常人の執着心であるとわたしは思うのです。こうしたことに関して、われわれは口を修めるべきだとわたしは思います。これがわれわれの言う口を修めることです。昔、僧侶は念を起こすと業を造るというので、これらのことを非常に重く見ていました。ですから彼らは「身《しん》・口《く》・意《い》」を重んじます。彼らの言う「身《しん》を修める」とは、悪事を働かないこと、「口《く》を修める」とは、ものを言わないこと、「意を修める」とは、考えることすらしないことにほかなりません。昔、寺院における専業修煉はこれらのことに対して非常に厳しかったのです。われわれは煉功者の心性基準に基づいて自分を律し、何を言うべきで何を言うべきではないかをしっかり自制できればけっこうです。

第九講

気功とスポーツ

一般の次元において、気功とスポーツの鍛練との間には直接関係があると思われがちです。もちろん低い次元において、健康な身体を獲得しようとする点に関して、気功とスポーツの鍛練は一致しています。しかしその具体的な鍛練方法や手段は、スポーツの鍛練とは大きく異なります。スポーツの鍛練は、健康増進の目的を達成するために、人の運動量を増やし、身体訓練を強化しなければなりません。これに対して気功の修煉はそれとは反対に、人を動かさないのです。動いても緩やかに、ゆっくりと、まろやかに動き、あるいはほとんど動かずに静止しているのです。これはスポーツ鍛練の形と大いに異なります。さらに高い次元からいえば、気功は病気治療と健康保持ばかりでなく、もっと高い次元のもの、もっと深い内容をもっているのです。気功は常人の次元にみられるその程度のものだけでなく、超常的なものであり、しかも異なる次元に異なった形で現われているので、常人のものを遥かに超えています。

鍛練の本質から見ても、両者の間の違いは実に大きいのです。スポーツ選手は運動量を増強するよう求められています。特に現在の選手は自分の身体を現代の競技水準に合わせ、その水準に到達するために、コンディションを常に最高の状態に維持し続けなければなりません。この目標に達するためには、運動量を増大して身体に血液を十分に循環させ、そうすることによって新陳代謝の能力を増強し、身体を常に上向きの状態に維持していなければなりません。なぜ新陳代謝の能力を増強しなければならないのでしょうか？　選手の身体は常に上向きのベスト・コンディションを保っていなければならないからです。人間の身体は無数の細胞組織からなっており、これらの細胞はみな次のような過程をたどっています。つまり新たに分裂した細胞の生命力は非常に強く、上向きの状態にあります。極限に達すると、それ以上伸びられないので、下降せざるを得ません。極限まで下降すると、それに代わる新たな細胞が現われてきます。例えば一日が十二時間だとして、朝六時に細胞が分裂して出てきて、ずっと上向きに伸び続けていきます。八時、九時頃、あるいは十時頃までは全盛期です。十二時になると、もうそれ以上、上昇するのは無理で、下りはじめます。この間でも細胞はまだ半分の生命力を残していますが、しかしこの残り半分の生命力が選手として求められるコンディションには合わなくなっています。

ではどうすればよいでしょうか？　訓練を強化し、血液の循環を強めることによって、新たな細胞を作り出して古い細胞と取り替える、という方法をとるのです。つまり細胞の全過程がまだ歩み終わっておらず、生命の過程の半ばまでしか進んでいないのに、それを排出してしまいます。それによって身体は常にたくましく、上向きの状態が保たれるわけです。しかし人類の細胞は限りなく分裂していくわけにはいかないもので、細胞の分裂回数には限度があります。仮に人間一生の間に細胞が百回分裂できるとすれば、実際は百万回にもとどまらないのですが、また正常な人間がこの百回の細胞分裂で百才まで生きられるとして、いま各細胞がそれぞれの生命の半分しか生きていないということになると、その人は五十年しか生きられないことになります。しかしわれわれはどのスポーツ選手についてもこんな極端なケースを見たことがありません。それは現在のスポーツ選手は、三十才になるかならないうちに引退させられるからです。特に昨今は競技レベルも高く、選手の入れ替えも激しいので、選手は再び普通の生活に戻り、一見したところではそれほど大きな影響がないように見えます。理論から言うとその実質は、身体そのものは健康な有機体を保っていますが、命は縮められたということです。外観から見て、十代のスポーツ選手が二十代、二十代の人が三十代に見えることがよくあります。スポーツ選手はとかく早熟あるいは老けているという印象を人に与えがちですが、弁証法的にみれば、プラスもありマイナスもあるということです。スポーツの鍛練は実際こういう道をたどっているのです。

　気功の修煉はスポーツの鍛練とちょうど反対で、動作においては猛烈な運動を求めず、動きがあっても緩やかで、ゆっくりとした、まろやかなものです。非常に緩慢で、ほとんど動かずに静止することさえあります。皆さんは禅定という修煉方法をご存じでしょう。じっと静止したままで、心拍の速度も緩やかになり、血液循環などすべてが緩やかになるのです。インドの多くのヨーガ師は、水の中に何日も坐り、土の中に何日も埋もれて、心拍も制御できるほど、完全に自分を静止させることができます。仮に人間の細胞が一日に一回分裂するとすれば、修煉者は人体の細胞を二日に一回、一週間に一回、半月に一回、あるいはもっと長い時間に一回分裂させることができれば、すでに生命を延長していることになります。これはまだ心性のみを修め、命《めい》を修めない功法に過ぎないのですが、それでもここまで到達することができ、自分の生命を延長させることができるのです。「人間の生命、人間の一生は定められているのではないか？　命《めい》を修めないのにどうして長生きできるだろうか？」と思う人がいるかもしれません。その通りです。修煉者は次元が三界《さんがい》を突破できれば生命を延長できるわけで、ただし外観は非常に老けてみえます。

真に命《めい》を修める功法では、採集してきた高エネルギー物質を人体の細胞に蓄え続け、その密度を高め続けていきますと、それが次第に常人の細胞を抑制できるようになり、次第に常人の細胞に取って代わることになります。その時がくれば、質の変化が起こり、この人はいつまでも若々しくみえるようになるのです。むろん修煉の過程は非常にゆっくりとしたもので、かなり大きな犠牲を払わなければなりません。「其の筋骨を労せしめ、其の心志を苦しめる」と言いますが、修煉は並大抵のことではありません。人と人との間の心性の摩擦において、心が動ぜずにいられるでしょうか？　個人の切実な利益において心が動ぜずにいられましょうか？　これらを実際に実践するのは非常に難しく、ただ単にこの目的を達しようと思えば達することができるような性質のものではありません。人の心性、人の徳がすべて修煉によって向上してきて、はじめてこのような目的を達することができるのです。

これまで多くの人が気功と一般のスポーツ鍛練を混同してきましたが、実際にはその差異はあまりにも大きく、そもそもまったく別物なのです。ただ単に最低次元で気を練ることに際して、すなわち病気治療と健康保持を求め、健康な身体を得ようとするという点で、最低次元の目的がスポーツ鍛練と共通性を持っているに過ぎません。しかし高次元では、全然異なってきます。気功における身体浄化には目的があります。しかも超常の理で煉功者を律しなければならないもので、常人の理で律するわけにはいかないのです。これに対してスポーツ鍛練は、常人の中のことに過ぎません。

意念

意念、つまりわれわれ人間の思惟活動についてお話しします。修煉界は、大脳における人間の意念の思惟活動をどう見ているのでしょうか？　人間の思惟（意念）の異なる形式をどう見ているのでしょうか？　それはどのように現われているのでしょうか？　現代医学では人間の大脳を研究する際に解けない問題が多くあります。それはわれわれの身体の表面のものほど簡単ではないからです。深層においては、異なる空間に異なる形式があります。といっても一部の気功師が言っているようなことでもありません。一部の気功師は、自分自身でもどういうことなのか分からないので、はっきり説明することができません。彼らは自分の大脳が働き、意念が生じると、何かをなし遂げることができると思い込んでいます。そこで彼の思惟がそのことをしたとか、彼の意念がそれをなし遂げたとか言います。しかし実際は、彼の意念がやったわけでは全然ありません。

まず人間の思惟の由来についてお話ししましょう。中国古代には「心が想う」という言い方がありますす。なぜ「心が想う」と言うのでしょうか？　中国古代の科学は人体、生命、宇宙というようなものに直接焦点を合わせて研究していたので、非常に発達していました。確かに紛れもなく心が想っていると感じている人がいますが、一方大脳が想っていると感じている人もいます。なぜこういうことが起きるのでしょうか？「心が想う」という言い方にもわけがあります。なぜなら、常人の元神は非常に小さく、人間の大脳から発せられた真の信息は、人間の大脳そのものが働いて大脳自身から発せられたのではなく、人間の元神から発せられたのだ、とわれわれは見道家の言う泥丸宮は泥丸宮にだけとどまっているわけではありません。道家の言う泥丸宮はわれわれ現代医学が認識している松果体にほかなりません。もし元神が泥丸宮にいれば、われわれは確実に「大脳が思考しており、信息を発信している」と感じますが、もし心にいれば、紛れもなく「心が思考している」と感じることになります。

人体は一つの小宇宙ですので、煉功者のたくさんの生命体はみな位置替えすることが起こりえます。もし元神が位置替えをする時に、お腹に行けば、確かにお腹が想っていると感じるようになります。もし元神がふくらはぎや踵《かかと》に行けば、ふくらはぎや踵が思考していると感じます。不思議に聞こえますが、間違いなくこの通りです。修煉の次元があまり高くない時でも、このような現象の存在が感じられるはずです。もし人間の身体に元神がなければ、もしその人に気性や天性、特性などがなければ、単なる一塊の肉に過ぎず、完全な、独立した自我と個性をもった人間ではありえません。それでは人間の大脳はどんな役割を果たすのでしょうか？　わたしに言わせれば、人間の大脳はわれわれのこの物質空間形式において、単なる加工工場に過ぎません。本当の信息は元神から発せられるものです。といっても発せられたのは言語ではなく、ある種の意味をあらわす宇宙の信息です。われわれの大脳はこの指令を受け取ると、それをわれわれの現在の言語をはじめ、さまざまな表現形式に加工します。その上、われわれは手振りや目つき、身振りなどでそれを表現しますが、大脳はこういうことをやらせる役割を果たしています。本当の指令、本当の思惟は人間の元神から発せられるものです。それは大脳の直接で独自の働きだと思われがちですが、実は元神が心にいる時もあり、確かに「心が想っている」と感じている人もいるのです。

現在、人体研究をやっている人は、人間の大脳から発せられるのは電波のような形のものだと考えています。実際発せられたのが何であるかはともかくとして、彼らがそれを物質的存在のひとつと認めていることからすると、迷信ではないことになります。では発せられたものはどんな役割を果たすのでしょうか？　気功師の中には、わたしは意念でものを運ぶとか、意念で天目を開かせてあげるとか、意念で病気を治してあげるとか言っている者がいます。実は一部の気功師は、どんな功能を持っているのか自分でも全然知らないし、はっきり分かっていません。彼らは自分が何事かをしようとする時、ちょっと想うだけでうまくいくらしいといった程度のことしか知らないのです。実際には彼らの意念が活動しており、功能が大脳の意念に制御されて、意念の指揮の下で具体的なことをしているからであって、意念そのものは別に何もできません。煉功者が具体的に何かをする時は、彼らの功能が働いているのです。

功能は、人体の潜在能力です。われわれ人類社会の発展に従って、人間の大脳思惟がますます複雑になり、ますます現実を重んじ、いわゆる現代化の道具にますます依存するようになってきているので、人間の本能はそのためますます退化しています。道家は「返本帰真」と言いますが、修煉の過程において、あなたは「真」を求め、最終的に返本帰真して、あなたの原始の本性に戻って、はじめてこれらの本能を現わすことができるのです。われわれはいま超能力と言いますが、実はみな人間の本能にほかなりません。人類社会は進歩しているように見えますが、実際は後退しており、われわれの宇宙の特性からますます遠ざかっています。先日わたしは張果老が後ろ向きにロバに乗ることをお話ししましたが、どんな意味なのか分かってもらえなかったかも知れません。彼は前へ進むことは実は後退であり、人間が宇宙の特性からますます遠く離れることに気づいたのです。宇宙の演化の過程において、特にいま商品経済の大波に巻き込まれてから、多くの人の道徳がかなり退廃してきて、真・善・忍という宇宙の特性からますます遠ざかっています。常人の中で時流に従ってきた人々には、人類の道徳がどれほど退廃したのか、その程度を感じとることができないので、良いことだと思っている人すらいます。心性が修煉によって高まってきた人だけが、後ろ向きに振り返ってみた時、人類の道徳が恐ろしいほどにまで退廃していることを認識できるのです。

気功師のなかには、功能を開発してやると言う者がいます。どんな功能を開発するというのでしょうか？　功能は、エネルギーがなければなんの役にも立ちませんが、それが出ていないのにどうして開発できるというのでしょうか？　その人の功能がいまだその人自身のエネルギーによって加持されて形をなしていない時に、それをどうして開発できるというのでしょうか？　まったくありえない話です。こういう気功師の言う功能を開発するというのは、あなた自身のうちにすでに形作られている功能をあなたの大脳と結びつけ、あなたの大脳の意念の支配下で働くようにするということに過ぎません。彼はこれで功能を開発したというのですが、実は彼はあなたの功能をなにも開発してくれているわけではなく、せいぜい今言ったぐらいのことしかしてくれていないのです。

煉功者の場合は、意念が功能を支配して働かせます。一方、常人の場合は、意念が四肢や感覚器官を支配して働かせるのです。あたかも工場の作業本部や工場長室から指令が出されて、それぞれの職場が各々の責務を果たし、また軍隊の指揮部門でも、司令部が命令を出し、部隊全体が各々の任務を遂行するようなものです。わたしはよそで講習会を開く時、現地の気功研究会の責任者たちによくこのことを話しますが、彼らは、「われわれがずっと研究してきたのは、人間の思惟にどれだけ大きな潜在エネルギー、潜在意識があるのかということであった」といまさらのように驚くのです。実状はそうではなく、彼らは最初から間違った方向へ行ったのです。わたしに言わせれば、人体科学をやろうとするには、人間の思惟を変革しなければなりません。常人のような推理方法や物事の認識方法で、超常的なことを理解しようとしてはいけません。

意念について言えば、ほかにも幾つかの意念の形式があります。例えば潜在意識、無意識、霊感、夢を見ることなどを挙げる人がいます。夢を見るということについては、どの気功師も説明しようとしません。あなたが生まれた時、宇宙の多くの空間にも同時に、あなたと相互補完的に一体をなし、互いに関係し、思惟において連帯関係にある、同じあなたが生まれます。しかもあなたには主元神、副元神がいて、体内にその他いろいろな生命体の姿かたちもあり、一つ一つの細胞や五臓六腑《ごぞうろっぷ》がみなあなたの姿かたちをした信息の他の空間における存在形式であるので、きわめて複雑です。夢を見るとあれこれ出てきたりしますが、いったいどこから来たのでしょうか？医学ではわれわれの大脳皮質に変化が起きていると説明しています。それはこの物質形式に現われた反応ですが、本当は他の空間の信息の作用を受けたのです。ですから夢を見る時あなたがぼんやりと感じたものは、みなあなたと関係のないもので、気にすることはありません。あなたと直接関係する夢が一つありますが、このような夢はいわゆる夢とは言えません。それは、あなたの主意識つまりあなたの主元神が、夢の中で自分の家族が現われたのを見たとか、あるいは確かに何かを感じ、何かを見、何かをしたといった場合です。その場合は、あなたの主元神が本当に他の空間で何かをした、何かを見てしかも実行したということであり、意識が紛れもなくはっきりしているように、そういうことも確かに実在しているのであって、ただ他の物質空間、他の時空でしてきただけなのです。それを夢と言えますか？　違います。あなたのこちらの物質身体が確かに寝ているために、それを夢というしかありませんが、このような夢だけがあなたと直接関係があるのです。

人間の霊感や無意識、潜在意識といった類いの言葉は、わたしに言わせれば、科学者が作ったのではなく、文人が常人の中のある種の慣習的な状態に基づいて作ったものであり、科学的ではありません。人々の言う潜在意識とはいったい何でしょうか？　人間のさまざまな信息はあまりにも複雑で、あるかないかの微かな記憶のようなものですから、非常に説明し難く、漠然としています。無意識については、われわれは解釈しやすいのです。無意識の状態に与えられた定義に従うと、それは通常、人がわけが分からない状態で何かをしたことを指します。そういう場合人々は、無意識的にしたので、意識的にしたわけではないとよく言います。こういう無意識は、ちょうどわれわれの言う副意識と同じです。人の主意識が緩んで、大脳への制御を停止すると、眠ってしまったかのようにぼうっとします。あるいは夢の中や意識のない状態においても副意識、つまり副元神に主宰されやすいのです。その時は、副意識が何かをすることができます。つまりあなたがぼうっとした状態において何かをするのです。しかし、こうしたことの結果は普通あまり悪いようにはならないもので、それは副意識が他の空間で物事の本質が見えるので、常人社会に惑わされることがないからです。ですから副意識のやったことを人があとで意識が戻ってから見ると、「どうしてこんな始末になったのか、意識がはっきりしていたらこんなふうにするはずがなかったのに」と、思ったりしますが、しかし、いまそれが良くないように見えても、十日後、半月後に振り返ってみると、「おや、なんとうまくやったことか！　いったい当時どういうふうにやったのか」などと、思うようになります。こんなことがよくあります。副意識はそれがその当座どういう結果をもたらすにしろ、将来必ずいい結果をもたらすのを知っているのです。将来に影響を及ぼさないでその場限りで終わることもありますが、そういう場合副意識がそれを実行すると、すぐその場で良い結果が出るようにうまく処理するのです。

もう一つの形式があります。つまり根基の良い人によくあることですが、高い次元の生命体の影響を容易に受けて何かをすることがあるのです。もちろんそれはまた別の事柄になりますので、ここでは言わないでおきましょう。ここでは主としてわれわれ人間自身に由来する意識についてお話しします。

霊感について言えば、これもまた文人が作った言葉です。一般の人は、霊感は人の一生の間に蓄積された知識が、その一瞬に火花のようにほとばしったものだと思います。わたしに言わせれば、唯物主義の観点に従えば、人類の一生の間に蓄積された知識が多ければ多いほど、人の大脳はよく働きます。いざ使おうとする時になると、それらが次から次へと現われてくるはずで、霊感も何もありえないのです。およそ本当に霊感と称することができるもの、あるいはそういう霊感がじっさい湧いてきた時は、言われているような状態ではありません。われわれが頭脳を使う時、ずっと使い続けていると、しまいには知識が枯渇《こかつ》したかのように感じ、どうしても絞り出せないと感じることがあります。文章を書いていて、ある箇所でどうしても書き進めなくなるとか、作曲する時曲想が浮かばなくなるとか、科学研究のプロジェクトが途中で行きづまるとか、こういう時によく疲れ果てて青筋を立て、タバコの吸殻を地面にいっぱい散らかし、頭が痛いほどいらだっても、何も思い浮かびません。最後にどんな状態で霊感が来るのでしょうか？　へとへとになって、あきらめよう、休むことにしよう、と思った時です。なぜなら主意識が厳しく大脳を制御すればするほど、ほかの生命が入り込めないのです。休んで、思考が緩み、考えるのを中止すると、無意識のうちに思い浮かんできて、脳から出てくるのです。霊感とはたいていこういうふうに湧いてくるものです。

ではどうしてこういう時に霊感が湧いてくるのでしょうか？　人の大脳は主意識の支配を受けるもので、脳を使えば使うほど、主意識の支配がきつくなり、副意識の入り込む余地がなくなります。考えすぎて頭が痛い時、思い浮かばなくていらいらする時、あの副意識も一緒にいらいらして、一緒にさんざん頭痛に悩まされます。それは副意識もまた身体の一部であり、母胎から同時に生まれてきたもので、身体の一部を主宰しているためです。しかし主意識が緩むと、副意識は、自分の知っていることを大脳に反映させることになります。他の空間で物事の本質が見えているからです。こうして意図したことがやり遂げられて、文章も書き上げられ、創作もできあがってきます。

「それならもっと副意識を活用してみよう」と言う人がいます。先ほどまわってきた質問の紙にも、どうすれば副意識と連絡がとれるのかと書いた人がいました。あなたには連絡がとれません。なぜならあなたは煉功を始めたばかりの人で、何の力も持っていないからです。そのような目的は執着に違いないので、連絡をとろうとしないほうがよいのです。「副意識を活用してより多くの価値を創り出し、人類社会の発展に寄与するというのもいけないのか？」と考える人がいるかも知れませんが、それはいけません！　なぜならあなたの副意識の知っていることも限られているからです。空間の複雑さといい、次元の多さといい、この宇宙の構造はきわめて複雑なので、あなたの副意識は自分のいる空間のことしか知り得ず、その空間を超えるものとなれば、分からなくなります。それに次元の異なる空間が縦にたくさんあり、人類の発展は高い次元の生命体が非常に高い次元にあってはじめて支配できるもので、発展の規律に従って進んでいるのです。

われわれ常人社会は歴史の規律に従って発展しています。あなたは、どのように発展しようとか、どんな目標に達しようとか思います。しかしあの高い次元の生命体はそうは考えません。古代の人は今日の飛行機、汽車、あるいは自転車に考え及んではいなかったのでしょうか？　わたしに言わせれば、考え及んでいなかったとも言えません。歴史がその過程に進んでいなかったので、作ろうと思っても作り出せないのです。一見したところでは、つまり常人の慣れ親しんでいる理論や、現在所有している人類の知識の視点から見れば、人類の科学がまだそれ相当のレベルに達していなかったため作り出せなかったように見えます。実は人類の科学がどんなに発展していても、歴史の段取りに従って発展しているのであって、人為的にある目標に達しようと思っても達せないのです。もちろん副意識がよく働く人もいます。作家の中には、「一日に何万字書いても全然疲れない。書こうと思えばあっという間に書けてしまい、読む人もけっこういいといってくれる」と言う人もいます。どうしてこういうことがあるのでしょうか？　これは彼の主意識、副意識が半々に働いた結果で、彼の副意識も半分の役割を果たしているのです。しかしみんながみんなこういうわけではなく、ほとんどの副意識は始めからかかわろうとしないし、働かそうとすると、かえって逆効果です。

清浄心《しょうじょうしん》

練功の時に入静できない人がけっこういます。あちこちの気功師を訪ねては、「先生、わたしはどうして練功の時に入静できないのでしょうか。入静しようとするとあらゆることが浮かんできて、妄想が始まるのですが」などと聞くのです。まるで海がひっくりかえったかのようになんでも湧いてくるので、まったく入静できません。なぜ入静できないのでしょうか？　そのあたりが理解できない人は、何かコツがあるのではないかと思い込み、入静できるいい手だてを教えてほしい、と有名な師を訪ねまわります。わたしから見れば、これもまた外に向かって求めていることになります。自分を高めようとすれば、内に向かって探し、自分の心を修煉しなければなりません。そうしてはじめて本当に向上でき、座禅の時に入静できるようになります。入静できるのは功にほかならず、定力の深さは次元の現われです。

常人は簡単に入静できますか？　できるはずがありません。根基がよっぽどいい人を除いてはできないのです。つまり、入静できない根本的な原因は、方法にあるわけではありません。何か奥の手があるわけではなく、その人の考えや心が清浄《しょうじょう》でないからにほかなりません。常人社会の中で、人と人とのトラブル、個人の利益や七情六欲、さまざまな欲望への執着のために、人と争ったり闘ったりする、こういうことを捨てられなければ、こういうことに対して淡泊になれなければ、入静しようと思うなど、とんでもないことです。「そんなことは信じない。わたしはあれこれ考えたりせずに、入静しなければならない」と、練功する時に自分に言い聞かす人がいますが、そう言い終わらないうちに、またもやあれこれ湧いてくるのです。心が清浄でないので、入静できないのです。

わたしの言ったことに賛成しない人もいるかも知れません。一部の気功師が、守一《しゅいつ》とか、観想とか、丹田を意守するとか、丹田を内視するとか、佛号を唱えるとかいう方法を教えているではありませんか、と言うのです。これは確かに方法の一つではあります。しかし単なる方法というより、それは功夫の現われです。ということは、その功夫はわれわれが心性を修煉し、自分の次元を高めることと直接かかわるわけですが、それでもこの方法によるだけで入静できるものではありません。もしまだ信じられなければ、さまざまな欲望や執着心が強くて、何も捨てられないままでも、入静できるかどうか、試してみてください。佛号を唱えればうまくいくという人がいますが、佛の名前を念ずれば入静できるとでも思っているのでしょうか？　阿弥陀佛の法門は修煉しやすく、佛の名前を念ずればいいのだと言う人がいますが、試しに念じてみたらどうですか？　わたしに言わせれば、あれは功夫なのです。あなたは容易だと言うかも知れませんが、わたしは容易ではないと言います。どの法門も容易なものはありません。

皆さんがご存じのように釈迦牟尼は「定《じょう》」を説きますが、「定」の前に彼は何を説いたでしょうか？　彼は「戒」を説いたのです。ありとあらゆる欲望や嗜好《しこう》をすべて戒めて、何もかも無くなれば、はじめて定に至ることができます。そうではありませんか？　それに「定」も功夫なので、一挙に完全に「戒」のレベルに到達できるはずもなく、徐々にあらゆる良くないものを戒めていくうちに、定力もだんだん深まってくるのです。人が佛の名前を念ずる時、心には何も雑念がなく、大脳のその他の部分が全部麻痺して、何もかも分からなくなるまで、一心不乱に念じなければならず、そうすれば一念が万念に代わるので、「阿弥陀佛」の一文字一文字が目の前に現われてきます。これこそ功夫ではありませんか？　始めから一挙にここまで到達できますか？　到達できません。到達できなければ、入静できないはずです。信じられなければ試してみてください。口では一回一回念じていますが、心の中では雑念ばっかり、職場の上司はどうして気に入ってくれないのか、今月の賞与がこんなに少ないのはなぜか等々、考えれば考えるほど腹が立ち、むしゃくしゃしてきますが、それでも口ではまだ佛の名前を念じています。これで煉功ができますか？これには功夫がかかわっているのではありませんか？　心が清浄でないからではありませんか？天目が開いた人は、丹田を内視することができます。人間の下腹部に集まっている丹、あのエネルギー物質は純粋であればあるほど明るく、不純であればあるほど暗くて黒いのです。丹田を内視する場合、あの丹を見つめていれば果して入静できるのでしょうか？　入静できないのは方法そのものにあるのではなく、人間の考え、意念が清浄ではないからです。そこが肝心なのです。丹田を内視すると、丹がぴかぴかと光っていてたいへん結構です。だがしばらくすると丹が変わって、住宅に化けたりします。「この部屋は息子の結婚生活用に、この部屋は娘に、われわれ夫婦はこの部屋を使い、真ん中は客間に当てる、といったぐあいにいけば申し分がない！　そういう住宅はわたしのものにならないか？　なんとかしてそれを手に入れなければならない。どうすればよいか？」と思ったりします。こういうものに執着していて、入静できると思われますか？　常人社会に来ている間は、ちょうどホテルに泊まるようなもので、しばらく滞在したら、たちまち去っていくと言われます。ところがこんな場所に未練がありすぎて、自分の家を忘れてしまっている人がどうしてもいるものです。

本当に修煉するには、心に向かって、内に向かって修め、内に向かって探さなければならず、外に向かって探してはいけません。佛が心の中にいる、と唱える法門もありますが、それも言い得ています。しかしこの言葉を間違って理解している人がいるようです。佛が心の中にいると聞くと、まるで自分自身が佛であるか、あるいは心の中に佛がいると思い込んでしまうのです。そういうふうに理解するのは間違っているとは思いませんか？　どうしてそういうふうに理解できるのでしょうか？　心に向かって修煉してはじめて成就できる、これこそその言葉のそもそもの意味で、そういう道理です。あなたの身体のどこに佛がいるのでしょうか？　修煉してはじめて成就できるのです。

入静できない原因は、思考が空《くう》になっておらず、次元がまだ低いからです。それは浅いところから徐々に深まっていくもので、次元の向上と表裏一体となっているものです。執着心を捨てれば、次元も上がって、定力も深まってきます。何かの手段や方法によって入静しようとすれば、わたしに言わせれば、それは外に向かって求めることになります。そうすれば煉功はかえって間違った方向へ行き、邪道に入ってしまい、外に向かって求めるということになるのです。特に佛教では、外に向かって求めれば、魔道に入ると言われます。本当の修煉は心を修煉しなければならないものので、心性が高まった時、心がはじめて清浄、無為に達することができます。心性が高まった時、はじめてわれわれ宇宙の特性に同化し、人間のあらゆる欲望や執着心、悪しきものを捨てることができ、はじめて自分自身の良くないものを放り出して浮かび上がってくることができます。宇宙の特性の制約を受けなくなれば、はじめて徳という物質が功に転化することができます。それは相補って起こる一体関係にあるのではないでしょうか？　これが道理なのです！

以上は、自分を煉功者として律することができないために入静できない、主観的な原因です。しかし現在では、客観的にも高い次元への修煉を深刻に妨げ、煉功者に深刻な影響を与える原因があります。皆さんもご存じのように、改革開放、経済の活性化により、政策も緩みました。多くの新しい科学技術が取り入れられ、人々の暮らしぶりも良くなりました。常人はみなそれを良いことだと思っています。しかし弁証法的に見れば、物事には両面があり、改革開放とともに色とりどりの良くないものも入ってきてしまいました。小説の中にエロチックなものを少しでも書き込まないと、まるでその本が売れないみたいにいわれ、発行部数が何よりも問題とされています。映画やテレビにベッド・シーンがなければ見る人がいないかのようであり、何よりも観客動員数や視聴率がまず問われているのです。美術作品は、本当に芸術なのかどうか疑わしい、わけの分からないことばかりやっています。我が中国の悠久の民族芸術にはそういうものはなかったのです。われわれ中華民族の伝統は誰かが発明したり、誰かが創造したものではありません。先史文化についてお話しした時に触れたように、すべてのものにその根源があります。人類の道徳基準まで歪められてしまい、大きく変化し、善悪を量る基準まで変わってしまいましたが、それはあくまで常人の中のことです。これに対してこの宇宙の特性、真・善・忍の基準は、良い人悪い人を量る唯一の基準で、変わるようなものではありません。煉功者としてそこから抜け出そうとするには、この基準で量らなければなりません。常人の基準で量ってはいけません。こんなわけで、客観的にも以上のような妨げが存在しています。いやそれどころか、同性愛、性の解放、麻薬などとんでもないものが乱れに乱れて、何でも現われてきました。

人類社会は今日のようなところまで来てしまいましたが、皆さん考えてみてください。このまま進んでいくとどうなるのでしょうか？　いつまでもこういう状態の存続が許されると思われますか？　人間が治めなければ天が治めます。人類はこのような状態に陥ると決まって劫難《ごうなん》に見舞われてきました。ここまでの何回かの講義の中で、わたしは人類の大劫難については触れていません。宗教がそれについて話しており、多くの人がこのホットな話題を口にしています。皆さんにはこう申し上げておきましょう。よく考えてみてください。われわれの常人社会において、人間の道徳水準がここまで変わってしまいました！　人と人との間の緊張の度合いがここまできてしまったのです！　これはきわめて危険な境地としか言いようがないのではないでしょうか？　だからこそ、この客観的に存在している環境も、煉功者の高い次元への修煉を深刻に妨げています。裸体画が大通りの真ん中、すぐそこに掲げられており、目を上げればすぐ見えるのです。

　老子はこう言いました。「上士《じょうし》、道《どう》を聞けば、勤めて之《これ》を行なう」。上士は道《どう》を聞くと、やっとのことで正法《しょうぼう》を得たので、今日からさっそく修煉しないでさらにいつを待とうとするのか、と思うのです。複雑な環境は、わたしは逆に良いことだと思います。複雑であればあるほど、その中から高人が現われてくるのです。こういうところから抜け出せるようでしたら、その人の修煉は最もしっかりしたものといえます。

　本当に修煉を決意できた人なら、わたしはかえってそれが良いことであると言います。トラブルがなければ、心性を高める機会を与えられなければ、あなたは向上していけないものです。和気藹々としていてどうして修煉できるでしょうか？　ところで一般の修煉者の場合、つまり「中《ちゅう》士《し》、道《どう》を聞く」に属するもので、別に修煉してもしなくてもいいという人の場合は、難しいことになります。人によっては、この場では師の言うことを聞いてなるほどと思いますが、常人社会に戻ってしまうと、やはり現実的な利益こそ確実なものだと思うようになります。確かにそれは確実なものかも知れません。しかしあなたはもちろんのこと、西側先進国の多くの大金持ち、財産家でも、死後は何も残らないことを嘆くしかありません。物質的な財産は、生まれてくる時に持ってこられるものでも、死ぬ時に持っていけるものでもなく、とても空《むな》しいものです。それに対してなぜ功は実に貴重なのでしょうか？　それは直接あなたの元神の身についているので、生まれる時に持ってこられるし、死ぬ時に持って行けるからです。われわれは元神が不滅だと言っていますが、これは別に迷信でもなんでもありません。われわれのこの物質身体の細胞が抜け落ちてからも、他の物質空間におけるさらに小さい分子成分が死滅したわけではなく、殻を抜け出したに過ぎません。

わたしが先ほどからお話ししてきたことは、みな人の心性の問題に属します。東方中国という土地は、大徳《だいとく》の士《し》の現われるところである、と釈迦牟尼は話したことがあり、達磨も話したことがあります。我が中国歴代の大勢の僧や多くの中国人はこれを誇りに思っています。高い功を修煉することができると思い込み、多くの人は喜んで、やはりわれわれ中国人だ、中国という土地は大根器《だいこんき》の人、大徳の士が現われるところだ、といい気になっています。実は多くの人がそのわけ、つまり中国という土地からどうして大徳の士が現われるのか、どうして高い功を修煉できるのかを知りません。多くの人は高い次元にいる人の言った言葉の本当の意味を知らず、高い次元、高い境地にいる人がどんな境地にいるのか、彼の思想状態がどんなところにあるのか、などについて何も知らないのです。どういう意味なのかはともかくとして、皆さん考えてみてください。われわれが言っているように、最も複雑な人間の群れ、最も複雑な環境においてこそはじめて高い功を修煉して得ることができるのです。こういうことなのです。

根基

根基は、他の空間における人の身体についている徳という物質の量によって決められるものです。徳が少なければ黒い物質が多く、業力場が大きくなりますが、その場合は根基が良くないことになります。徳が多ければ白い物質が多く、業力場が小さくなりますが、その場合は根基が良いということになります。人の白い物質と黒い物質という二つの物質は、相互に転化することができます。どう転化するのでしょうか？　良いことをすれば白い物質が生まれるのですから、人が苦しみに耐え、ひどい目に遭わされ、良い行ないをすることによって、白い物質が得られるのです。それに対して黒い物質は、悪事を働き、良くない行ないをすることによって生まれるのであり、それは業力です。両者ともそれぞれにこのような転化の過程がありますが、同時に、両者とも積み重ねという一面をもっています。それらは直接元神についてまわるので、一生涯だけのものではなく、悠久の昔から積み重なってきたものです。ですから業を積む、徳を積むと言いますが、先祖から子孫へ積み重ねることもできます。わたしは、中国の昔の人あるいは年配の方が言う「祖先が徳を積む」あるいは「徳を積む」とか、「徳を欠く」とかいう言葉を時々思い出しますが、なんとよく言い得たことでしょう、まったくその通りです。

根基が良いかどうかは、その人の悟性の良し悪しを決めます。根基の良くない人は、悟性まで悪くなってしまうのです。なぜでしょうか？　根基の良い人には白い物質が多く、この白い物質はわれわれの宇宙と溶け合い、真・善・忍の特性と隔《へだ》たりなく溶け合えます。そこで宇宙の特性が直接あなたの身体に反映し、直接あなたの身体と通い合うようになります。これに対してこの黒い物質はちょうどその反対で、良くない行ないをしたために得たものであり、われわれの宇宙特性と相反し、われわれの宇宙特性とは隔たりをもっています。この黒い物質が多くなれば、人体の周囲に一つの場が形成され、人を囲んでしまいます。しかもこの場は大きければ大きいほど密度も高く厚くなり、その人の悟性をますます悪化させることになります。なぜならその人が宇宙の真・善・忍という特性に触れることができなくなったのです。そもそもそれは良くない行ないをしたため、自ら黒い物質を作ってしまったからなのです。こういう人に限ってふつう修煉を信じないもので、悟性が良くないだけに、ますます業力の妨げを受けることになります。そこで苦しみを嘗めれば嘗めるほど、信じなくなり、修煉も難しくなるわけです。

　白い物質の多い人は修煉はしやすいのです。なぜなら修煉の過程において、宇宙の特性に同化し、心性が向上しさえすれば、徳がそのまま直接功に転化されるからです。これに対して、黒い物質の多い人は、ちょうど工場で製品を製造する時に、よけいな手順が一つ増えるようなものです。他の人を既成の材料とすれば、彼は生の原料で、あらためて一通り加工しなければならず、そういう過程を経なければならないのです。したがって彼はまず苦しみに耐え、業力を消して、それを白い物質に転化させなければなりません。まず徳という物質を形成してから、はじめて高く功を伸ばすことができるのです。しかし普通こういう人は、もともと悟性が良くないので、さらに多くの苦痛に遭遇すると、ますます信じなくなり、耐えられなくなります。ですから黒い物質の多い人は修煉しにくいわけです。昔、道家やあるいは一人の弟子しかとらない法門では、弟子が師を探すのではなく、師が弟子を探しました。その場合決め手となるのは、その人の身体に持っているこれらのものの量です。

根基は人の悟性を決めますが、絶対的なものではありません。根基が良くない人でも、家庭環境が良く、まわりの多くの人が煉功しており、その中には宗教の居士《こじ》である人もおり、みな修煉のことを疑いなく信じています。こういう環境の中では、彼も影響を受けて信じるようになり、悟性も良くなります。ですから根基も絶対的なものではありません。逆に一部の人は根基が良いにもかかわらず、現実社会のその程度の知識を詰め込まれて、特に数年前まで行なわれていた何でも絶対化する思想教育方法によって視野が非常に狭くなり、自分の知識の守備範囲を超えたものは一切信じないようになってしまっているので、悟性を甚だしく損なわれていることもあります。

一つ例を挙げましょう。わたしはある講習会の開講二日目に、天目を開くことについて講義しました。参加者の一人に根基の良い人がいました。そこでわたしは一挙に彼の天目を非常に高い次元にまで開いてやりました。すると彼に他人には見えない多くの光景が見えました。彼は人にこう言います。「わたしは伝法場全体に雪が降るように法輪《ファルン》が人々の身体に落ちてきたのを見ました。わたしは見ました。李先生の真の身体を、李先生の光輪を、法輪《ファルン》の形を、おびただしい法身を、李先生が異なる次元で説法して、法輪《ファルン》がいかに学習者たちの身体を調整していたかを、李先生が講義をする時に、さまざまな異なった次元においても李先生の功身《こうしん》が説法しており、しかも天女が花を散らしていたのを」などなど。こんなに美しいものが全部見えたからには、この人の根基はかなり良いと言えます。しかし彼はあれこれ言ったあと、最後にこう言ったのです。「自分はこんなものを信じない」。彼が信じないというものの一部は、現代科学によっても実証されており、またかなり多くのものが現代科学で解釈できます。そして一部のことについては、われわれはすでに明らかにしました。気功が認識しているものは確かに現代科学の認識を超えているのであり、この点は間違いありません。こうしてみれば、根基は必ずしも悟性に左右されるものではありません。

悟《ご》

「悟《ご》」とは何でしょうか？「悟」はもともと宗教から来た名詞です。佛教では修煉する人の佛法に対する理解、認識上の悟と、最終的な悟とを意味しており、慧悟《けいご》を意味しています。しかし今や常人の間で用いられるようになり、上司が何を思っているのかをすぐ捉え理解できて、上司の前では非常に要領がよい、といった頭が賢い人を言うのに使うようになりました。人々はこれを悟性が良いと言い、このように理解している場合が往々にしてあります。しかし常人の次元を超え、少し高い次元に立って見ると、常人が認識しているこのような理がほとんど間違っているのに気づきます。われわれの言う悟は、こういう悟と全然違います。利口な人の場合、悟性がかえって良くありません。賢すぎる人は、人目につくような仕事にたけているので、上司、上役から褒められます。しかし実際の仕事は他人がやらなければならないのではないでしょうか？　そこで彼は人に借りを作ってしまいます。利口で、要領がいいので、たくさん利益を手に入れますが、他の人はそれだけ多くの不利益を蒙らなければなりません。利口なので、損をするようなことはしませんし、不利益を蒙ることもめったにありません。そこで他の人が不利益を蒙る羽目になります。現実の利益を重く見れば見るほど、彼の心はますます狭くなり、常人の物質的利益を何よりも大事だと思えば思うほど、彼は自分こそ現実を重視する人間だと思い、ますます損をしない人間になります。

こういう人を羨ましがる人もいます！　羨ましがらないほうがよいと忠告しておきましょう。あなた方には分かりませんが、彼にとっては生きていることがどんなに疲れることでしょうか。食事もおいしくなければ、ぐっすり眠ることもできず、夢の中でさえ自分の利益が損を蒙ることを恐れていなくてはなりません。個人の利益に関しては、彼はどんな些細なことも気になるので、生きているのが実にたいへんです。彼は一生ただそのために生きています。われわれは、トラブルに直面した時、一歩引き下がれば世界が広々と開けると言っています。間違いなく違った世界が現われるのです。しかし決して引き下がったり譲《ゆず》ったりしない彼のような人は、いちばん辛い生き方をしているのです。ですから、あなたは絶対彼に学ばないようにしてください。修煉界では、こういう人が最も頑迷で、物質的利益のために常人の中にすっかり溺れてしまっている、という言い方をします。彼に徳を守らせようと思っても、無理な話です！　煉功を勧めても、信じてもらえません。「煉功だって？　君たち煉功する人は、他人から殴られても殴り返さず、罵られてもやり返さず、人にいじめられても、心の中でその人に同じ仕打ちを返そうと思ってはならず、逆にその人に感謝しなければならない、なんてことを言っているが、君たちはみんな阿Ｑだ！

みんな頭がおかしいのだ！」と言うのです。こういう人には、修煉を理解することは不可能です。彼は逆に君こそ不可思議だ、馬鹿だと言います。こういう人は実に済度しにくいものです。

われわれの言う悟は、このような悟ではありません。まさにわれわれが個人の利益に関しては薄のろだと言われているように、われわれが意味しているのは、ほかならぬそういう悟なのです。もちろん本当の薄のろではなく、われわれはただ現実的利益に無頓着でいるだけで、その他の面ではいたって頭がいいのです。科学研究のプロジェクトをやっていても、上司から任務を与えられて、何かの仕事に取り組んでいても、われわれはいつでも頭脳明晰で、立派に仕事をなし遂げます。ただわれわれの個人の利益に関しては、人と人とのトラブルや衝突においては、われわれは無頓着でいるだけです。誰があなたのことを薄のろだと言えるのですか？　誰もあなたを薄のろとは言えません。絶対にそうです。

本当の薄のろのことですが、それについての条理は高い次元においてはまったく逆転していま す。薄のろは常人の中で大きな悪事を働くことがなく、個人の利益のために争ったり闘ったりせず、名も求めず、徳を失うこともありません。逆に他人のほうがみな彼に徳を与えます。彼を殴ったり、罵ったりする時、みんな彼に徳を与えます。この物質こそきわめて貴重なものです。われわれのこの宇宙には、「失わないものは得られず、得ようとすれば失わなければならぬ」という理があります。人は薄のろを見かけると、「こののろま野郎」と罵ったりします。口を開いて罵ったら、たちまち一塊の徳が相手に投げ渡されることになります。あなたが得をして、得た側になったのですから、そこで、あなたが失わなければなりません。人が寄ってきて、「こののろま野郎」と一足《ひとあし》蹴ったとします。一塊の徳がまたもや重々しく投げかけられてきます。いじめられても蹴られても薄のろはただ笑い、どうせ徳をいただくのですから、押し返したりはしません。むしろ、どんどん来いと笑っているのです！　高い次元の理に照らしてみた時、皆さん考えてみてください。どちらが賢いのですか？　彼こそ賢いのではありませんか？　彼こそ最も賢いもので、徳をちっとも失ったりしません。徳を投げかけられても全然押し返したりしないで、全部いただいてしまい、にっこり笑いながら取り入れるのです。この世では薄のろでも来世では薄のろではなくなります。元神が薄のろではないのです。宗教では、人の徳が多ければ、来世では高官になり、大金持ちになるといいますが、そういったことはすべてその人の徳と引き替えに得るものです。

徳は直接功に演化することができる、とわれわれは説きます。どんなに高くまで修煉したにしても、みんなこの徳が演化したものではないでしょうか？　徳は直接功に演化することができるのです。人の次元の高低や功力の大小を決める功は、ほかでもなくこの物質が演化してできあがったのではないでしょうか？　それはたいへん貴重なものだと思いませんか？　それは生まれる時について来ますし、死ぬ時に持って行けます。佛教では、修煉の高さは、果位に現われるのだと言います。代償を払えばその分だけ得る、こういう道理です。宗教では、徳があれば来世高官になり、大金持ちになると言っています。徳が少なければ、物乞いをしてもご飯にありつけません。なぜなら交換しようにも徳がないのです。失わなければ得られないのは当然です！　徳を全然もっていなければ、形神全滅するしかなく、本当に死んでしまうのです。

昔一人の気功師がいて、世に出たばかりの頃は次元がかなり高かったのですが、後に名利に溺れてしまいました。彼の師はそこで彼の副元神をつれて行きました。彼の場合は副元神が修煉していたからです。その人は、副元神がいた時には、副元神の支配を受けていたのでした。ひとつ例を挙げましょう。ある日勤め先が住宅を配分することになり、上司が、住宅事情の困っている人はみんな中し出て、事情を説明し、どうして住宅が必要なのか申し立てるようにと言いました。それぞれが自分のことを申し立てたのですが、その人は黙って何も言いません。しまいに上司は、その人が他の人より困っていることを見抜いて、住宅を彼にあてがうべきだと言いました。他の人は、「それはいけません。彼に割り当てるべきではなく、わたしがもらうべきです。わたしのほうがこれこれの事情で困っているのだから」と、言います。すると彼が「ではもっていきなさい」と、言ったというのです。常人から見れば、この人は馬鹿に違いありません。彼が煉功者だと知っている人がいて、「君たち煉功者は何も要らないというのですが、では要るものは何ですか？」と彼に聞きます。彼は「他人の要らないものが要る」と、答えました。実のところ彼は全然馬鹿などではなく、かなり賢いのです。ただ個人の現実的利益についてては、こういうふうに対処するのであり、自然に任せることを重んじるのです。他人はまた聞きます。「現在の人間に要らないものがあると思いますか？」。彼が答えて言うには、「地面に転がっている石ころは誰も要らないので、わたしはその石ころを拾うことにする」。常人はこれを不可思議だと思うでしょうが、常人は煉功者を理解することができないもので、理解のしようがありません。思想の境地があまりにも違いすぎ、次元があまりにもかけ離れているのです。もちろんその人は、その石ころを拾いには行きませんが、彼は常人が悟れない理を言い表したのでした。つまり自分は常人の中のものを求めない、ということです。その石ころについて言いますと、皆さんご存じのように、佛教の経典に、極楽世界の木も、大地も、鳥も、花も、家も、みんな金でできていて、佛の身体でさえぴかぴかと金色《こんじき》に光っているのだと書いてあります。そこへ行くと、石ころが一つも見つかりません。お金が石ころだと言われています。彼は別に石ころを運んで行くはずはありませんが、しかしこういう常人には理解できない理を明らかにしました。「常人には常人の求めるものがあり、われわれはそれを求めない。常人にあるものはわれわれはありがたがらない。われわれのもっているものは、常人がほしくても手には入らないものだ」と、煉功者は確かにこう言うのです。

実は、われわれが先ほどお話しした悟は、まだ修煉過程における悟に過ぎず、それは常人の中の悟とちょうど反対になっています。われわれの本当に意味する悟は、煉功過程における師の説いた法、道家の師が説いた道《どう》、修煉過程において自分が出会った苦難などを理解できるかどうか、受け入れられるかどうか、自分が修煉者だと悟れるかどうか、修煉過程においてこの法に従って実行できるかどうか、ということです。どんなに話してあげても信じない人がいて、やはり常人の中にいる方が何かにつけて実質的だと言います。固有の観念を抱《いだ》いて放そうとしないので、信じることができないのです。ある人の場合は、病気治療のことばかりやりたがっているので、わたしが気功は病気治療のためのものでは全然ないと言ったら、彼は反感を覚えて、それから何を言っても信じようとしなくなったのです。

悟性がどうしても上がって来ない人がおり、わたしのこの本に勝手に線を引いたり印をつけたりします。われわれの中の天目が開いた人なら見えますが、この本は色鮮やかで、金色《こんじき》の光を放ち、どの字もわたしの法身の姿かたちです。わたしがもし嘘を言っているなら皆さんを騙していることになりますが、あなたが一筆《いっぴつ》でも書いたら真っ黒になってしまいます。それでも勝手に書く勇気が本当にあるとでも言うのですか？　われわれはここで何をしているのですか？　あなたに修煉を教え、上へ導こうとしているのではないでしょうか？　こういうことも考えてもらわないといけません。この本はあなたの修煉を指導することができるものです。これほど貴重なものがほかにありますか？　佛を拝むことは本当の修煉の役に立ちますか？　あなたは非常に敬虔《けいけん》で、佛像に触らないように気をつけたり、毎日線香を立てたりしているようですが、本当にあなたの修煉を指導できるこの大法《ダーファ》をそんなに汚していいのですか。

人間の悟性とは、修煉過程において出現するあらゆる次元または師の言った特定のもの、特定の法に対するあなたの理解の程度を指しています。しかしこれはまだわれわれの言う根本的な悟ではなく、われわれの言う根本的な悟とは、命のあるかぎり、修煉の最初から絶えず上へ昇華し、絶えず人間の執着心、さまざまな欲望をなくし、絶えず功を伸ばし、修煉の最後の一歩まで真っ直ぐに進むことを言います。徳という物質が全部功に演化されて、師が段取りをしてくれた修煉の道の終点までやってくると、その瞬間、鎖がぱっと全部炸裂《さくれつ》してしまいます。天目がその人のいる次元の最高点に達しましたので、自分のいる次元の各空間の真相や、各時空のさまざまな生命体の存在形式、各時空における物質の存在形式、宇宙の真理が見えてきます。神通力が大いに顕われて、さまざまな生命体と通い合うことができます。ここまで来ると、それはもう大覚者ではないでしょうか？　修煉して悟った人ではないでしょうか？　古代インド語に翻訳すると、佛にほかなりません。

われわれの言うこの悟、この根本的な悟は、やはり頓悟《とんご》の形式に属します。頓悟とは、この世に生命のあるうちは鍵をかけられて修煉することです。自分がどれだけ高い功を持っているかを知らず、自分が修煉してできあがる功がどんな形態のものなのかも知らないので、全然何の反応もありません。自分の身体の細胞すらも鍵をかけられて、修煉してできあがった功は全部閉ざされて、修煉の最後になってはじめて開かれます。これは大根器の人にしかできないことで、修煉の間はかなり辛いものです。まず良い人になろうとするところから始め、ひたすら自分の心性を向上させ、ひたすら苦しみに耐え、ひたすら上へ向かって修煉し、ひたすら心性の向上を求めますが、自分の功は見えません。こういう人は最も修煉するのが難しいのです。大根器の人でなければなりません。何年修煉しても全然何も分からないのです。

もう一つの悟は漸悟《ぜんご》と言います。始めから多くの人が法輪《ファルン》が回っているのを感じており、同時にわたしは皆さんの天目を開かせています。今はさまざまな原因により見えない人も将来は見えるようになり、はっきり見えなかったのがはっきり見えるようになり、使い方が分からなかったのが分かるようになり、次元は絶えず高まっています。心性の向上と、さまざまな執着心の放棄に従って、さまざまな功能も現われるようになります。修煉過程全体の推移、身体の転化過程がすべて、あなた自身に見えて感じとれる状況の下で、変化します。こうして最後のところまでやってきて、宇宙の真理を完全に認識し、次元もあなたが修煉して到達すべき最高点に達します。本体の変化、功能の加持がみな一定のレベルに達して、徐々にこの目的にたどりつくのです。こういう悟は漸悟に属します。この漸悟という修煉方法もけっして容易ではありません。功能を持ってしまいますと、執着心をどうしても捨てられない人の場合、ともすると顕示したがり、良くないことをするのに走りやすいのです。こうなると功が堕ちてしまい、無駄に修煉したことになり、最後は駄目になってしまいます。見える人の場合、異なる次元のさまざまな生命体の顕現が見えてしまうと、彼らに引っ張りまわされ、あれこれさせられるかも知れませんし、彼らがあなたを弟子にして、彼らのものを修煉させようとするかも知れません。しかし彼らはあなたに正果《しょうか》を得させることはできません。なぜなら彼ら自身が正果を得ていないからです。

このほかに、高次元空間にいる人はみんな神で、とてつもなく大きく変身したり、大いに神通力を見せたりします。そこであなたは、心がちょっと歪んだりした時には、ふらふらと彼らについて行くことになりませんか？　ついて行ってしまいますと、いっぺんに修煉が台なしになってしまいます。彼らがたとえ本当の佛《ほとけ》、本当の道《どう》であるにしても、あなたは一から修煉し直さなければなりません。さまざまな次元の天にいる人は、みな神仙ではないでしょうか？　人は修煉してきわめて高い次元に達し、目的に到達した時になって、はじめて完全に抜け出すことができます。普通の人の目には、あの神仙は確かに高くて大きい、力もすごいものをもっていると映るかも知れません。しかし彼らが必ずしも正果を得ているとは限りません。さまざまな信息に妨げられ、さまざまな光景に誘惑されている時、あなたの心は動じないでいられますか？　そうなると天目が開いたまま修煉するのも難しく、心性がいっそう制御しにくいわけです。しかし幸いにもわれわれは、一部の人には途中で功能を開かせて、漸悟状態に入るようにしているのです。天目は一人一人に開かせますが、多くの人については、功能を出現させないで、心性が徐々に徐々にある次元にまで高まってきて、心の状態が安定し、自分を制御できるようになった時に、いっぺんに炸裂するようにしてあげます。ある次元に達してから、あなたを漸悟の状態に進ませて、その時になれば比較的制御しやすく、さまざまな功も現われたので、自分で上をめざして修煉すればよいのです。こうして最後になって完全に開かれます。われわれの多くがこの部類に属しますが、修煉の途中でそれらが現われるようにしてあげますので、あわてて見ようとしないようにしてください。

皆さんは禅宗にも頓《とん》、漸《ぜん》の分け方があるのをお聞きになったことがあるかも知れません。禅宗の六祖慧能は頓悟を唱え、北派《ほくは》の神秀《しんしゅう》は漸悟を唱えていました。彼ら両者は佛教教義のうえで非常に長い間互いに論争していました。これは歴史上の事実ですが、わたしに言わせれば、意義がありません。なぜかといいますと、彼らが、修煉過程における一つの理に対する認識のことを言っているに過ぎないからです。この理は、たちどころに認識する人もいれば、徐々に悟り、認識する人もいます。どう悟ってもいいのではないでしょうか？　いっぺんに認識できれば、それに越したことはありませんが、徐々に悟ってもかまいません。どちらも悟ったことになるのではないでしょうか？　どちらも悟りですから、どちらも悪くありません。

大根器の人

大根器の人とは何でしょうか？　大根器の人と、根基の良し悪しということとはまた違うのです。こういう大根器の人は実に見出し難いもので、かなり長い歴史を経てようやく一人生まれるか生まれないかです。当然のことながら、大根器の人はまず非常に大きな徳を備えていなければならず、この白い物質の場が相当大きくなければなりません。これは間違いのないところです。同時に彼は、苦の中の苦に耐えられなければならず、大きな忍の心をもっていなければなりません。捨てることもでき、徳を守ることもでき、また悟性が良くなければならない、などなども必要です。苦の中の苦とは何でしょうか？　佛教では人間でいること自体が苦と考えており、人間になった以上苦に耐えなければなりません。しかし他のどの空間の生命体もわれわれ常人のような身体がないので、病気になることはなく、生、老、病、死の問題が存在しておらず、したがってこういう苦痛も存在していないと考えられています。他の空間の人間は漂《ただよ》い浮かび上がることができ、重さがないので、非常に美しくて妙《たえ》なるものです。常人はほかならぬこの身体を持っているからこそ、さまざまな問題を抱え込むようになったのです。寒くても暑くてもいけない、喉が渇いてもお腹が空いてもいけない、疲れてもいけません。そして生、老、病、死のこともあり、いずれにしても安らかになれません。

ある新聞の記事にこんなことが書いてありました。唐山《とうざん》地震の時に多くの人が地震で亡くなりましたが、救急治療で蘇った人もいます。こういう人を対象に特殊な社会調査を行ない、「死にかかっていた状態でどんなことを感じたのか」と、尋ねたところ、意外にもこれらの人はみなある特殊なことに触れ、しかもそれが一致していました。つまり人は死ぬ瞬間には怖い感覚がなくて、むしろ逆に解脱感を覚え、潜在的な興奮を感じたというのです。自分は突然身体の束縛から解き放され、軽やかに、非常に美妙な感じで漂い出したという人もおり、自分の身体が見えた人もいます。他の空間の生命体を見た人もいますし、どこそこに行って来たという人もいます。すべての人があの瞬間に解脱感を覚え潜在的な興奮を感じ、苦痛の感覚がなかったと語っています。言い換えれば、われわれ人間が肉身を持っているかぎり、苦であるにもかかわらず、みんな一様に母胎から出てきたものなので、それが苦だと分からないだけです。

人間は苦の中の苦に耐えなければならない、とわたしは言いました。先日わたしは、人類のこの時空と、他のさらに大きな時空・空間との概念が違うとお話ししましたが、われわれこちらの一刻は二時間ですが、他の空間では一年になります。人がこんなに辛い環境の下でもなお煉功しているのは、他の空間からはえらいと思われます。人に求道の心が芽生え、修煉しようと思い立つと、本当に大したものだと感心されます。こんなに辛くても、その人の本性は失われておらず、なおも修煉して元に返ろうとしているのですから。なぜ修煉する人を無条件に助けることができるのでしょうか？　まさにこういうわけだからです。この人が常人の空間で一晩座禅を組んだというと、あちらの人から見れば、「この人は大したものだ。彼はそこで六年も坐っているのだ」ということになります。なぜならわれわれの一刻はあちらの一年なのですから。われわれ人類はきわめて特殊な空間にいるのです。

苦の中の苦に耐えるとはどういうことでしょうか？　一例を挙げましょう。ある日、ある人が勤め先に出勤しました。勤め先は景気があまり良くありません。仕事が少ないのに人ばかり溢れるのはまずいので、改革を行ない、請負制を取り入れました。余剰人員はやめなければならないことになります。彼もその中の一人で、突然仕事を失いました。こういう時、人はどんな気持ちになるでしょうか？　お金の出どころがなくなり、どうやって暮らしていけるでしょうか？　といっても他にこれといった技能ももっていません。彼はしょんぼりと家に戻ってきました。家についたら、高齢の親が倒れています。病状がひどいので慌てふためき、いらいらしながら急いで病院につれていこうとします。やっとのことで金を借りて病院に行きました。その後、親の身の回りのものを用意しようと家に戻ってくると、学校の先生が来ています。「お宅の息子が人を殴り、けがをさせたので、早く様子を見に行ってほしい」とのこと。それも片付けてやっと家に戻り、坐りかけたかと思うと、電話のベルが鳴りました。奥さんが浮気をしていると聞かされます。

もちろん皆さんは、こんなことに出会うことはありません。普通の人は、こんな辛さには耐えられないものです。「もう生きていくのが嫌だ。縄を掛けて首を吊り、死んでしまおう！　死ねば楽になるだろう！」と、思うようになります。わたしが「人間は苦の中の苦に耐えられなければならない」と言ったのは、もちろん必ずしもこういう形とは限りません。人と人とのいがみ合いや、心性の摩擦や、個人の利益の争いなども、こういうことに比べればましだとは言えません。多くの人は意地のために生きており、悔しくて耐えられなくなると首を吊ってしまうことさえあります。だからこそわれわれは、こういう複雑な環境の中で修煉しようとしており、苦の中の苦に耐え、かつ大きな忍の心をもつように修煉しなければならないのです。

大きな忍の心とは何でしょうか？　一人の煉功者としては、まず殴られても殴り返さず、罵られてもやり返さないで、ひたすら耐えられるようでなければなりません。でなければどうして煉功者と言えましょうか？「そんな忍は実行するのが難しい。わたしはかんしゃく持ちだから」と言う人がいます。自分でかんしゃく持ちだと分かれば、改めればいいではありませんか。煉功者は絶対に耐えられなければなりません。子供をしつける時にも、ひどく怒り、かんかんになる人がいますが、しつけはそこまでしなくてもいいはずで、本気で怒ったりせず、理性的に教育して、はじめて本当に良い子供を育てることができます。小さなことも乗り越えられず、かんしゃくを起こしたりしていて、功を伸ばせるとでも思っているのですか。「街を歩いていて不意に誰かに蹴られた時、まわりに知っている人がいなければ我慢できる」と言う人がいます。それではまだ不十分だ、とわたしは言いたいのです。あなたが最も面子《メンツ》を失いたくない人の前で、誰かがあなたに平手打ちを食らわして、恥をかかすようなことが将来起きるかも知れません。果してあなたはそれにどう対処しますか。果して耐えられるかどうか。一応は耐えられたとしても、内心では落ちつかないようでしたら、それでも駄目です。皆さんもご存じのように、羅漢の次元に達すると、どんなことに遭遇しても心にかけず、常人の中のどんなことも全然気にとめず、常ににこにこしていいます。どんなに大きな損をしてもにこにこして平然と笑っています。本当にそれができれば、あなたはもう羅漢の初級果位に達していることになります。

「忍の心でそこまでしなければいけないようでしたら、常人からあまりにもひ弱で女々《めめ》しく、あまりにもいじめられやすい奴と見られるだろう」と、言う人がいます。わたしに言わせればそれはひ弱でも女々しくもありません。皆さん考えてみてください。常人でも年配の人、教養レベルの高い人は、品格を重んじ、他人と同じように争わないよう心がけています。ましてわれわれは煉功者ですから、そういう振舞いはどうして、女々しいと言えますか? わたしに言わせれば、それは大きな忍の心の現われ、強靭《きょうじん》な意志の現われで、煉功者だけしかそういう大きな忍の心がもてません。「匹夫《ひっぷ》が辱《はずかし》められると、剣を抜いて相闘う」という言葉があります。常人にとっては当然のことで、罵られればやり返し、殴られたら殴り返します。そういう人は常人としか言いようがなく、どうして煉功者と言えるでしょうか? 一人の修煉者として、あなたがもし強靭な意志をもたなければ、自分を制御できなくなり、ここまで達するのはなかなか難しいのです。

皆さんもご存じのように、古代に韓信《かんしん》という人がいました。非常に才能のある人といわれて、劉邦《りゅうほう》の大将軍をつとめ、国の棟梁《とうりょう》でした。なぜ彼はあんな大きなことができたのでしょうか? 実はこの韓信は小さい時から並みの人ではありませんでした。韓信が股くぐりで辱められたという典故《てんこ》があります。韓信は少年時代から武術をたしなみ、武術者としていつも剣をさげていました。

ある日街を歩いていると、ならず者が仁王立《におうだ》ちして道をふさぎ、こう言います。「お前は剣をさげているが何をするのか。人を殺すだけの勇気があるのか。殺せるものなら、俺の首を切り落としてみろ」。そう言いながら首を突き出してきます。韓信は、お前などの首を切り落として何になるものかと思いました。当時でも人を殺せば通報されて、命で償わなければならず、勝手に人を殺すなどできません。ならず者は韓信に殺す勇気がないと見て、「俺を殺す勇気がなければ、俺の股下をくぐって行け」と、言いました。韓信は本当にその股下をくぐりました。これは韓信が絶大な忍の心をもっていることを物語っており、普通の常人とは違っていたからこそ、こんな大きなことができたわけです。意地を張る、というのは常人のいう言葉で、この意地で生きていくというのは、皆さん考えてごらんなさい、実に大変ではありませんか？　辛いことではありませんか？　そうする価値がありますか？　韓信はなんといっても常人であるのに対して、われわれは修煉者で、われわれは彼よりもずっと上です。われわれの目標は、常人を超える次元に達し、さらに高い次元に向かって邁進《まいしん》することです。そのようなことにわれわれが遭遇することはありませんが、しかし修煉者も常人の中で屈辱を受け、辱められたりすることはあり、その方が楽だとも言えません。人と人との心性の摩擦も、わたしに言わせれば、決してましだとはいえません。勝《まさ》るとも劣らず、やはりなかなか難しいことなのです。

ところで、修煉者は、捨てることもできなければなりません。常人の中のさまざまな執着、さまざまな欲望を捨てなければならないのです。いっぺんにできなくても、徐々にできるようになるのです。今日いっぺんにできるようなら、あなたは今日にでも佛になります。もっとも修煉は徐々にするものだとはいえ、だからといって自分自身を緩めてはいけません。先生が修煉は徐々にするものだと教えているから、ゆっくりやろう、などと言ってはいけません！　自分を厳しく律するべきです。佛法修煉においては勇猛邁進しなければなりません。

また徳を守ることができるというのも大事であり、心性を守って、妄《みだ》りに行動しないようにしなければなりません。何でも気分次第で動いてはいけません。自分の心性を守らなければなりません。常人の間ではよく「良い行ないをして徳を積む」という言葉が聞かれます。煉功者は徳を積むことをめざすのではなく、徳を守ることを重んじます。なぜ徳を守ることを重んじるのでしょうか？　われわれはこういう状況を見ています。つまり、徳を積むというのは常人の言うことで、徳を積み、善行《ぜんこう》を重ねれば、来世は良い応報を得ると考えられているのです。しかし、われわれにとってはこういう問題は存在していません。修煉して成就すれば、来世ということがなくなるのです。われわれがここで徳を守ると言っているのは、もう一つの意味があります。つまりわれわれの身体についている二つの物質は、一世一代で積み重ねられたものではなく、悠久の昔から伝えられてきたのです。たとえ自転車に乗って町中を走り回ってみても、良い行ないをする機会に出会えるとは限らないのです。毎日そんなことをしても出会える保証はありません。

それにもう一つの意味があります。徳を積もうとすると、あなたから見て良いと思ったことでも、やってみると、悪いことだったと分かるかも知れません。逆に悪いことと思っていたのに、かかわってみると、良いことだったと分かるかも知れません。なぜでしょうか？　あなたにはその中の因縁関係が見えないからです。法律は常人の中のことを相手にしており、それはそれなりに問題ありません。しかし煉功者は超常的なので、一人の超常的な人間として、超常的な理で自分を律しなければならず、常人の理で量ってはいけないのです。その因縁関係が分からなければ、ものごとを取り違えてしまいやすいのです。ですからわれわれはむしろ無為を重んじます。したいことを何でもするわけにはいかないのです。「わたしはどうしても悪人の取り締まりをやりたい」と言う人がいます。そういう人はいっそのこと警察官になればいいかも知れません。といっても、殺人や放火事件に出会っても見て見ぬふりをするようになどと言っているわけではありません。よくお話ししているように、人と人との間にトラブルが起きて、ある人が他の人を蹴ったり殴ったりしている場合でも、もしかすると殴られた人が殴った人に借りがあったからかも知れません。二人の間はそれで帳消しになるでしょう。あなたが入ると、それが帳消しにならず、次回にまわされてまた一からやり直さなければなりません。つまり、あなたに因縁関係が見えなければ、間違ったことをしやすいし、それによって徳を失いやすいのだということです。

常人が常人のことに口を出すのはかまいません。彼は常人の理で量っているのです。あなたは超常的な理で量らなければなりません。殺人や放火事件を見て見ぬふりするのは、心性の問題です。そういうことをしながらどうして自分が良い人だと主張することができるでしょうか？　殺人や放火事件にさえ手をこまねいているとすれば、どんなことならあなたが手をこまねかないのでしょうか？　ただしかし、これらのことはわれわれ修煉者とあまりかかわりがありません。そういうことを段取りしてあなたに出会わせることはまずありません。われわれが徳を守ると言っとているのはほかでもなく、あなたが悪いことをしないようにするためです。あなたはある種のことをちょっとでもすると悪いことをしたことになるかも知れません。そうなれば、徳を失わなければなりません。徳を失うと、次元はどうやって向上していけますか？　どうやって最終目標に達しますか？　こういう問題があるのです。このこと以外に、悟性が良いことも大切です。根基が良ければ悟性も良い可能性がありますが、環境によって影響されることがあります。

わたしはこうもお話しました。われわれ一人一人がみんな内に向かって修め、一人一人がみんな自分の心性から探すようにし、うまくいかなかった場合は、自分に原因を探し、次回はうまくいくよう努力し、何をしても人のことをまず考えるようにします。こうすれば、人類社会が良くなり、道徳も回復し、精神文明も良くなり、治安状況も良くなるはずで、もしかすると警察も要らなくなるかも知れません。人に管理されるまでもなく、みんなが自分自身を管理して、自分の心に向かって探すようになれば、どんなに良いでしょうか。皆さんもご承知の通り、現在では法律が徐々に健全化され、徐々に完備されてきています。それなのになぜまだ悪いことをする人がいるのですか？　なぜ法があるのに従わないのですか？　それはほかでもなく、人の心は管理できにくいもので、人に見られていないとつい悪いことをしてしまうからです。もしみんなが心の内に向かって修めれば、まったく違う状況が生じてきて、あなたがいちいち義憤を感じたりしなくてもよいようになるのです。

法はここまでしかお話しできません。さらに高いものはあなたが自分で修煉して会得しなければなりません。質問の時間に、ますます具体的なことを尋ね、生活上の問題さえわたしに解決を求める人がいますが、それではあなた自身は何を修煉するのですか！　自分で修煉し、自分で悟らなければなりません。わたしが全部言ってしまえば、あなたの修煉するものがなくなります。幸いに大法《ダーファ》はすでに世に公にしましたので、大法《ダーファ》に基づいて実行すればよいのです。

わたしが法を伝える時間はそろそろ終わりに近いと思いますので、皆さんがこれからさらに修煉されるにあたって、手引きとなる法を持つことができるように、本当のものを皆さんのために残したいと思います。法を伝える全過程で、わたしは皆さんに対して、そして同時に社会に対して責任をもつことを常に念頭においてきました。実際われわれはこの原則に基づいて行なっているのです。よくやったかどうかは世論《よろん》が決めてくれますので、わたしは言わないことにします。わたしの願望は、もっと多くの人が受益できるように、真に修煉したい人が法に従って向上をめざして修煉できるように、大法《ダーファ》を世に公にすることです。それに法を伝えると同時に、われわれは人間としての心構えについてもお話ししましたが、皆さんがこの講習会を終わってから、たとえ大法《ダーファ》に従って修煉できなくても、せめて良い人間になられるよう希望しています。そうすればわれわれの社会に対して有益になりましょう。実際あなたはもう良い人間とは何かを知っており、帰ってからも、きっと良い人間になることができます。

　法を伝えている中で、うまくいかなかった点もありますが、さまざまな方面からの妨害もかなり大きかったのです。主催者と各界の指導者の力強い後援とスタッフの皆さんの努力のおかげで、われわれの講習会は圓満に開催できました。

　講習会においてわたしが話したこれらのことはすべて、皆さんが高い次元をめざして修煉することを指導するためのもので、過去の説法ではこういうことを話した人はいませんでした。われわれの言っていることは非常に明快であり、現代科学や現代の人体科学とも結びつけてお話ししてきましたし、しかも非常に高い次元のものです。それは主に皆さんのためで、あなたが将来本当に法を得、修煉して向上できるようにしてあげたい、というのがわたしの出発点でした。われわれが法を伝え、功を教えてきましたが、多くの人は、法は素晴らしいが実行するのは難しいと思っているようです。わたしは、難しいかどうかは実は人によると思います。ごく普通の常人で、修煉したくない人にとっては、修煉はとてつもなく難しく、不思議なもので、成就などできないと思うでしょう。常人で、修煉したくない人なら、非常に難しいと思うのです。老子はこう言っています。「上士《じょうし》、道《どう》を聞けば、勤めて之《これ》を行なう。中士《ちゅうし》、道《どう》を聞けば、存《あ》るが若《ごと》く、亡きが若し。下士《かし》、道《どう》を聞けば、大いに之を笑う。笑わざれば、以《も》って道《どう》と為《な》すに足らず」。法はわたしに言わせれば、本当に修煉しようとする人にとって、非常に易しいもので、高くて届かないようなものではありません。実際ここにいる多くの古い学習者や今回は来られなかった古い学習者は、すでにかなり高い次元まで修煉しています。わたしがあなたにこれをお話ししなかったのは、あなたに執着心が生まれたり、いい気になったりして、それによって、あなたの功力の向上が影響を受けるのを心配したからです。本当に修煉を決意した人にとっては、もし耐えることができ、さまざまな利益を前にして執着心を捨て去ることができ、そういうものに淡泊になれたら、こういうことを真に実行できれば、難しいことは何もありません。難しいと言う人は、こういうものを捨てられないからにほかなりません。功法を修煉すること自体はそれほど難しくなく、次元を向上させること自体には、それほど難しいところはありません。人間の心を捨てられないから、難しいと言うのです。なぜなら現実の利益の真っただ中で、心を捨てることは至難だからです。利益がすぐここにある時、心をどうして捨てられるでしょうか？　難しいのは、実際その点にほかなりません。人と人との間にトラブルが起きた時、そこに居合わせたわれわれがどうしても我慢できず、自分を煉功者として律することすらできないようでは、話になりません。わたしがむかし修煉していた時、多くの高人がこんなことを言ってくれました。「忍び難《がた》きは忍びうる。行ない難きも行ないうる」。実際その通りです。皆さんはお帰りになってからぜひ試しにやってみてください。本当の劫難に直面した時、あるいは関門を乗り越える時に、試してみてください。耐え難いものを耐えてみてください。乗り越えられそうもないと見えても、行ない難いと言われても、本当にできるかどうか試しにやってみてください。もし本当にやり遂げられれば、きっと「柳暗《リュウアン》花明《ファミン》又《ユウ》一村《イーチュウン》」というように、眼前に新たな世界が開けることに気づくに違いありません！

あまりにも多くのことをお話ししてきました。あまり多く話しましたので、皆さんは覚えるのが難しいかも知れません。そこで皆さんに特に一つだけ要望があります。皆さんがこれから先の修煉において、自分を煉功者としてあつかい、本当に修煉し続けてほしいということです。新しい学習者も古い学習者も、大法《ダーファ》の中で修煉し、みんな功成って圓満成就できるように希望します！皆さんがお帰りになってからも時間を無駄にせずに、着実に修煉するよう切に希望します。

『轉法輪《ヅァンファルン》』は、文章の表面上においてきらびやかではありません。甚だしきに至っては、現代の文法に符合しないこともあります。しかし、私がもし、現代的な文法でこの大法《ダーファ》の本を整理したなら、一つの重大な問題が現われます。文章の言語構造は規範的で美しくても、さらに深く、さらに高い内涵はありえないのです。それと言うのも、現代の規範的な語彙《ごい》では、大法《ダーファ》のさらに高い異なる次元での指導と法の各次元での現われを示して、学習者の本体と功の演化ならびに向上のこの種の実質的な変化をもたらす術《すべ》が、まるでないからです。

李　洪　志

一九九六年一月五日

轉 法 輪

（日本語版）

定價：NTD 450
JPY 1500

二〇一〇年五月出版發行
二〇一一年十月第二次印刷

著　者　李 洪 志
發行所　益群書店股份有限公司
台北市重慶北路二段 229 - 9 號
☎02-25533122　25533123　25533124
劃撥：0015152-2　傳真：02-25531299
益群網站：http://www.yihchyun.com.tw
E-mail：yihchyun@ms54.hinet.net
出版登記證：局版台業字第 0668 號

ISBN：978-957-552-961-1

•如發現本書有破損或裝訂錯誤者，請寄回本店更換　編號：T811-990503